La tumba de
JESÚS
y su familia

La tumba de JESÚS y su familia

Simcha Jacobovici y Charles Pellegrino

Traducción de Javier Guerrero

Título original: *The Jesus Family Tomb*

Primera edición en esta colección: Junio de 2007

© 2007 by Simcha Jacobovici and Charles Pellegrino
© de la traducción: Javier Guerrero, 2007
© de la presente edición, 2007, Ediciones El Andén, S.L.
   Avenida Diagonal, 520, 4.º, 1.ª - 08006 Barcelona

Printed in Spain
ISBN: 978-84-935758-9-2
Depósito legal: B. 27.175-2007

Fotocomposición: Lozano Faisano, S. L. (l'Hospitalet)

Impreso por: LIBERDÚPLEX, S.L.U.
Ctra. BV 2249 Km. 7,4. Polígono Torrentfondo
08791 Sant Llorenç d'Hortons (Barcelona)

EA 575892

Agradecimientos

Damos las gracias a:

Elaine Markson, nuestra agente, Gideon Weil, nuestro editor, Carney Matheson (laboratorio de paleogenética de la Universidad de Lakehead), Robert Genna, Linda Parisi, Clyde Wells (laboratorio de criminalística del condado de Suffolk, Nueva York), Alberta Nokes (Vision Television), Billy Campbell, Jane Root, Clark Bunting, Phil Fairclough, Steve Burns, David McKillop (Discovery Channel), Simon Andreae, Ralph Lee (Channel 4) y Robin Mirsky (Rogers Telefund).

Nuestro agradecimiento especial a:

James Cameron, James Tabor, Shimon Gibson, Andrey Feuerverger, Nicole Austin, Karen Dougherty, Andrea Gallagher Ellis, Felix Golubev, Chelsea Johnston y Ric Bienstock, del equipo de Associated Producers.

Charlie da las gracias a:

Padre Mervyn Fernando (Subhodi Institute), padre Robert McGuire, rabino Zuscha *Mel* Friedman, los chicos de Cameron, The Don (Peterson), Mary Leung Young, Omar Cedeno, Bill Schutt (Museo Americano de Historia Natural), reverendo Jill Potter, Doug McClean, Giuseppe Mastrolorenzo y Pier Paolo Petrone (arqueología forense, Vesubio).

Gracias asimismo a mamá y papá Pellegrino, quienes, con la colaboración de cinco profesores incomparables —Adelle Dobie,

Barbara y Dennis Harris, Agnes Saunders y Ed McGunnigle— ayudaron a crecer y escribir libros a un chico al que se consideró incapaz para siempre de leerlos. Un agradecimiento especial, asimismo, al capitán Paddy Brown y a sus difuntos grandes amigos en Ladder 4 y Engine 54, quién sabe por qué.

Simcha da las gracias a:

Mi padre Joseph, mi madre Ida, mi hermana Sara, mis hijos: Ziva Esther, Nava Hana, Iosefa Liza, Adin Hananya, Michaela Sashi, y a mi esposa, Nicole.

Prólogo

Y si Jesús no hubiera existido nunca? Muchos expertos sostienen hoy esa tesis. De acuerdo con ella, en la figura de Jesús se refundieron diversos mitos paganos acerca de un hombre-dios y mitos de muerte y resurrección con tradiciones mesiánicas judías del siglo I, por lo que Jesús no tiene más entidad histórica que Zeus.

En diversas religiones mistéricas paganas anteriores al siglo I d. C., Osiris, Atis y Dioniso fueron todos ellos hombres-dioses que murieron alrededor del momento de la Pascua (el equinoccio de primavera) y resucitaron al cabo de tres días. Y las tres divinidades son anteriores a Jesús en varios siglos. Muchos estudiosos consideran que la propia Navidad es una adopción de la costumbre pagana de celebrar el solsticio de invierno. Teniendo en cuenta que muchos de los elementos fundamentales del relato de la historia de Jesús, como haber nacido de una virgen o la Resurrección, anteceden su supuesta existencia en cientos de años, se ha defendido de manera convincente que nunca existió, que fue un mito creado para satisfacer una necesidad específica. Ante la ausencia de la más mínima prueba acerca de la existencia real de Jesucristo, resultaba imposible refutar con hechos esta tendencia reciente entre los historiadores.

Sin embargo, ahora, en este asombroso libro, Simcha Jacobovici y Charles Pellegrino no solo proporcionan una prueba mínima, sino una verdadera avalancha de ellas. Su investigación demuestra, en mi opinión más allá de toda duda razonable, que una tumba hallada en 1980 en Talpiot, Jerusalén, es el sepulcro de Jesús y su familia. Más fascinante aún es lo que los indicios materiales contenidos en dicha tumba nos dicen de Jesús, su muerte y sus relaciones con los otros miembros de la familia hallados en el mismo sepulcro.

Esta obra es la crónica de una investigación de tres años del hallazgo arqueológico más sensacional del siglo pasado. Simcha y Charlie analizan con rigor sistemático los indicios materiales, cotejándolos con pistas ofrecidas por los Evangelios, tanto canónicos como apócrifos, y dibujan la primera imagen completa de la familia de Jesús. El libro se lee como una apasionante novela de detectives que obliga a uno a pellizcarse para recordar que todo es real. Absolutamente real.

En cierta ocasión, un entrevistador que ya empezaba a aburrirse de hablar de mis películas me preguntó: «Si pudiera conocer a algún personaje de la historia, ¿a quién elegiría?». ¿Si existiera una máquina que nos permitiera retroceder en el tiempo y mirar a los ojos a una persona que vivió hace siglos? Isaac Newton, Benjamin Franklin, Julio César… qué fascinante sería ver cómo eran en realidad. Quizá elegiría a Hatshepsut, la reina egipcia de la XVIII Dinastía en el antiguo Egipto, porque siempre me han gustado las historias de mujeres fuertes.

Sin embargo, lo que solté como respuesta fue «Jesús». Aunque no soy religioso, siempre he supuesto que existió un Jesús histórico, real, de carne y hueso, y que como mínimo fue un hombre de un carisma y un poder personal extraordinarios.

Tanto si se cree que Jesús fue el Hijo de Dios como si se lo considera un simple ser humano, queda fuera de toda duda que se trata de uno de los hombres más importantes que hayan vivido jamás; posiblemente, es el hombre cuya vida continúa teniendo un mayor impacto en nuestra sociedad.

Pero no disponemos de una máquina del tiempo, y los físicos

afirman que nunca contaremos con ella. Hemos de fiarnos de la historia y de su disciplina hermana, la arqueología. Así pues, ¿qué es lo que en realidad sabemos de Jesús? Mil quinientos millones de cristianos —más de una quinta parte de la población mundial— creen que saben exactamente quién fue Jesús. Pero ¿qué sabemos a ciencia cierta?

Hasta ahora, no ha habido ni un solo indicio material de su existencia. Ni huellas dactilares, ni huesos, ni retratos hechos en vida, nada. Ni un fragmento de pergamino escrito de su puño y letra. Contamos, por supuesto, con las famosas reliquias sagradas, como fragmentos de la Vera Cruz o el Sudario de Turín, pero todas ellas tienen una procedencia cuestionable y están fechadas siglos después. La mayoría de los arqueólogos rechazan su validez.

Cuando Jesús y sus discípulos recorrían la Judea del siglo I no había cámaras, cintas de audio ni estenógrafos en los tribunales. No nos han llegado registros escritos imparciales que puedan proporcionar pruebas independientes, como las actas del tribunal romano, por ejemplo. Ni siquiera disponemos de los datos censales más básicos que señalen su nacimiento.

La mayor parte de lo que sabemos, o creemos saber, procede de los cuatro grandes Evangelios de Mateo, Marcos, Lucas y Juan. Pero ¿qué son exactamente estos Evangelios? Para los creyentes más incondicionales, son la verdad absoluta de Dios, contada por los hombres más santos. Los historiadores, en cambio, los contemplan en la actualidad como obras colectivas basadas a su vez en tradiciones orales transmitidas durante décadas, posiblemente medio siglo, después de la predicación real de Cristo. No existen pruebas históricas de que ninguno de los evangelistas, si es que de verdad se trata de autores individuales, oyera las palabras de Jesús de sus propios labios.

Aunque no poseo formación de historiador, la historia y la arqueología me han interesado desde pequeño. Sin embargo, crecí con la ilusión de que la historia, tal como me la enseñaron, era sacrosanta, porque estaba «escrita en alguna parte». Mi primera incursión en una investigación histórico-arqueológica demostró, sin embargo, que esa noción era errónea.

Para mi película *Titanic*, llevé a cabo un estudio pormenorizado de lo que constituyó una de las peores catástrofes marítimas de la historia, un suceso ocurrido hace tan solo un siglo, que fue descrito en detalle por cientos de testigos y del que inmediatamente dejaron constancia unos medios impresos ya hipertrofiados. A pesar de ello, descubrí que los testimonios eran irregulares y contradictorios, y resultaba evidente que algunos de los que presenciaron el desastre coloreaban sus declaraciones para que encajaran con sus intereses personales o empresariales. Como resultado, persisten enormes lagunas en nuestra comprensión del acontecimiento. El oceanógrafo Robert Ballard sorprendió a los historiadores al encontrar el casco del *Titanic* roto en dos pedazos en el fondo del mar, a pesar de que una historia «oficial» aseguraba que el buque se había hundido de una pieza. Incluso después de mis treinta y tres inmersiones en el lugar del naufragio y de cincuenta horas de guiar cámaras robotizadas por el interior del transatlántico, sigo sin tener una imagen completa de lo que ocurrió. Como resultado de esta investigación de doce años, he llegado a darme cuenta de que la historia es una alucinación por consenso. Es un mito en el cual todos nos ponemos de acuerdo en coincidir. La verdad es un blanco móvil: las pruebas nuevas siempre deben sopesarse, y «la verdad» ha de actualizarse. Hay que cuestionar por sistema los registros históricos, y siempre deben considerarse las prioridades y el contexto perceptivo de aquellos que llevaron a cabo el registro.

En el lugar del hundimiento aprendimos muchas cosas sorprendentes que confirmaban algunos «hechos» históricos y cuestionaban otros. El pecio, el indicio material que yace en el lecho marino, a casi cuatro mil metros de profundidad, no miente. Los intereses humanos no pueden moldear su mensaje. La historia que Simcha y Charlie cuentan de la tumba familiar de Jesús está formada por indicios materiales, pruebas que no mienten. Simplemente son lo que son. Ahora bien, los indicios materiales deben interpretarse en un contexto histórico, y esta interpretación depende en exceso de los escasos detalles acerca de Jesús y su familia que pueden cosecharse de fuentes históricas. ¿De qué modo las nuevas pruebas apoyan o contradicen lo que el registro histórico nos ha asegurado durante dos milenios?

Los Evangelios, tal como los conocemos hoy, han sido retranscritos y reescritos muchas veces y traducidos de un idioma a otro —del arameo al griego, al copto, al latín, a los idiomas modernos—, con las correspondientes pérdidas en los matices semánticos. Fueron editados por los Padres de la Iglesia, siglos después de que las palabras originales fueran pronunciadas, a fin de adaptarlos a las subsiguientes concepciones de la ortodoxia. Y aun así, en ausencia de una sola brizna de indicio material concreto, eran nuestro único registro de la vida y los tiempos de Jesús.

Cuestiones complicadas son los «otros» Evangelios: los textos apócrifos como los Evangelios gnósticos de la biblioteca de Nag-Hammadi, hallada en el desierto egipcio en 1945. Enterrados en una vasija de barro para mantenerlos a salvo de la ortodoxia cristiana del siglo IV, que pretendía erradicar las llamadas herejías, esos preciosos y asombrosos manuscritos muestran la rica diversidad del pensamiento protocristiano y aportan pistas al relato histórico que no están disponibles en los cuatro grandes Evangelios de Mateo, Marcos, Lucas y Juan.

En el Evangelio de María y en los Hechos de Felipe, por ejemplo, María Magdalena es conocida como «apóstol de apóstoles», una importante maestra y compañera en la predicación de Jesús a quien éste prefería incluso antes que a Simón Pedro. Ella es descrita como la «compañera» de Jesús e incluso lo besaba en la *boca* (el término que muchos proporcionan para lo que es una palabra desaparecida en el Evangelio) para desilusión de los otros discípulos. ¿De qué se trataba? Magdalena es una figura críptica en los Evangelios canónicos: mencionada más que ninguna otra mujer salvo la madre de Jesús, María, ella está presente tanto en la Crucifixión como en la Resurrección. ¿Por qué es tan importante?

Mediante una brillante investigación erudita y gracias al trabajo de laboratorio forense, Simcha y Charlie responden a la pregunta de manera rotunda. Y los resultados de sus análisis del resto del contenido de la tumba de Talpiot son igualmente profundos. Aunque yo fui productor ejecutivo del documental que permitió esta investigación y estuve implicado en cada paso del proceso, la lectura de este libro, con todas las pruebas y sus ramificaciones presentadas en un razonamiento estructurado, me ha resultado apasionante.

Utilizando el mismo método riguroso al que recurrió en sus investigaciones en el lugar de naufragio del *Titanic*, en la Zona Cero de Nueva York, en las ruinas de Pompeya y Herculano, y en las ruinas minoicas de Santorini, Charlie ha conformado una imagen convincente y detallada de la realidad que hay detrás de los Evangelios. Las conclusiones a las que llegan él y Simcha son prácticamente irrefutables, y aun así sus implicaciones son asombrosas.

Nuestra sociedad mantiene una relación esquizofrénica con el concepto de prueba empírica: nuestro sistema judicial se apoya en una compleja ciencia forense que se sirve de un sofisticado instrumental para analizar ínfimas muestras de sangre, fibras y ADN que determinarán el destino de algunas personas, hasta el extremo de en ocasiones sentenciarlas a muerte. Y aun así, según encuestas recientes, el 45 por ciento de los estadounidenses no cree en la teoría de la evolución. Casi la mitad de esta sociedad racional deseosa de «tocar» las pruebas es capaz de dar la espalda a doscientos años de investigación científica, a una ciencia desarrollada con el mismo rigor y los mismos instrumentos utilizados para juzgar la vida de un hombre.

La fe y la ciencia forense no se sienten a gusto como pareja. Habrá quienes consideren que los resultados de la investigación revelados en este libro cuestionan en exceso sus creencias. Para esos lectores, las pruebas científicas resultarán insuficientes, sea cual sea su cantidad, y nuestras conclusiones nunca serán más que otra herejía alarmista. A otros, los resultados les parecerán fascinantes, incluso sugerentes. Este libro no pondrá en entredicho la esencia de su fe, sino que iluminará con nuevos y fascinantes detalles la historia que ha vertebrado sus creencias a lo largo de sus vidas. Se sentirán aliviados ante una comprensión más completa de Jesús, María, María Magdalena y de otras figuras que durante dos milenios han permanecido solo esbozadas, en cierto modo como arquetipos enigmáticos y no personas reales y de carne y hueso. Hasta ahora.

Incluso los no cristianos descubrirán que esta investigación es sumamente atractiva por lo que revela sobre las personas reales que han tenido un efecto tan resonante en el curso de la civilización occidental.

Hace diez años que conozco a Charlie Pellegrino, y hemos trabajado juntos muchas veces investigando cuestiones tan diversas como el hundimiento del *Titanic*, las ruinas de Pompeya o las bacterias extremófilas en un respiradero hidrotermal. Compartimos la pasión por la historia y la ciencia; y sufrimos la misma maldición de la curiosidad por la que la zorra perdió la cola y muchos exploradores, la vida. Charlie me presentó a Simcha con mucho secretismo —incluso hube de firmar un contrato de confidencialidad—, y ambos me expusieron las pruebas. A pesar de que eso ocurrió al principio de la investigación, su historia —y especialmente la tesis estadística— me pareció convincente. ¿Podía ser cierto? ¿Realmente habían encontrado los huesos de Jesús, María, María Magdalena, e incluso de quien parecía ser un hijo de Jesús?

La investigación daría muchas vueltas en los dos años siguientes y revelaría sorpresas inimaginables en aquel momento, pero ya entonces me quedé enganchado: «La realidad supera a la ficción», le dije a Simcha.

Aunque carecía de cartas credenciales como erudito bíblico, quería participar. Era realizador de películas documentales, y se trataba de una historia de arqueología, de un relato detectivesco, algo que no era nuevo para mí. Aprendería lo que tuviera que aprender para ser un miembro útil del equipo. Lo que creo que proporcioné en última instancia fue una saludable dosis de perspectiva del lego. Simcha y Charlie sabían mucho sobre el tema, mientras que yo solo sabía lo que quedaba en mi memoria de la escuela dominical. Mi labor consistió en recordarles que la vasta mayoría de los espectadores y lectores no estarían versados en las complejidades de las prácticas judías del siglo I o de los albores del cristianismo, con todas sus sectas, y muchos ni siquiera habrían oído hablar de los Evangelios gnósticos.

Si yo era el «entrenador» del equipo, Simcha era el «capitán». Él era el verdadero Indiana Jones cuya determinación para resolver este misterio nos atrajo a todos los demás. Dirigió la investigación sobre el terreno y fue el coordinador de todas las actividades. Simcha también dirigió la película que permitió que se llevara a cabo esta investigación. Esta fue financiada por Discovery USA, Vision TV de Canadá y Channel 4 del Reino Unido, y su presupuesto permitió repetidas expediciones en busca de la tumba perdida, pruebas de ADN, robótica, huellas de pátina… técnicas científicas que están más allá del alcance de la mayoría de los arqueólogos. Descubrí que Simcha, además de estar sumamente informado, era divertido, apasionado y absolutamente implacable en la búsqueda de la verdad. Nos hicimos amigos en el acto.

Esta historia nos asustó. Era una tarea casi imposible. Iba a ser polémica. Ciertamente habría gente tan desasosegada por los hallazgos que su rechazo se manifestaría en forma de rabia.

¿De verdad quería eso en mi vida? Y aun así, ¿cómo podía darle la espalda al hallazgo más importante de la historia de la arqueología? ¿Cómo podía llamarme a mí mismo realizador de documentales si dejaba que el miedo me disuadiera de llevar a cabo una investigación tan importante? Decidí meterme en esto y que pasara lo que tuviera que pasar. Eso sí, había ciertas normas que creía que debíamos seguir si yo iba a unirme al equipo, porque sabía que un día tendría que defender los resultados. Aunque nuestro trabajo forense iba a ser preliminar, dado lo limitado del presupuesto de un documental de dos horas de Discovery Channel, había de seguir una metodología extremadamente rigurosa en relación con la procedencia de las pruebas y las consiguientes cadenas de hallazgos. Teníamos que utilizar grupos control adecuados para eliminar falsos positivos. Teníamos que reclutar la ayuda de investigadores imparciales y con buenas referencias para llevar a cabo los análisis forenses y estadísticos. Y teníamos que disponer de un período de revisión por pares para someter a investigación nuestras conclusiones, lo mismo que habríamos hecho con un trabajo científico. Charlie, con su experiencia como científico con publicaciones en su haber, podría aplicar el requerido rigor al proceso. Y Simcha, gracias a sus amplios contactos en el campo de la arqueología y los estudios bíblicos, podría reclutar un equipo de asesores de primera línea mundial.

Algunos de los expertos más respetados en historia y arqueología bíblicas han contribuido a esta investigación. Aun así, nuestros resultados serán puestos en tela de juicio, como debe ser. Ese es el procedimiento científico que conduce a una verdad aceptada. Nuestra investigación debe ir seguida por otras que examinen las pruebas con más detalle (y con mayores presupuestos), las cuales podrían prolongarse durante años, o incluso décadas. No obstante, creo que los resultados de la investigación inicial de Simcha y Charlie son extremadamente convincentes.

Escribo esto en Nochebuena. El mundo está tan desgarrado por las guerras como lo ha estado siempre, y esos conflictos están centrados en las tierras bíblicas más de lo que lo habían estado nunca desde hace casi un milenio. Hace unos meses, la última parte de la producción de nuestra película se retrasó porque los cohetes Katiusha libaneses caían demasiado cerca de nuestras localizaciones en Nazaret. El llamamiento de Jesús a la compasión entre los hombres es un mensaje que hoy se necesita de manera desesperada. En la Navidad celebramos el nacimiento de un hombre que invocaba la chispa de bondad que existe en todos nosotros, un hombre que hace dos mil años dio esperanza al mundo. Sus palabras, ideas y hechos han resonado a lo largo de centurias sin perder fuerza.

Pero ¿quién era Jesús?

Sigan leyendo. Están a punto de conocerlo.

JAMES CAMERON
24 de diciembre de 2006

LA TUMBA DE LA FAMILIA
DE JESÚS

1

La cripta de los tiempos

La Crucifixión de Jesús de Nazaret es la muerte más famosa de la historia.

Hace dos milenios, en Jerusalén, Jesús fue flagelado y ejecutado por soldados romanos. Los Evangelios nos cuentan que su cuerpo fue bajado de la cruz, envuelto en lienzos perfumados y llevado a una tumba familiar perteneciente a uno de sus discípulos, José de Arimatea.

Al tercer día, María Magdalena, discípula de confianza de Jesús, encontró la tumba vacía: el momento que marca el origen de la creencia cristiana en la Resurrección.

Al margen de los millones de palabras y reflexiones dedicadas a este suceso, ¿cuánta gente se ha preguntado alguna vez por qué, para empezar, el cuerpo de Jesús fue colocado en una tumba cavada en piedra, y no simplemente enterrado en el suelo?

Según las antiguas leyes judías, que siguen vigentes en la actualidad, los cadáveres habían de ser inhumados en el suelo a ser posible antes del atardecer del día del óbito. No obstante, las tumbas familiares, cavadas en la roca, se consideraban sepulturas «en el suelo», dado que, en la mayor parte de Jerusalén, el lecho de roca se localiza a solo unos pocos centímetros por debajo de la superficie del suelo. Por esta razón, los difuntos eran colocados en túneles preexistentes, cavados en las laderas. En efecto, durante gran parte del siglo I d. C., la mayoría de las tumbas de Jerusalén eran cuevas creadas por el hombre, talladas en roca sólida y situadas justo en el exterior de la muralla de la ciudad. Normalmente, una tumba estaba formada por dos cámaras. En la cámara exterior, el cadáver era ungido con perfumes, especias y aceites, y luego amortajado. Las pruebas arqueológicas de centenares de tumbas del siglo I excavadas en las colinas de Jerusalén son plenamente coherentes con las descripciones de la sepultura de Jesús que ofrecen los cuatro Evangelios canónicos. Según la arqueología y los Evangelios, la tumba había sido cerrada empujando una gran piedra hasta la entrada. Normalmente, se esperaba un año entero a que el cuerpo, envuelto en un sudario blanco, se descompusiera tras esa piedra que sellaba el acceso a la sepultura. Después de que la carne hubiera desaparecido, los huesos se recogían de esa cámara de enterramiento temporal, la más externa, y se guardaban en una pequeña caja de piedra caliza llamada osario. Ocasionalmente, se inscribía el nombre del difunto en uno de sus laterales. A continuación dicho osario era colocado en un pequeño nicho en el fondo de la tumba para su sepultura permanente. Por último, osarios correspondientes a tres o más generaciones de la misma familia podían localizarse, uno detrás de otro, en los nichos más internos de una tumba.

Nadie sabe por qué la práctica de utilizar osarios empezó justo antes del nacimiento de Jesús. Algunos arqueólogos y teólogos sospechan que la creencia judía en una resurrección del cuerpo instigó a una acumulación y preservación de huesos para el Día del Juicio.

Fuera cual fuese la razón, los Evangelios dan fe de un gran interés entre los seguidores de Jesús por amortajar su cuerpo y depositarlo en una tumba. Puesto que murió a última hora de la tarde de un viernes, tenían que sepultarlo con rapidez, antes del atardecer y la llegada del sagrado sabbat, el día sagrado de descanso. La recién tallada tumba familiar de José de Arimatea estaba cerca, y serviría a la familia de Jesús hasta que el cuerpo pudiera ser trasladado a un lugar de descanso permanente.

Los Evangelios también afirman que el domingo, antes de que pudiera llevarse a cabo el traslado, Jesús venció a la muerte, dejó la tumba vacía y, después, en diversas ocasiones y de maneras diferentes, se apareció ante sus discípulos.

No obstante, los Evangelios también insinúan una explicación alternativa de la tumba vacía de Jesús. Mateo cuenta que circulaban otras habladurías por Jerusalén después de la Crucifixión del Mesías. Aunque el apóstol lo califica de mentira, según el rumor, los discípulos de Jesús se presentaron secretamente por la noche y robaron su cuerpo. Tal como lo narra Mateo, la historia persistió entre los judíos durante un largo período de tiempo (Mt 28, 11-15).

Si los discípulos se llevaron el cuerpo de su maestro, solo hay una cosa que podían haber hecho con él. Lo habrían vuelto a enterrar.

Si Jesús fue enterrado por segunda vez, su familia habría esperado a que su carne se consumiera y luego habría conservado los huesos en un osario, encerrado para siempre en los recovecos de su tumba familiar.

Primavera de 1980

Alrededor de las once de la mañana del 28 de marzo de 1980, con la Cuaresma cristiana iniciada un mes antes y ya a punto de concluir, la luz penetró en una tumba, bajo las huellas de una excavadora. En este viernes excepcionalmente hermoso, toda la cara sur de la antecámara del sepulcro se derrumbó y reveló lo que a todas luces parecía una entrada; y encima de esta, grabado en la piedra, se dibujaba un símbolo que ningún miembro del equipo de construcción había visto antes.

Nadie entendió realmente lo que una serie de detonaciones de dinamita y un contratiempo de la excavadora habían revelado hasta el día siguiente, después de que el sabbat se hubiera impuesto, el polvo se hubiera asentado y un pequeño ejército de escolares endemoniados hubiera descubierto una colección de extraños y nuevos juguetes en el suelo.

Así es como empezó.

Y así es como casi acabó.

De no haber sido por Rivka Maoz y un par de ingenieros que veneraban el pasado, los estragos podrían haberse prolongado hasta que las pérdidas alcanzaran proporciones épicas, y nadie habría sospechado jamás lo que se habría perdido.

La familia de Rivka, una recién llegada a Israel y al judaísmo procedente de Francia, vivía a escasos metros del solar en construcción. Casualmente, estaba estudiando arqueología como parte de su programa curricular para ser guía turística en Jerusalén. Por ello cada noche, su hijo de 11 años, Ouriel, que adquirió sin dificultad soltura con el hebreo, leía a su madre libros sobre la Ciudad Vieja de Jerusalén, su Templo y sus tumbas.

Ese viernes, el chico había vuelto corriendo a casa después de comer, rogando a su madre que fuera a ver lo que a su entender no podía ser otra cosa que una tumba antigua, recién expuesta. Sin embargo, cuando Rivka llamó al Departamento de Antigüedades (que después se convertiría en la Autoridad de Antigüedades de Israel, o IAA según sus siglas en inglés), le dijeron que ya faltaba poco para el atardecer y que las oficinas estaban cerrando y que no volverían a abrirse hasta pasado el sabbat.

Rivka trató de hacer entender a la IAA que había visto la entrada de la tumba. No tenía la menor duda de que había salido a la luz un importante descubrimiento, y por ello les instó a enviar a alguien a preservar la tumba, no fuera que tratantes de antigüedades, o sus esbirros, acudieran por la noche y robaran todo su contenido; pese a sus esfuerzos, lo único que logró obtener fue el compromiso de que se daría orden de dejar de dinamitar las inmediaciones de la tumba y que se enviarían arqueólogos al yacimiento a primera hora de la mañana del domingo, después de que expirara el sabbat.

En la mañana del día santo de reposo, el hijo de Rivka volvió a llegar a casa corriendo.

—¡Mamá! —la llamó—. Ven deprisa. ¡Los chicos han encontrado unas calaveras fuera de la tumba y están jugando a fútbol con ellas!

Rivka decidió que ya había suficiente. Estaban llevándose a cabo voladuras para abrir una carretera y excavar los cimientos de múltiples edificios en toda la ladera de la colina, lo que convertía la zona occidental de su barrio en una mina abierta de enormes proporciones. No había forma de saber cuántas tumbas ya habían sido dinamitadas y convertidas por las excavadoras en relleno de carretera. Lo único que Rivka sabía a ciencia cierta era que los fragmentos de antiguos osarios estaban pasando a formar parte de los lechos de grava de la región. Un cuarto de siglo después, recordaría que fue un milagro que la Tumba de los Diez Osarios se salvara, contrariamente a lo que sucediera con otras ubicadas en la misma colina.

Blandiendo grandes bolsas de plástico y gritando, Rivka y su marido se enfrentaron a los «niños de las calaveras», que se dispersaron y echaron a correr, dejando el suelo sembrado de arcos superciliares y astillas de mandíbulas. Al menos dos de los cráneos se habían hecho añicos a consecuencia de las patadas, como ollas de barro al recibir el impacto de los perdigones.

Rivka y su familia introdujeron los restos óseos en las bolsas de plástico y se los llevaron a casa para mantener su contenido a salvo hasta que pudieran entregárselo a los arqueólogos. Rivka declararía años después a los historiadores que fue «muy curioso» tener a los antiguos residiendo en su sótano. Ella y Ouriel se sentían orgullosos de haber honrado a aquellas gentes ancestrales durante el sabbat.

En los muchos siglos transcurridos desde que la tumba había sido decorada y sellada por primera vez, los sumos sacerdotes del Templo, los romanos y el Templo mismo habían sucumbido. Una nueva civilización se reunía en torno al monte del Templo y se extendía hasta la colina más alta de Talpiot Este. El área había sido renombrada como Armon ha-Natsiv.

El año 1980 fue excelente para el turismo, la inmigración y la construcción en las colinas de Jerusalén. También fue un momento en que las empresas constructoras de todo Israel descubrían accidentalmente nuevos yacimientos arqueológicos al ritmo de una docena al mes, y en una temporada particularmente mala, una docena por semana. Por ley (si bien es cierto que se trataba de una ley de escaso cumplimiento), tenía que darse cuenta inmediata de todos los hallazgos, y toda construcción debía interrumpirse hasta que los arqueólogos hubieran concluido su trabajo, lo que podía suceder al cabo de días o semanas, dependiendo del tamaño y la importancia del descubrimiento. Según ciertos cálculos, la encrucijada de civilizaciones que se remontaba a más de cuatro mil años contenía miles de yacimientos arqueológicos que todavía no estaban registrados en los mapas de la Autoridad de Antigüedades de Israel. En concordancia con esos mismos cálculos, cualquier intento de excavar para construir un canal de riego, un sótano o los cimientos para un complejo de apartamentos podía toparse con restos arqueológicos.

El yacimiento arqueológico —que finalmente fue catalogado «IAA 80/500-509», en función del año de su descubrimiento y el orden en que se archivaron sus objetos principales— ya había adquirido cierta notoriedad y causado no pocos quebraderos de cabeza a un ingeniero llamado Efraim Shochat, que había estado dirigiendo las excavadoras en el solar recién dinamitado por la empresa constructora Solel Boneh. Naturalmente, no había nada inusual en exponer una cripta vieja y olvidada, especialmente si la empresa había despejado hectáreas de terreno en preparación para la construcción de un nuevo barrio residencial. Muchos de los colegas de Shochat, esforzándose por evitar costosos retrasos en la construcción, tenían la costumbre de hacer la vista gorda ante cualquier nueva cavidad en el suelo y ocasionalmente sacrificaban alguna tumba, sobre todo si era pequeña y parecía contener solo uno o dos osarios. Sin embargo, Shochat, como judío ortodoxo obligado por la ley bíblica a no profanar los lugares de reposo de los difuntos, no podía desviar la mirada ni siquiera de una pequeña tumba. Y aquella en la que estuvo a punto de caer una de sus excavadoras era cualquier cosa menos pequeña.

Había existido un patio exterior delante de la entrada de la tumba, excavada en piedra caliza y creta y sepultada bajo siglos de barro rojo y malas hierbas. Solo el patio medía casi cinco metros de ancho. Al norte de los restos del patio, toda una pared se había derrumbado bajo los efectos combinados de la dinamita y el asalto de las excavadoras. Cuando el ingeniero accedió al interior, descubrió que lo que a primera vista le había parecido una cámara subterránea dañada pero todavía razonablemente intacta era en realidad solo una antecámara, con una entrada excavada en la parte inferior de la pared norte. Su piedra de cierre parecía una puerta parcialmente abierta que señalaba el camino a una cámara bastante más grande. Obviamente, la IAA 80/500-509 no era una tumba pequeña. Aunque algunos fragmentos de cráneo se mezclaban con los escombros de la antecámara, ni siquiera había un fragmento reconocible de los osarios de piedra que tan comunes eran en la zona. A diferencia de los ocupantes del sepulcro, aquellos cuyos cráneos fueron hallados en la antecámara no habían sido enterrados según las prácticas funerarias judías del siglo I. Cuando Shochat salió de la antecámara de la tumba, anunció, con una mezcla de pesar y excitación en la voz:

—Hemos de parar. Me temo que tenemos algo interesante. Algo importante.

Este anuncio coincidió aproximadamente en el tiempo con el momento en que Ouriel fue corriendo a casa de su madre. Detrás de él, Shochat puso fin a toda demolición y excavación en un radio de una hectárea en torno a la antecámara y empezó a hacer llamadas telefónicas, casi al mismo tiempo que Rivka Maoz. Fue así como en Jerusalén, alrededor de la una del mediodía hora local de un viernes por lo demás sin más historia, la IAA 80/500-509 fue presentada por primera vez a la atención de los arqueólogos.

La IAA, con sede en el Museo Rockefeller, aseguró a Shochat y Maoz que los arqueólogos se pondrían en marcha a la conclusión del sabbat, por lo que estarían en el yacimiento antes del alba del primer día de la semana siguiente.

Aquellos que estaban a cargo de la IAA sabían que tendrían que cumplir su promesa de tener científicos en el yacimiento al alba del domingo, antes del inicio de la jornada laboral. Detener la construcción y retrasar la respuesta supondría, además de que los trabajadores estuvieran ociosos durante un día o dos «con el reloj salarial en marcha», una mala reputación que la IAA no podía permitirse y correr el riesgo de que descubrimientos importantes fueran demolidos, o que se pavimentara sobre ellos, sin informar de su presencia.

Eliot Braun, un arqueólogo profesional que casualmente vivía cerca del lugar de construcción, fue el primero que enviaron a la zona, antes del alba del tercer día después del descubrimiento de la tumba. Su labor consistía en llevar a Yosef Gat, inspector de antigüedades asignado a la tumba de Talpiot, hasta ella. El jefe de Gat, un arqueólogo del distrito de Jerusalén y estudiante de doctorado llamado Amos Kloner enseguida se unió al equipo.

«Esto no debería seguir aquí», pensó el inspector Gat cuando estaba con Kloner en un nuevo arcén, examinando el patio y la antecámara dañados. Durante mucho tiempo ninguno de los tres hombres dijo nada. Simplemente se quedaron encima de la cueva, sintiendo la brisa de antes del amanecer y tratando de dar sentido a aquella pequeña hectárea de historia. El día todavía no había comenzado para los constructores, pero, por los indicios de aquellas pocas últimas horas de su trabajo —en aquellos últimos minutos de actividad—, Gat vio incluso a la pálida luz de la mañana y sirviéndose de una linterna que había llegado a tiempo por los pelos. Todo el entorno alrededor a la entrada estaba levantado, con huellas de excavadoras y enormes pilas de escombros de roca mezclados con el suelo rojizo.

En los yacimientos descubiertos en sitios de construcción como ese, la función de los arqueólogos era la de un bombero durante una operación de rescate en un edificio en llamas. Había que hacerlo todo deprisa. Aquella no iba a ser, nadie podía imaginarlo siquiera, una excavación arqueológica cuidadosa llevada a cabo en condiciones óptimas. Lo llamaban «arqueología de rescate». En lugar de semanas, solo contarían con días.

No había nada más que hacer salvo retirar todos los objetos y dibujar en un plano tanto todos los detalles estructurales como el contenido del interior. Esta última tarea se encomendó a un estudiante llamado Shimon Gibson. A pesar de su juventud, Gibson ya era conocido por su excepcional habilidad en estos menesteres.

Kloner anunció que Shimon Gibson no llegaría hasta bastante después de que saliera el sol, y esa mañana del domingo 30 de marzo de 1980 no había tiempo que perder. Así que Gat encabezó la comitiva a través del patio casi destruido de la tumba hasta la antecámara semiderruida. En la pared norte, su linterna iluminó lo que a primera vista parecía un gablete decorativo en forma de V ubicado encima de la puerta. Una inspección más cercana, reveló que se trataba de una escultura en relieve de piedra decorativa, un galón o una V o Y bocabajo, grabados de manera deliberada. Medía más de un metro de ancho y tenía un círculo prominente situado en el centro. Los hombres cavilaron brevemente sobre ello.

Debajo de este símbolo se hallaba el pasaje a una cámara inferior, de una anchura suficiente para que un hombre pudiera recorrerlo reptando con la ayuda de los codos. El aire en el túnel estaba estancado y muy probablemente fuera insalubre, con un ligero olor a creta húmeda mezclada con tierra mohosa y rancia.

Después de deslizarse boca arriba o de reptar sobre el abdomen a través de la abertura durante solo un par de metros, pudieron ponerse de pie en el interior. Estaban hundidos hasta los tobillos en un barro rojo que debía de haber tardado siglos en acumularse. Era un suelo específico denominado: *terra rossa* que se había filtrado desde la antecámara. Sin embargo los escombros de la misma parecían haber caído a un suelo que había estado relativamente limpio cuando habían llegado las excavadoras. Algo había arrastrado la tierra —casi en su totalidad— hasta allí abajo, más allá de donde había estado la piedra de sellado. En algunos lugares esta se había acumulado hasta más arriba de la rodilla.

Asimismo Gat, Shochat y Kloner no creían que tuviera sentido que fragmentos de cráneos humanos se hubieran depositado en el exterior de la tumba, en la antecámara. En otras tumbas de ese estilo, dos mil años atrás, la gente dejaba lámparas de aceite, frascos de perfume y lo que podría considerarse alimentos ceremoniales en la cámara central. Ocasionalmente se encontraban copas y cuencos o especias y perfumes contenidos en fino cristal romano, pero los judíos del siglo I d. C. no dejaban los restos de sus antepasados fuera de la tumba para que se pudrieran. La IAA 80/500-509 estaba empezando a resultar rica en contradicciones. Incluso el aire constituía una de ellas: al mismo tiempo opresivamente húmedo y opresivamente seco. Los movimientos más leves de los arqueólogos removían partículas de polvo que, empujadas por soplos de aire, destellaban como enjambres de microscópicas luciérnagas allí donde los haces de luz de las linternas los rozaban.

Amos Kloner nunca podría olvidar aquel lugar, aunque de vez en cuando en los años posteriores confesaría no recordarlo. El curioso símbolo de encima de la puerta de la antecámara adornaría la cubierta de su libro sobre las tumbas de Jerusalén[1] y, aun así, en 2005, negaría tres veces ante las cámaras que la tumba tuviera ningún significado especial. Aquellos que entendieron el resto de la historia nunca lo culparían.

Los dos científicos gatearon por la IAA 80/500-509 por encima de montículos de *terra rossa* de un metro de profundidad y descubrieron las partes superiores de seis nichos funerarios que sobresalían de tres de las cuatro paredes de la antecámara. En el interior de los nichos contabilizaron diez osarios. Arañando el suelo con las manos y encendiendo luces en cada uno de los nichos, Gat determinó rápidamente que cinco de los seis nichos de la cámara, conocidos en hebreo como *kojim* y en latín como *loculi* contenían osarios. La «inundación» de *terra rossa* no había sobrepasado las partes superiores de los osarios ni los había sumergido en el barro por completo. En la antigüedad —era obvio que nadie había entrado en aquella tumba recientemente— alguien había retirado las cinco piedras de cierre que normalmente deberían haber sellado los *kojim*. La retirada de las piedras era un signo claro de que saqueadores o vándalos habían accedido a la tumba en algún momento antes de la entrada de *terra rossa*. Y aun así, los osarios permanecían, de manera oportuna y contradictoria, con sus cubiertas sin dañar y perfectamente en su sitio, como si los saqueadores o vándalos no hubieran estado interesados ni en saquear ni en el vandalismo.

Había poco en aquella tumba que estuviera a la altura de la expectación generada, salvo quizá la arquitectura. Por encima de los nichos de los osarios, sin haber sido alcanzados por el flujo de *terra rossa*, había dos arcosolios destinados al enterramiento primario tallados en las paredes norte y oeste. Como el resto de lo que había en la cámara, estas repisas a modo de altares estaban talladas en la

---

1. Kloner, Amos y Boaz Zissu, *The Necropolis of Jerusalem in the Second Temple Period*, Yad Izhak Ben-Zvi, The Israel Exploration Society, 2003.

roca sólida de las colinas de Jerusalén. Gat examinó el trabajo artesano en los dos arcosolios y admiró la atención al detalle.

—Es una tumba de buen tamaño, tallada con gran cuidado bajo la dirección de alguien que no carecía de fondos —observó—. Aquí se enterró a gente importante.

Yosef Gat era una de las personalidades más imperturbables de la arqueología, por lo que su voz no traslucía excitación alguna al dar este paso adelante en la historia: se limitó a pronunciar el que tal vez sea uno de los comentarios más comedidos jamás pronunciados. Al agacharse junto a uno de los dos arcosolios, sacando una pequeña lupa de su bolsillo y colocando su linterna en ángulo, se fijó de manera casual en que las repisas habían proporcionado un pobre entorno para la preservación de los ocupantes de la tumba. Solo quedaban restos fragmentados y reducidos a polvo de los miembros; en cambio, en los osarios todavía enterrados, esperando la tecnología aún no inventada, yacían maravillas biológicas cuya realidad Gat, Kloner y Braun no podían soñar.

—Empecemos —dijo Gat, y empezó a repartir picos y palas.

Al principio no hubo discusión sobre los nombres que emergían con los osarios. La principal preocupación de Gat era sacar los objetos del barro sin que sufrieran daño alguno. Gat y Kloner estaban demasiado concentrados en montar los osarios en tablas de madera y sacarlos intactos como si de un trineo se tratara por la estrecha entrada para prestar demasiada atención a saber de quién eran los huesos que había en ellos o qué podía haberse escrito en los laterales. De hecho, los dos primeros osarios, en las entradas del nicho, tenían tanta *terra rossa* incrustada que ni siquiera había oportunidad de buscar inscripciones, y mucho menos de leerlas. Gat tendría más información acerca de lo que realmente ponía en esos recipientes cuando hubieran pasado una hora o dos en el exterior, cociéndose al sol. Entonces bastaría un simple cepillado para revelar qué había escrito debajo, si es que había alguna inscripción.

Alrededor del 20 por ciento de los osarios de Jerusalén tenían inscripciones. Así que, con suerte, esos diez podían revelar algo interesante.

Gat no hizo una pausa para beber agua en la cámara central hasta que dos de los osarios estuvieron en la superficie, a la luz del sol y expuestos a una brisa suave, y tres osarios más salieron de sus nichos. Solo entonces empezó a mirar con más detenimiento. Inclinó su linterna para intensificar las sombras de un patrón de roseta, tallado por una mano experta; sin embargo, no podía leerse ningún nombre, salvo un parcial «Jes» escrito en arameo, una lengua hermana del hebreo. Un segundo osario mostraba, en lo que parecían letras hebreas, el nombre de María, pero escrito tal como se pronunciaba en latín. Y un tercer osario, en la medida en que podía verse en la oscuridad con un cepillado incompleto para eliminar la *terra rossa*, parecía hablar de una «Mara», esta vez en griego. «Inusual —pensó—. Un montón de idiomas en una sola tumba.»

Entretanto, un obrero, cavando cuidadosamente una zanja en corte transversal a lo largo del suelo para tender un puente entre la abertura de un nicho a otro, encontró un cráneo humano donde no debería haber estado: en el mismo suelo de la cámara (en lugar de en un arcosolio o en un osario). Desconcertado, Gat continuó cavando, esta vez con un poco más de vigor, enviando hacia arriba sucesivos cubos llenos de tierra a través del túnel de la antecámara. Enseguida hallaron en el suelo un segundo cráneo, y un tercero, y lo señalaron en el plano.

Por entonces, Rivka Maoz caminaba en dirección a la tumba por la calle recién excavada en la ladera, con las dos bolsas de huesos que había guardado en el sótano de su casa durante el sabbat. Una brisa cada vez más fuerte —casi un viento— levantaba capas de polvo de caliza que se pegaba a su ropa y se le metía en los ojos. Las colinas eran un hervidero de vehículos pesados. Rivka había oído rumores de tumbas aún más espléndidas, tumbas con enormes piedras que habían sido utilizadas para bloquear sus entradas, derribadas sin miramientos y convertidas en enormes pozos de escombros, junto con fragmentos de osarios y lecho de rocas granulado.

A Rivka le parecía completamente decepcionante e injusto que después de viajar veinte siglos en el tiempo, los antiguos descubrieran tanta indiferencia hacia ellos en el futuro.

Shimon Gibson se había puesto en marcha tarde hacia lo que supuestamente era una tumba bastante grande pero por lo demás no particularmente extraordinaria. Aun así, el sol estaba a más de medio camino del cenit y la jornada laboral de todo el mundo ya estaba en marcha, como dejaba bien claro el repicar de campanas en el barrio cristiano.

La primera cosa en que reparó Shimon fue la gigantesca colina en el centro de Talpiot, que estaba siendo demolida por sus depredadores. Las máquinas estaban cumpliendo con un trabajo muy preciso y ordenado de demolición, creando carreteras cuyo recorrido había sido diseñado centímetro cuadrado a centímetro cuadrado. A unos cincuenta metros colina arriba del lugar hacia el que se dirigía Shimon, los constructores habían plantado las primeras vigas de acero de un nuevo barrio.

La segunda cosa en la que se fijó el estudiante, cuando las nubes de polvo le permitieron una visión clara, fue el boquete en la ladera de la colina, donde la tumba había quedado a la vista. Desde cierta distancia, aunque el área no hubiera sido acordonada, con los camiones y las excavadoras apartándose del perímetro, y aunque todavía no se hubiera formado un pequeño corrillo, la entrada habría destacado entre el paisaje.

La tercera cosa de la que se percató fue en el símbolo tallado encima de la entrada de la tumba: un círculo dentro de un gran galón. (Más tarde escribiría en su informe sobre el terreno que el galón de forma piramidal tenía una pequeña «chimenea» en la cima.)

De inmediato, Shimon Gibson concibió dos teorías opuestas respecto al símbolo de la tumba. Según una primera teoría, el símbolo podía explicarse fácilmente como un grabado decorativo inacabado. El círculo, o letra O, pretendía ser una corona que posteriormente debería haberse completado con hojas y frutas grabadas. En ese caso, nadie sabría nunca si realmente se trataba de una corona, porque los constructores de la tumba solo dejaron un tosco esbozo que sobresalía de la pared como una moneda en blanco en espera de ser acuñada.

La segunda teoría defendía que se trataba de la expresión final de aquello que los constructores de la tumba querían decir.

La convicción personal del joven perito era que los símbolos, por misteriosos que parecieran, habían sido completados y se mostraban exactamente como se pretendía. En este caso, nadie sabría nunca más allá de toda disputa si el círculo era o no una corona, que en la antigua tradición judía y romana representaba una estirpe real, como en el caso de las coronas doradas de hojas de laurel que llevaban los emperadores desde la época de Julio César. Los Evangelios registran una burla claramente romana en que una corona de espinas sustituía el laurel dorado y se clavaba en la cabeza de Jesús.

Shimon estaba convencido de que el círculo —tanto si era una corona de laurel como si no— era algo mas que un motivo inacabado. Fue el rastro de pruebas de otras tumbas del siglo I lo que lo convenció. La destrucción de Jerusalén por los romanos en el año 70 había detenido la construcción de todas las tumbas en curso, y por consiguiente había preservado la secuencia de construcción en diversas fases de finalización, como si el avance de los ingenieros se hubiera quedado congelado a media zancada. Este símbolo era diferente. Había sido terminado. Después, Shimon Gibson destacaría que una entrada tan elaborada como aquella en una tumba que por lo demás no tenía decoración ninguna era de hecho muy inusual.

En el momento en que Shimon alcanzó el patio de la tumba, se produjo una oleada de nerviosismo acerca del contenido de dos bolsas negras, y Yosef Gat lo estaba llamando con la mano con una expresión que decía: «Tenemos algo interesante».

—¿Está segura de que se encontraron en la antecámara? —le estaba preguntando Gat a Rivka Maoz, señalando un cráneo y unos huesos.

—Sí —respondió esta—. Estaba debajo de este círculo tallado; fue aquí donde los niños hallaron los huesos.

Eso aparentemente explicaba las minúsculas partículas de hueso mezcladas con escombros de la antecámara. Pero no terminaba de tener sentido, ni para Gat ni para Gibson. Nunca antes se habían encontrado cadáveres en el exterior de la antecámara. Eso no encajaba… a no ser que Rivka estuviera equivocada y los niños hubieran localizado los huesos de una segunda tumba y simplemente los hubiesen arrojado allí.

Todo el mundo estaba excitado salvo Yosef Gat. Shimon siempre se había considerado a sí mismo «el señor Entusiasmo». Gat era la otra cara de la moneda. Shimon estaba fascinado por la naturaleza excepcionalmente indiferente de Gat. El hombre era el señor Spock de la arqueología, incluso tenía las orejas inusualmente alargadas, si bien, a diferencia de Spock, Gat llevaba unas enormes gafas de carey. Shimon le había preguntado en una ocasión:

—¿Qué haría si encontráramos, no sé, algo que fuera realmente extraordinario como el Arca de la Alianza o el Santo Grial?

Y Gat contestó

—Bueno, es arqueología. A veces es interesante, pero es un trabajo de nueve a cinco.

Para Shimon Gibson, la arqueología siempre sería algo más que un «trabajo de nueve a cinco».

Antes de que se deslizara boca arriba por la entrada de la tumba, Shimon había tenido oportunidad de inspeccionar las pilas de escombros del tamaño de gravilla en el suelo de la antecámara. Al barrer las piedrecitas, él y Gat habían encontrado rastros de la superficie original del suelo, tal como había existido antes de la llegada de la excavadora. Allí la tierra levantada parecía haberse acumulado apenas hasta la altura del tobillo antes de fluir colina abajo hasta el interior de la tumba. Había trazas de huesos humanos, pero no había fragmento ni pista alguna de las copas y cuencos que los miembros de la familia dejaban normalmente en la antecámara de una tumba. Era como si quien hubiese apilado los restos humanos en el exterior de la entrada a la cámara se hubiera llevado las copas y cuencos. Pero ¿por qué razón? ¿Como recuerdos? ¿O porque las copas y cuencos se necesitaron de repente para algo, cobraron de repente una nueva importancia?

Yosef Gat estaba empezando a tener sus primeras dudas de que los huesos de la antecámara pertenecieran realmente a nativos de Jerusalén del siglo I d. C. El judaísmo se remontaba muy atrás en el tiempo, por lo que algunas de sus tradiciones eran muy antiguas. Por ello era sabedor de que las copas y cuencos utilizados durante una comida conmemorativa a la puerta de un sepulcro no podían usarse para ningún otro propósito después de haber estado en semejante proximidad con los restos de los muertos.

Las primeras cosas que Yosef Gat enseñó a Shimon —mostrando la actitud más cercana al entusiasmo que el joven había visto nunca como inspector de antigüedades— fueron las tres localizaciones precisamente marcadas de las calaveras que había encontrado en su zanja.

—Has de dibujarlas enseguida —enfatizó Gat—. Las encontré aquí, aquí y aquí, exactamente. Estaban en el estrato inferior de la secuencia, sin interrupción. Y creo que son importantes.

«El estrato inferior de la secuencia», había dicho Gat, «sin interrupción». Eso quería decir que el significado de los cráneos no podía menospreciarse ni explicarse, suponiendo, por ejemplo, que otro grupo de niños hubiera hallado otra tumba dañada y que, en lugar de llevarse los huesos a casa, como hizo Rivka Maoz, otro padre hubiera cavado tres hoyos y enterrado cada uno de los cráneos en la cámara central de la IAA 80/500-509.

Gat tenía suficiente experiencia en yacimientos arqueológicos para reconocer una secuencia ininterrumpida de suelo o estratos de rocas. Después de que la primera capa de suelo fluyera en la tumba, pasaron muchas semanas, meses o años hasta que se formó la siguiente. Durante este intervalo, el barro tuvo tiempo de asentarse y compactarse, y empezó a formarse una fina capa de cieno en la superficie del suelo, un cieno formado mayoritariamente de caliza metamórfica y sobre una fina pátina mineral de cristales microscópicos de apatita. Cuando se produjo una nueva entrada de barro, este se extendió por encima de una superficie de barro más antiguo que era de diferente textura. De esta forma, las capas sucesivas resultaban fácilmente discernibles, incluso sin la ayuda de una lupa. Eran tan diferenciadas como los estratos individuales de un pastel de hojaldre. Y del mismo modo que quedan evidencias en un pastel de hojaldre si alguien toma una cucharada, si alguien hubiera cavado a través de las capas de *terra rossa* durante los últimos tres días, interrumpiendo la secuencia para enterrar algo, los agujeros, una vez rellenados, habrían destacado de la secuencia como una alarma arqueológica. En corte transversal, los tres cráneos habrían sido hallados en el fondo de tres huecos, rellenados con tierra que —en claro contraste con el modelo de pastel de hojaldre en ambos lados de la colina— no habrían mostrado ninguna capa.

En la jerga de la investigación arqueológica «era todo pastel de hojaldre», alrededor de los cráneos y hasta el suelo de debajo.

—Es un pastel —había concluido Gat, queriendo decir que era real.

Hasta el momento, las zanjas de Gat no habían revelado huesos pélvicos, fémures ni otros restos grandes cerca de los cráneos. La impresión inicial y duradera de Gibson era que allí se había llevado a cabo algún tipo de ceremonia en la que los tres cráneos se habían situado de manera deliberada en la cámara principal de la tumba.

La disposición de los cráneos en el suelo, una vez que Shimon los situó en el plano, causaba ineludiblemente la impresión de que se había celebrado una ceremonia. Las calaveras formaban una especie de triángulo isósceles cuya base estaba orientada hacia el monte del Templo de Jerusalén.

Gat se preguntó a sí mismo: «¿Los judíos del siglo I harían eso?».

«No —decidió—. Nunca habría ocurrido durante las vidas de los constructores de la tumba. Pero si se trataba de una disposición religiosa de restos humanos, ¿cuál era la ceremonia?»

Shimon examinó un par de osarios expuestos todavía en sus nichos y miró a su alrededor. Todo lo que tenía ante él era descubrimiento. Por primera vez en todos estos siglos, la IAA 80/500-509 era hollada por seres humanos. El perito estaba tocando cosas que ninguno de sus coetáneos había tocado hasta ese día. Había experimentado el entusiasmo del descubrimiento en otros yacimientos, así que ya se lo esperaba, pero afortunadamente no se había acostumbrado a la sensación. Esperaba que, al margen del tiempo que desempeñara esa profesión, siempre continuara percibiendo los misterios como algo nuevo.

Todavía estaba cavilando acerca del misterio del triángulo de cráneos cuando Gat le recordó que no había tiempo que perder y que tenían que empezar a fotografiar, dibujar y situar en el plano los osarios.

Había diez osarios en total.

Uno de ellos, el IAA 80/509 se convertiría en misterio por derecho propio: desapareció antes de que pudiera ser fotografiado o escrutado con propiedad en busca de insignias, decoraciones o nombres inscritos, pero no antes de que fuera catalogado.

Amos Kloner llegó a una conclusión mientras los objetos de piedra caliza eran envueltos cuidadosamente para evitar roturas, y llevados uno a uno, por la entrada y a través de la antecámara, hasta el patio derruido. Para él, a pesar de lo que pudiera significar el triángulo de cráneos en el suelo o el galón y el círculo inscritos fuera, los objetos del túnel eran osarios judíos típicos del siglo I d. C. No obstante, de manera atípica, nada menos que seis de los diez mostraban, tras un ligero cepillado para eliminar el barro acumulado, signos de tener inscripciones de nombres de personas. Se trataba de una ratio excepcional si se comparaba con otros grupos de osarios conocidos, cuyos ocupantes eran mayoritariamente anónimos.

Fuera cual fuese su origen, la costumbre de construir osarios de piedra caliza había proporcionado a los arqueólogos un sistema de datación al menos tan preciso como encontrar una moneda conmemorativa con el nombre de un emperador en concreto. La ley judía siempre había dictado que una persona difunta fuera enterrada antes de que se pusiera el sol. En Jerusalén, donde en muchos lugares el pico solo podía cavar unos centímetros antes de golpear en el lecho de roca, se había emitido una dispensa especial hacia el año 430 a. C.: la sepultura provisional en una cueva o en un túnel tallado en la roca contaba como una sepultura en tierra. En tiempos de Jesús y los apóstoles, alrededor del año 30 d. C., los cuerpos de los difuntos en Jerusalén eran envueltos en mortajas de lino o lana y situados en arcosolios en el interior de cuevas creadas por el hombre. Después de que los huesos fueran finalmente recogidos y situados en osarios, estos quedaban a su vez encerrados en *kojim*. El incendio de Jerusalén en 70 d. C. puso fin a la tradición cada vez más popular de los osarios antes de que esta se extendiera más ampliamente, con lo cual la existencia de osarios es tan fiable como el carbono-14 para datar una tumba. No había nada particularmente exótico o controvertido en cuanto a la suposición de que aquellos que construyeron la Tumba de los Diez Osarios, aquellos que velaron en la antecámara y el patio y aquellos cuyos restos estaban sepultados en nichos en la cámara más interior, habían vivido justo antes, o durante, o poco después del tiempo de Jesús.

En lo más profundo de una colina de Jerusalén, los arqueólogos excavaban ahora la tierra levantada, mientras que en el patio de encima de ellos los osarios que estaban secándose empezaban a desprender finas capas de barro, por lo que las inscripciones comenzaban a resultar visibles.

El osario número 80/505 tenía inscrito el nombre «María», una versión latina del bíblico Miriam, escrito en letras hebreas. Esto era extremadamente inusual. Shimon recordaría que cuando vio el nombre por primera vez, era posible creer que ahí descansaba una mujer judía que casualmente era conocida por muchos gentiles y judíos por la versión latina de su nombre hebreo, María.[1] A su lado, el osario 80/503, cuando la tierra endurecida se desprendió de su superficie, reveló el nombre de José. A juzgar simplemente por los nombres, parecía posible que se tratara de una tumba familiar típica y que los María y José nombrados en esos osarios estuvieran casados.

En el osario número 80/502 se leía «Mateo» en grandes letras en hebreo. En este punto, la tumba familiar empezó a parecer menos típica. En algunas tradiciones cristianas, Mateo el Evangelista era Mateo el Discípulo, que caminó con Jesús y tomó nota de sus profecías, sermones y revelaciones.

El joven Shimon Gibson no iba a permitirse saltar de entusiasmo, ni siquiera empezar a sudar de manera perceptible ante la creciente concentración de nombres del Nuevo Testamento. No, eso no

---

1. Hasta la fecha, de miles de osarios que se han encontrado, solo otros ocho tienen el nombre de María en letras hebreas.

ocurriría. Permitir que su entusiasmo aflorara delante de Yosef Gat, o delante del casi igualmente imperturbable Amos Kloner, sería sencillamente de mal gusto.

El osario número 80/506 había sufrido importantes evaporaciones minerales mientras dormía bajo tierra, y salvo por una marca grande y en forma de cruz en un lado, cualquier arañazo en la piedra caliza resultaba ilegible. El osario número 80/504, en cambio, tenía un nombre «Yosa» o «Yose» grabado en un lado, nombre que Kloner y Gat reconocieron como una contracción de José.

Si Amos Kloner estaba pensando en una conexión con Jesús, no lo reveló. De hecho, la forma peculiar de nombrar a este José era, para el arqueólogo, un simple reflejo de que en esa familia se necesitaba más de una forma de decir José. A su juicio, dos Josés en esa familia no era nada significativo.

En determinado momento (nadie recuerda cuándo fue precisamente) los exploradores volvieron al osario número 80/503, el otro de José, y miraron un poco más de cerca. Pequeños arañazos, apenas visibles delante del nombre de José, habían quedado ocultos en su mayor parte (y siempre lo estarían) por una pátina compuesta por gruesas capas de mineralización antigua. Cuando el osario fue trasladado a la sombra y los haces brillantes de la linterna enfocaron los ángulos adecuados, resultó legible la inscripción completa en arameo: «Yeshua bar Yosef» (Jesús, hijo de José). Y entonces se fijaron en que el nombre inicial estaba precedido por una gran marca de una cruz, más grande que el nombre en sí.

Esta vez, aunque nadie lo recuerda específicamente, alguien tuvo que soltar un improperio.

—Pareceremos tontos si seguimos este camino —concluyó Amos Kloner—. Son nombres comunes y esa X es una marca del mampostero, no una cruz. Es solo una coincidencia.

Los cuatro estaban de acuerdo en eso, al menos oficialmente.

—De todos modos —añadió Gat—, me sentiría mejor si pudiéramos encontrar aquí uno o dos osarios que no tuvieran relación con la historia de Jesús.

Gat y Kloner habían retirado el osario número 80/501 de su nicho y lo habían empujado a través de la abertura para que lo recibiera la luz de la media tarde. El 80/501, un osario suavemente pulido, estaba decorado con rosetas grabadas en marcos tallados. Su inscripción, escrita en hebreo, aparecía grabada con más cuidado que las otras, como si fuera obra de un habilidoso calígrafo que trabajara su arte en piedra y quisiera que se leyera.

Después de leer la inscripción, Kloner resumió el conjunto de osarios reunidos en una palabra:

—Absurdo.

Había tenido la esperanza de encontrar a alguien llamado Daniel o Jonathan. Había esperado hallar algo distinto del patrón que habían estado viendo —incluso habría servido con un osario con el nombre de Susana—, pero en cambio las letras decían «Yehuda bar Yeshua», Judas, hijo de Jesús.

Nadie recuerda si fue Gat o Kloner quien mencionó que una «Mara», u otra María, había sido sacada de la tumba.

Aquel osario, el IAA 80/500 era más grande que el resto —casi setenta centímetros de largo— y estaba hermosamente ornamentado con rosetas de pétalos. Los arqueólogos tuvieron que cepillar la tierra que se secaba para exponer la inscripción completa. Las palabras estaban escritas en griego.

Los primeros movimientos de cepillo de Kloner revelaron letras del segundo nombre, y de hecho eran una M y una A.

—¿En griego? —preguntó Gat—. ¿Escribieron su nombre en griego?

Aquello era fascinante. De la misma tumba había salido una María cuyo nombre estaba escrito en latín. Y ahora otra María cuyo nombre aparecía en griego. Amos Kloner ni siquiera contemplaba la idea de que esa podía ser la tumba familiar de Jesús. Por lo que respecta a Gibson, no quería empezar y terminar su carrera con los huesos del Mesías. «Y si esa María de número 80/500 supuestamente era Magdalena, ¿entonces qué? ¿Estaban casados 80/500 y 80/503, esta "María" escrita en griego y "Jesús, hijo de José"? Y si estaban casados, ¿en ese caso Judas era su hijo?»

—Crear semejante grupo —diría Kloner después— e insinuar que este es el Jesús real y que tenía un hijo (y que esas eran las dos Marías de los Evangelios) es una especulación muy osada con consecuencias de muy largo alcance. Esta es una línea que deberíamos tener mucho cuidado en no cruzar.

En cuanto a Shimon Gibson, ya tenía suficiente excitación con los inusuales símbolos en el muro de la antecámara y con la posición de los cráneos en el interior de la cámara misma.

Veinticinco años después, insinuaría que tenía que pasar cierto tiempo antes de que pudiera hacerse una nueva valoración.

—No me cabe ninguna duda: es una tumba que ha permanecido en mi memoria durante estas décadas debido a ciertos elementos. Ahora ya no soy un estudiante, he crecido y peino algunas canas. Puedo ver las cosas de manera diferente. Todavía no estoy convencido de que tengamos una tumba relacionada con la familia de Jesús, pero tampoco lo descarto. Sin embargo, necesitaría algo un poco más convincente que esos nombres comunes.

De manera inverosímil, como el tiempo y la oportunidad parecieron dictar, tuvo que pasar un cuarto de siglo antes de que algo más convincente surgiera cuando alguien miró con más detenimiento el osario de María con el número 80/500.

La especialista en inscripciones Tal Ilan revelaría en diciembre de 2005 que parte de la inscripción de la segunda María —«Mara»— tenía dos significados posibles. Podía leerse simultáneamente como «Maestro» y «Señor».

«Mara» estaba precedido por un símbolo griego que significa

«también conocido como». Entonces, ¿cuál era el nombre de esta mujer que también era conocida como Maestro?

En el antiguo patio del exterior de la tumba de Talpiot, la única cuestión significativa era si al cepillar el resto de la inscripción aparecería o no el nombre de Magdalena.

Amos Kloner ciertamente no creía que pudiera ser así. Yosef Gat y Shimon Gibson tampoco lo esperaban.

De manera que nadie se sorprendió cuando la M y la A resultaron estar seguidas por una R en lugar de por una G. Esto, además de la sorprendente inscripción «Judas, hijo de Jesús», era, para Kloner, el segundo y más letal golpe contra el vínculo con Jesús, y provocó un suspiro de alivio. A Kloner realmente no le gustaban las cámaras de televisión ni la «ciencia de cultura popular del estilo de Carl Sagan y Steven Spielberg». Incluso el National Geographic lo ponía nervioso y le hacía tartamudear, y los simposios científicos le daban «un punto de miedo escénico». Como la mayoría de sus colegas, él prefería una vida tranquila consagrada al estudio, y su ambición era pasar inadvertido. Así que se sintió verdaderamente aliviado cuando un cuidadoso cepillado de barro seco reveló una R en el tercer lugar de las letras. Respiró aún más aliviado después de ver que los lugares cuatro, cinco y seis estaban ocupados por las letras I, A y M, respectivamente. La segunda María de la tumba no era «la Magdalena», sino una mujer llamada Mariamene o Mariamne, una versión griega del Miriam hebreo.

Amos Kloner y sus colegas ya podían guardar en cajas los osarios, almacenarlos en una estantería de almacén y olvidarse de ellos durante el resto de sus vidas. Especialmente para Kloner, la emergente recopilación de nombres había parecido proporcionarle momentos de vergüenza, como si personalmente se enfrentara a ellos. Aunque en privado admite haberse impresionado por las inscripciones en los osarios, oficialmente su posición respecto a las palabras de la tumba seguirían siendo de indiferencia total, si no de negación despectiva.

En cuanto a Shimon Gibson, la sensación de alivio trajo consigo un sentimiento equivalente de decepción.

—Si hubiera dicho «María Magdalena» —recordaría mucho después—, sí, por supuesto, se habrían echado todas las campanas al vuelo incluso entonces, cuando yo no estaba particularmente interesado en la historia de los albores del cristianismo. Aun así, habría dicho: «Bueno, esto es algo muy especial, algo inusual». Y lo habría mirado con mayor detalle. Pero tal como resultó, cuando vi las inscripciones, lo único que más o menos comprendí fue que aquellos nombres de los osarios eran nombres judíos comunes en el siglo I. Y eso era todo. Nada más.

«Mariamne» además de «Judas, hijo de Jesús» se convirtió en el quid de la contradicción. No había ninguna Mariamne en la vida de Jesús, y no tenía un hijo. Para Kloner y Gat, la contradicción era tan aparente que había eliminado, casi desde los primeros momentos, cualquier conexión entre «Jesús, hijo de José», en el osario número 80/503 y el Jesús histórico. Era otro Jesús. Era otra María.

—Estas palabras (estos nombres) no son estadísticamente improbables en absoluto —concluyó Kloner—. Vaya, una cuarta parte de las mujeres de Jerusalén se llamaban María. No hay ninguna historia aquí.

Shimon no iba mostrarse en desacuerdo con Gat y Kloner. No obstante, salir de un agujero en el suelo con noticias de una tumba familiar de Jesús habría sido muy interesante. Sin duda se trataba de la aventura más excitante de su incipiente carrera, y quizá de toda su trayectoria profesional. Pese a todo, no estaba predispuesto a infringir la regla número uno en la profesión: no atraer nunca más atención que el jefe de tu departamento. Shimon Gibson llevaba el suficiente tiempo en escena para saber que las torres de marfil eran lugares peligrosos.

—No hay ninguna historia aquí —concluyó un joven sensato, y todos estuvieron de acuerdo.

Pero la historia, como el tiempo mismo, tarde o temprano diría la suya. Incluso las contradicciones más aparentes son a veces más aparentes que reales.

Al ponerse el sol en Viernes Santo, durante la semana de la Pascua judía, todo había terminado. Los arqueólogos habían retirado sistemáticamente cada osario, cada fragmento de hueso y cada metro cúbico de suelo de *terra rossa*.

Unos cuatro días antes, el martes 1 de abril, el rumor sobre la nueva tumba de osarios y el inusual grupo de nombres bíblicos había empezado a circular fuera del ámbito de los arqueólogos. Por fortuna, era el día de los inocentes anglosajón, e incluso los cristianos de Jerusalén consideraron una broma oportuna que Jesús, María y José habían sido hallados juntos en la misma tumba y desestimaron la noticia. En cambio, más al sur, en la colina central de Talpiot, las autoridades locales judías no le encontraban la gracia al chiste. Para ellos, la noticia de que había arqueólogos trabajando en una tumba local nunca era motivo de risa. Su concepto colectivo era que los arqueólogos eran saqueadores de tumbas que no mostraban ningún respeto por el largo sueño de los antiguos.

Ante estas expectativas, al menos uno de los arqueólogos no les decepcionó. Amos Kloner explicaría años después que había ido a explorar veinte metros colina arriba de la Tumba de los Diez Osarios y halló una segunda tumba, también sacada a la luz por los constructores.

Descendió por el nuevo agujero y entró en otra amplia cámara central repleta de nichos de osarios. Esta cámara difería de la de la primera tumba en que tenía todas sus piedras de cierre todavía intactas y en que la *terra rossa* nunca había fluido a su interior. Tras hacer palanca para retirar el pétreo sello, encontró más osarios, al menos siete. Uno estaba decorado con rosetas finamente talladas y otros tenían inscritas palabras en griego. Pero no tuvo tiempo de copiar las inscripciones, ni siquiera de tomar fotografías.

—No fue posible hacer más —anotaría—. No recuerdo exactamente qué ocurrió allí, pero concluí que podían haberse llevado uno de los pequeños osarios (que estaba muy cerca de la entrada a la tumba).

Kloner lamentaría que este minúsculo osario, que contenía los huesos de un niño, fuera el único que se llevaron de la cueva y que «salvaron», dado que en esos momentos llegó un grupo de estudiantes de una escuela rabínica cercana y empezaron a maldecirle y escupirle. Fuera cual fuese la respuesta de Kloner, el caso es que de los salivazos se pasó al lanzamiento de piedras y las amenazas de muerte.

Más de dos décadas después, otra versión de la historia podía oírse en torno a Talpiot: las autoridades religiosas, tras enterarse de que las excavadoras habían abierto una segunda tumba, y habiendo oído que los arqueólogos estaban reuniéndose allí, descubrieron a Amos Kloner en una cueva vertiendo los huesos antiguos de un niño en el suelo de la tumba, evidentemente para aligerar el peso del pequeño osario. Esto, recordaron, provocó la revuelta. Quizá porque esta actividad en la segunda tumba desvió involuntariamente la atención de las autoridades religiosas, el trabajo en la Tumba de los Diez Osarios pudo continuar.

Y así aconteció que el Domingo de Pascua, 6 de abril de 1980, la IAA 80/500-509, conocida como Tumba de los Diez Osarios o tumba de Talpiot, quedó vacía.

Poco después, las autoridades religiosas sí descubrieron la IAA 80/500-509, y rápidamente fue sellada mediante una cubierta protectora de acero, revocada con una coraza de hormigón.

Shimon Gibson bromearía años después que los espíritus debían de estar contrariados con los arqueólogos, o al menos con sus cámaras. Salvo la foto de Amos Kloner del símbolo de encima de la entrada de la tumba, todos los negativos estaban subexpuestos y las fotos eran absolutamente impublicables, no importaba la magia de cuarto oscuro que se aplicara sobre ellas.

Las únicas imágenes nítidas del interior de la tumba fueron las captadas por Rivka Maoz en algún momento entre el Viernes Santo de 1980 y el sellado final de la IAA 80/500-509 por parte de Shochat. En las fotos del álbum de familia de Rivka ya no aparecen los osarios ni toda la *terra rossa*. Una mancha de un metro de alto que cubría las paredes casi hasta arriba de los nichos de osarios vacíos —lo que coincidía de manera precisa con los dibujos de Shimon Gibson— muestra la altura hasta la que se elevaba la *terra rossa* en el día que entró por primera vez en la cámara central.

Cuando Rivka Maoz entró en la cámara roja, un osario había desaparecido, y los nueve osarios salvados se guardaron en uno de los almacenes de la IAA en las afueras de Jerusalén. Las tres calaveras de la cámara principal, los huesos de la antecámara y todos los contenidos en los osarios, incluidos aquellos fragmentos sueltos del osario de «Jesús, hijo de José», fueron retirados y apartados para un estudio temporal. Según un acuerdo entre arqueólogos y rabinos, los huesos finalmente serían devueltos a las autoridades religiosas para ser inhumados de nuevo. Había varias tumbas reservadas localmente para el propósito de «respetuosa reinhumación de restos humanos antiguos».

Un año después, un gran complejo de apartamentos, complementado con tiendas y zonas públicas embaldosadas, había cubierto el patio de la tumba original y se había extendido a lo largo de varias manzanas. Durante ese mismo año, Yosef Gat murió de repente. Amos Kloner, Eliot Braun y Shimon Gibson continuaron con otros estudios, cada uno imaginando que después de que abandonaron la zona el equipo de Shochat simplemente habría destrozado la tumba, convirtiéndola en grava, caliza y suelo nivelado, por lo que se habría transformado en un sótano del complejo de apartamentos.

«Y se acabó lo que se daba», se dijo a sí mismo Kloner.

Dieciséis años después, en 1996, un equipo de filmación de la BBC examinó varios de los osarios de la IAA 80/500-509 en los estantes de una sala posterior del almacén de la Autoridad de Antigüedades de Israel. El equipo británico estaba filmando un documental de Pascua sobre las costumbres funerarias judías en la época de Jesús. Un estudiante no identificado o tal vez un empleado de almacén condujo a uno de los miembros del equipo hasta un conjunto de nombres.

La oleada de excitación en el cuartel general de la BBC resultó tan efímera como la inquietud original, dieciséis años antes, en la tumba misma. Amos Kloner y otros arqueólogos se presentaron voluntarios para plantarse ante las cámaras y cortar de raíz el entusiasmo.

—Eran nombres comunes, nada inusual —explicó Kloner.

Poco después de la entrevista, y dieciséis años después del descubrimiento, Amos Kloner finalmente reunió y compiló sus notas y las de Yosef Gat, junto con los planos de Shimon Gibson. Su informe fue publicado en el volumen 29 de la revista israelí de arqueología *Atiqot*. (Shimon advirtió —y siempre se preguntaría cómo y por qué ocurrió eso— que cuando estaba en curso de publicación alguien había aplicado líquido corrector a los planos y había eliminado de los de planta dos de los tres cráneos que Gat había creído suficientemente importantes como para que él los situara con precisión.)

—Y, además, esta señora Mariamne no pertenecía a la familia de Jesús —declaró Kloner a la BBC.

»Es absurdo —repitió.

Para la BBC bastó la desestimación de una autoridad tan prestigiosa. Por consiguiente, tras una mera mención pasajera de los osarios IAA 80/500-509 (ocupó un total de cinco minutos durante un programa de dos horas titulado *The Body in Question*), todo el mundo se olvidó de la Tumba de los Diez Osarios.

Bueno, no todo el mundo.

Podría no considerarse un milagro, incluso ni siquiera después de haberse observado, con una mirada perpetua, que el desarrollo de una tradición judía de construir tumbas de osarios se cortó de raíz antes de que pudiera extenderse fuera de Jerusalén, o después de haber visto que aquellos que destruyeron la tradición se convirtieron, para los arqueólogos del futuro, en los paradójicos creadores de un sistema de datación más preciso que ningún isótopo.

Podría no considerarse un milagro que, en algún momento cercano al inicio de nuestra era, cuatro mil años de historia ya yacieran bajo los pies de los hombres que plantaban viñas y cavaban tumbas en las colinas de Jerusalén. Todos esos años de civilización olvidados se habían apilado en montículos artificiales sobre el paisaje de Jerusalén, cada uno sepultando estrato sobre estrato de destrucción y renacimiento.

En algún punto de la historia, en algún momento entre la muerte de Jacobo el Justo[1] alrededor de 62-66 d. C y la destrucción de Jerusalén en 70 d. C, una tumba fue cerrada, no muy lejos del monte del Templo. La cámara más profunda de la misma contenía osarios, algunos de los cuales conservaban reliquias en un sudario, y los propios huesos esperaban una profetizada Resurrección.

---

1. O Santiago el Justo. *(N. del T.)*

2

Simcha. Empieza la investigación

Conocí a Hershel Shanks el 11 de septiembre de 2002. Fue una experiencia como la de Alicia de *A través del espejo*. Nos habíamos presentado hacía solo unas horas cuando me comunicó: «¿Y si le dijera que hemos identificado un osario en Israel que tiene una inscripción que dice: "Jacobo, hijo de José, hermano de Jesús"?».

Aquel encuentro fue el Big Bang de mi vida profesional. Fue uno de esos momentos definitorios que lleva consigo las semillas de todo lo que ha de venir. En primer lugar, estaba el elemento de extraña coincidencia o intervención divina, en función de la percepción que uno tenga de este tipo de cosas. Conocí a Hershel, el legendario director de la *Biblical Archaeology Review (BAR)* por un antojo. Yo era un fan, y como una *groupie* posesa, y por razones que todavía no entiendo, me sentí impulsado a llamar a Washington D. C., en un intento de convenir una cita. Casualmente, él iba de camino a Toronto, la ciudad en la que vivo. Después de que le concertara una entrevista en el periódico más importante de Canadá, él vino a desayunar a mi oficina de producción de documentales del centro de la ciudad.

Hershel es desgarbado y habla arrastrando un poco las palabras, como una especie de James Stewart judío. Es un ex fiscal del distrito con pasión por la arqueología bíblica. También tiene la virtud de aprender deprisa. Echó un rápido vistazo a nuestra sala de reuniones, se fijó en diversos premios, entre ellos dos Emmy por periodismo de investigación, me calibró y decidió contarme su historia. La frase clave continuaba repitiéndose: «¿Y si le dijera que hemos identificado un osario en Israel que tiene una inscripción que dice: "Jacobo, hijo de José, hermano de Jesús"?».

En realidad, se trataba de un código. Una afirmación que solo tendría sentido para un pequeño grupo de iniciados, y en ese momento yo no pertenecía al club. Como la mayoría de la gente, yo no sabía lo que era un osario, y tampoco sabía que los Evangelios cristianos aseguraban que Jesús tenía hermanos. Ahora me doy cuenta de que la ignorancia general respecto a los osarios, y también la referida a la familia de Jesús, es precisamente lo que permitió que el descubrimiento de su tumba familiar permaneciera en las sombras durante casi treinta años. No obstante, en ese momento, lo único que fui capaz de decir fue: «¿Qué es un osario?».

Como aprendería después, los eruditos no tienen una idea clara de cómo se inició el ritual de los osarios. En cambio, sí sabemos cómo se detuvo. La práctica llegó a un truculento final cuando las tropas romanas destruyeron Jerusalén en 70 d. C., aplastando la gran revuelta judía de 66-70 d. C. y acabando con la hegemonía de los soberanos judíos, perpetuado durante casi dos milenios. Hasta el renacimiento del Israel moderno en 1948 no volvería a existir un Estado independiente judío en la tierra del Israel bíblico.

Aparentemente, la muerte de Jesús y su divulgada Resurrección están íntimamente ligadas a la práctica del enterramiento secundario —el uso de osarios—, aunque nadie da la sensación de haberse percatado. De hecho, si uno se da un paseo por la sección de osarios del Museo de Israel, la utilización de osarios se describe como una forma «típica» de enterramiento judío del siglo I. Incluso hay una pequeña cita de un documento rabínico que atestigua el enterramiento secundario. Ahora bien, calificar esta práctica de forma típica de enterramiento judío plantea una pregunta. ¿Cómo algo puede ser «típico» si solo lo practicó un pequeño grupo de gente durante un período muy corto en Jerusalén y en menor medida en Galilea? El Talmud no recoge un solo episodio de un sabio judío enterrado de esta forma. De hecho, la única muerte famosa relacionada con la práctica judía del enterramiento secundario registrada en fuentes judías antiguas es la muerte del rabino Jesús.

Cuando Hershel respondió a mi pregunta «¿Qué es un osario?» explicándome que los judíos del antiguo Jerusalén envolvían a los muertos en sudarios, los colocaban en tumbas y volvían al cabo de un año para colocar los huesos en osarios de piedra caliza, se me encendió la proverbial bombillita. Por primera vez, comprendí la historia de la sepultura de Jesús.

Esa extraña historia siempre me había inquietado. Si Jesús estuvo tres días muerto antes de la Resurrección, como asegura la ortodoxia cristiana, ¿por qué no se cavó una tumba y se sepultó en ella su cadáver? ¿Por qué su cuerpo fue colocado en la tumba familiar de uno de sus seguidores ricos, un hombre al que los Evangelios llaman José de Arimatea (Mt 27, 15)?

Según la ley judía (al fin y al cabo Jesús era judío), un cuerpo ha de ser enterrado en el suelo el mismo día del óbito antes de que se ponga el sol. Siempre me he preguntado de qué trataba todo el asunto de las tumbas mencionado en los cuatro Evangelios. Ahora conozco la respuesta. ¡Osarios! Claramente, ciertos judíos de Galilea y Jerusalén en el tiempo del ministerio de Jesús practicaban enterramientos secundarios. Y está claro que los seguidores de Jesús pertenecían a este grupo.

Con el discurrir del tiempo, toda la bibliografía publicada sobre tumbas y osarios en Israel pasó por mis manos. De hecho, empecé a bromear con que estaba tan fascinado con los osarios del siglo I que quería fundar una cadena de venta al por menor llamada Ossuaries-R-Us. Las razones de mi entusiasmo tenían que ver con la información histórica «envasada» en la costumbre del uso de osarios. Considérese esto: dado el reducido período histórico —cien años— en el cual se utilizaron osarios en la zona de Jerusalén, la costumbre se data por sí sola. No hacen falta elaboradas pruebas para determinar que un osario data del siglo I, o, de manera más precisa, que se utilizó justo antes, durante o poco después de la vida de Jesús.

Además, en general, el uso de osarios no se extendió a las masas. La propiedad inmobiliaria en Jerusalén, entonces y ahora, es extremadamente cara. Solo la élite religiosa, política y económica podía permitirse criptas familiares o tumbas en las que almacenar osarios. Los pobres eran enterrados en el suelo (o bien colocados en pequeños nichos cavados en la «piedra caliza» de Jerusalén o bien inhumados en tierra blanda, lejos de la muralla de la ciudad). Aquellos que podían permitirse tumbas y que tenían una razón religiosa para practicar esta forma particular de enterramiento eran colocados en ellos. Además, es probable que mucha de la gente enterrada en osarios creyera en la Resurrección física, una forma antigua de criogenia.[1] Los creyentes eran enterrados en osarios situados en torno al Templo. La Casa de Dios que coronaba el monte Sión servía de eje del judaísmo antiguo y constituía una de las maravillas del mundo. Muchos creían que el Mesías —el ansiado redentor del mundo— anunciaría el «fin de los tiempos» en el monte del Templo. En otras palabras, la gente enterrada en osarios contaría con localidades de primera fila para el Apocalipsis. Jesús mismo se hace eco de esto cuando afirma que reconstruirá un Templo destruido en tres días, el núcleo de las acusaciones contra él (Jn 2, 19). Sus seguidores podrían haber visto en los osarios orientados hacia el Templo la forma más rápida de compartir la parusía o segunda venida. No, no hay nada «típico» en la práctica del enterramiento secundario entre los

1. Es posible que algunos saduceos, por ejemplo, la élite del culto del Templo, así como algunos helenistas que no creían en la Resurrección, también participaran en la práctica del uso de osarios. Probablemente, lo hacían para emular las prácticas romanas de guardar las cenizas en urnas. Como la ley judía prohibía la cremación, guardar los huesos en osarios era la segunda opción.

judíos. No obstante, admitir que el uso de osarios podría de algún modo estar relacionado con el movimiento inicial de Jesús implica admitir que muchos de los antiguos restos encontrados en Jerusalén hoy podrían pertenecer a seguidores de Jesús. En un Estado judío, esta idea no te lleva muy lejos.

La mayoría de los osarios exhiben ornamentos grabados en la piedra caliza. Muchos muestran símbolos religiosos. Algunos de estos símbolos son reconocibles, y algunos no han sido descifrados hasta el día de hoy. Como se ha mencionado, el 20 por ciento de los osarios hallados muestran inscripciones, normalmente con el nombre del difunto. Algunas veces en el osario se muestra material biográfico, como «madre» o «padre». Estas inscripciones resultarían valiosísimas en el trabajo detectivesco que conduciría a la tumba familiar de Jesús.

Desde el momento en que supe de ellos, me pregunté por qué los osarios no estaban en boca de todos los estudiosos del Nuevo Testamento. Además, como investigador de la historia judía, me preguntaba por qué los osarios no estaban en primera línea de cualquier estudio del período. ¿Por qué no se impartía un curso elemental de osarios en todos los programas de estudios judíos y del Nuevo Testamento? Al fin y al cabo, gracias a su existencia, disponemos de un auténtico listín telefónico de la élite política, religiosa y económica de Jerusalén en la época de Jesús.

Pensémoslo. No había tantísima gente en el planeta Tierra en aquel tiempo, solo unos trescientos millones de personas. Había menos gente en el antiguo Israel que en el moderno Brooklyn. Y las multitudes que asisten a algunos partidos de fútbol profesional en la actualidad superarían en número a la gente que habitaba en Jerusalén en época de Jesús. Más que eso, del reducido número de personas que vivieron en Jerusalén en aquel tiempo, solo una minúscula fracción podía costearse, o desear, ser sepultado en tumbas y descansar posteriormente en osarios. En última instancia, me di cuenta de que conectar una inscripción en un osario con el Jesús histórico no era tan descabellado. De hecho, sería posible identificar a los protagonistas del Israel del siglo I y vincularlos con sus osarios. En otras palabras, del mismo modo que a nadie sorprende que las momias de los faraones que conocemos por la historia puedan ser halladas en el Valle de los Reyes en el Egipto moderno —porque, al fin y al cabo, solo la élite del antiguo Egipto podía permitirse la momificación—, no debería constituir una sorpresa encontrar los huesos de los seguidores de Jesús —como ese «hermano Jacobo»— enterrados en Jerusalén. No había tanta gente que fomentara el enterramiento secundario en aquel tiempo. E históricamente hablando, la familia más célebre implicada en el enterramiento secundario y que vivió en Jerusalén en el siglo I fue la familia de Jesús.

Cuando Hershel me habló de lo que había dado en conocerse como el osario de Jacobo, no pensé en todas las posibles implicaciones de ese descubrimiento. Sencillamente estaba emocionado de saber que aquel osario utilizado en el antiguo Israel podía estar fechado en el tiempo del Galileo y en ningún otro, y que ayudaba a explicar la sepultura de Jesús en la tumba de José de Arimatea. También me sorprendió descubrir que los Evangelios afirmaban explícitamente que Jesús tenía hermanos.

La inscripción afirma. «Yaakov bar Iosef, ajui d'Yeshua» o «Jacobo hijo de José, hermano de Jesús». Todas las versiones de los Evangelios sinópticos —tres de los cuatro Evangelios que narran la vida de Jesús— afirmaban que Jesús tenía cuatro hermanos: Jacobo, Simón, José y Judas.

A mi entender, el osario de Jacobo, hermano de Jesús era posiblemente el mayor hallazgo arqueológico de todos los tiempos. A fin de cuentas, ahí está —literalmente grabada en piedra— la prueba arqueológica de la existencia de Jesús de Nazaret. Solicité acceso de televisión exclusivo al osario y lo conseguí.

Pero ¿y si era una falsificación?

La cuestión es que nadie tiene que falsificar un osario. Puede comprarse uno en el mercado de antigüedades de Jerusalén por solo 500 dólares si no tiene ninguna inscripción u ornamentación. De hecho, hoy los osarios están experimentando un ligero *revival*, pero no para enterrar huesos. La gente los utiliza como maceteros, sobre todo extranjeros residentes en Israel. La mujer de un embajador pagó miles de dólares por pequeños osarios que habían sido utilizados para el entierro de bebés; podía ponerlos en mesas de centro porque no ocupaban mucho espacio. Por 2.000 dólares, puede adquirirse un hermoso osario con ornamentación e inscripciones. De hecho, basta con mirar de cerca en el interior de los osarios en venta en diversas tiendas de anticuarios de Jerusalén para observar que aunque los huesos que los ocuparon durante casi dos mil años ya no están, con frecuencia contienen, en el fondo y adherido a los costados, lo que los investigadores de la escena del crimen llaman «residuo humano». Este hecho también resultaría clave en la investigación de la tumba familiar de Jesús.

La forma en que los osarios llegaron al mercado de las antigüedades es una historia interesante. Resulta que en el estado de Israel se alcanzó un acuerdo entre las comunidades religiosa y arqueológica. Dicho acuerdo impide la excavación de tumbas antiguas por temor a molestar a los muertos. Los arqueólogos israelíes no están satisfechos con él, pero la alternativa supone enfrentarse a multitudes de ortodoxos, para quienes la excavación de tumbas es equivalente a la profanación de las mismas, hasta el punto que llegan a lanzar piedras a los arqueólogos. En el Israel moderno, la religión es política y las autoridades rabínicas no se apiadarán de ninguna actividad arqueológica, por más que pueda demostrarse que los muertos no serán molestados. Hablé con el rabino Schmidl de Atra Kadisha, una organización dedicada a preservar los lugares de enterramiento judíos. Es él quien se encarga de tratar con la comunidad arqueológica, y le señalé que no autorizar a los arqueólogos a entrar en los sepulcros daba rienda suelta a los ladrones de tumbas, permitiéndoles profanar lo que él en apariencia trataba de proteger. Mi lógica no lo conmovió. Lo que hacían los arqueólogos podía controlarlo, replicó. Lo que hacen los ladrones está entre su conciencia y la de su dios. Por su parte, dijo, los arqueólogos se lo han ganado a pulso. La mayoría de ellos tratan los huesos de los antiguos con desdén secular, manteniéndolos en cajas en el sótano de la Autoridad de Antigüedades de Israel o arrojándolos a la basura.

Como resultado del statu quo arqueológico, hoy las tumbas solo pueden ser excavadas cuando las máquinas las sacan a la superficie en el curso de una construcción. Los osarios encontrados de esta manera por arqueólogos se guardan en un gran almacén en plan *En busca del arca perdida* en la ciudad de Bet Shemesh, cuna del Sansón bíblico. Si no, los arqueólogos han de examinar tumbas después de que jóvenes palestinos, haciendo una batida por el campo en busca de reliquias para el mercado de anticuarios, desvalijen una sepultura y roben algunos de sus objetos. Por extraño que parezca, si te pillan saqueando una tumba puedes ser detenido y juzgado. En cambio, si llegas hasta una tienda autorizada de venta de antigüedades, tu lote queda automáticamente legalizado y tus actividades son retroactivamente legítimas. En otras palabras, no hay razón para falsificar osarios: pueden obtenerse con facilidad.

Aun así, las inscripciones son harina de otro costal. Muy poco después del anuncio de la existencia del osario de Jacobo, muchos expertos salieron de sus madrigueras académicas para declarar que se trataba de una falsificación. Cuidado, nadie ha argumentado que la inscripción completa sea una falsificación, sino que quienes consideran que se trata de una falsificación afirman que la primera parte de la inscripción «Jacobo, hijo de José» es real, pero que la segunda parte «hermano de Jesús» es falsa. Según esta tesis, las últimas dos palabras de la inscripción en arameo[1] fueron añadidas por un falsificador cínico empeñado en engañar al mundo y hacer caja con lo que seguramente sería percibido como la mayor reliquia de toda la cristiandad.

Ahora bien, nada de esto surgió en mi conversación inicial con Hershel. Lo único que sabía en ese momento era que el osario pertenecía a un coleccionista particular anónimo que vivía en Tel-Aviv y que había sido comprobado y autentificado por el Servicio Geológico de Israel y por el mundialmente famoso epígrafo André Lemaire, de la Sorbona, un antiguo sacerdote. Y eso era todo cuanto necesitaba antes de embarcarme en un viaje que concluiría en un documental de una hora titulado *Jacobo, hermano de Jesús* para los Discovery Channel del mundo entero. Copamos titulares internacionales, pero la euforia duró poco cuando empezó el contraataque académico. Los detractores del osario argumentaban que la segunda parte de la inscripción era falsa, y el mundo estaba ansioso por creerlos sin sopesar realmente las pruebas. El caso es que para mí ya era demasiado tarde. En el momento en que el osario fue desacreditado, Jacobo ya me había presentado a su familia.

Amos Kloner es un hombre pequeño y de sonrisa pícara. Durante años trabajó para la Autoridad de Antigüedades de Israel (IAA) y se convirtió en una especie de experto en tumbas de la zona de Jerusalén. Escribió el libro sobre ellas, o, para ser más precisos, el catálogo. Conocí a Kloner en 2003, en el viejo almacén de la IAA en Jerusalén, antes de que lo trasladaran a Bet Shemesh. Era un edificio de reducidas dimensiones lleno a rebosar de antigüedades que

---

1. En el Israel del siglo I, el hebreo se usaba sobre todo en el marco litúrgico, mientras que el arameo, un dialecto relacionado, era la lengua vernácula de uso cotidiano.

iban desde herramientas de la Edad de Piedra hasta espadas de los cruzados o cañones turcos. Una civilización tras otra había dejado su huella en la Tierra Prometida y el almacén de la IAA era un depósito de algunos de los escombros que habían abandonado a su paso.

En el viejo sótano de la IAA, al que se accedía a través de una escalera de caracol de hierro, tenías literalmente que pisar objetos y pasar por encima de ellos para encontrar lo que estabas buscando. Lo que yo estaba buscando eran osarios. Trataba de contextualizar el osario de Jacobo, así que me puse en contacto con el doctor Kloner porque, como resultó, solo hay otro osario que menciona un «hermano». Reza: «Shimi, hijo de [no claro], hermano de Janín [o Janania]». Aunque el nombre del padre no se ha descifrado, en el Talmud se menciona un famoso rabino, un obrador de milagros llamado Janania ben Akasha. Si el osario de Shimi podía identificarse de manera definitiva como el del hermano de Janania, crearía un precedente para el osario de Jacobo. Significaría que hermanos del obrador de milagros tenían a su pariente famoso mencionado en sus féretros.

Kloner es la clase de persona que aunque conoce muchos hechos se resiste a unir los puntos por miedo a la imagen que pueda surgir. No le gustan las imágenes. Le gustan los puntos. Kloner siente que conectar los puntos es una especulación acientífica. Para él, los osarios son un catálogo de gente anónima e incognoscible. Todos ellos eran judíos del siglo I. Es lo máximo que podemos decir. Cuando recientemente le pregunté qué diría si se encontrara un osario con la inscripción «María Magdalena», esbozó una sonrisa e hizo un comentario lacónico:

—Diría… muy interesante.

Rodeado de osarios hasta la altura de la rodilla en el sótano de la IAA, en 2003, Kloner me preguntó en hebreo por qué estaba tan interesado en el osario de Jacobo.

—Por una cosa —contesté—. Esta caja puede contener ADN de la familia de Jesús.

Kloner rió ruidosamente y replicó:

—En ese caso, ¿por qué centrarse en el osario del hermano? ¿Por qué no concentrarse en el osario del hombre en sí, Jesús, hijo de José?

Para Kloner, era una broma. Igual que ningún antiguo «Jacobo» podía vincularse al Jacobo del Nuevo Testamento, ningún «Jesús» antiguo podía relacionarse con Jesús de Nazaret. Por lo que a Kloner respectaba, Jesús, Jacobo, Judas, Miriam, etcétera, eran todos nombres judíos comunes del Jerusalén del siglo I, y tratar de vincularlos con los protagonistas de los Evangelios cristianos era un ejercicio absurdo.

Por mi parte, pregunté:

—¿Ha encontrado el nombre de Jesús en un osario?

—Muchas veces —respondió.

Lo cierto era que no tantas, de hecho, seis. Pero yo no estaba interesado en todos los osarios que tenían el nombre de «Jesús». Solo me interesaba cualquier inscripción que mencionara un «Jesús, hijo de José». En más de un centenar de años de arqueología, solo se han hallado dos inscripciones.

La primera vez que se encontró un osario con el nombre «Jesús, hijo de José» fue en 1926. Recabó titulares internacionales cuando el 6 de enero de 1931 se anunció su existencia en una conferencia celebrada en Berlín. Varios aspectos en él resultaban merecedores de consideración. En primer lugar, el hombre que identificó la inscripción fue el profesor Eleazar Sukenik, de la Universidad Hebrea, el arqueólogo que en 1948 sería responsable del hallazgo de los Manuscritos del mar Muerto. En segundo lugar, se ha preservado el osario entero, salvo la tapa. Todavía se expone de manera permanente en el Museo de Israel; no como un hallazgo único que podría haber contenido los huesos de Jesús, sino como ilustración de lo comunes que eran nombres como Jesús y José en la Judea del siglo I. El objetivo de la muestra consiste en señalar que no deberíamos entusiasmarnos por la aparición de nombres del Nuevo Testamento en un osario. El tercer elemento interesante acerca del osario de «Jesús, hijo de José» identificado por el profesor Sukenik era el apodo escrito en el lado: «Yeshu» o Jesús. De lo que mucha gente no se dio cuenta es de que no existe ningún equivalente hebreo de «Jesús». El nombre correcto es Yeshua o Joshua. En tiempos antiguos, algunos «Yeshua» fueron también llamados Yeshu, como «Josh» por Joshua. Jesús podía haber sido conocido por el antiguo equivalente de Josh. Y allí, en ese osario, estaban las dos versiones del nombre: Yeshua y Yeshu.

Cuando Sukenik formó un gran alboroto acerca del hallazgo, fue animado por sus colegas a callarse. Por lo que a ellos respectaba, la vinculación de los nombres en osarios con gente del Nuevo Testamento era como mínimo irresponsable. El profesor universitario más o menos obedeció. Dejó de insistir en su osario de Jesús porque, aunque a buen seguro era una singularidad, no era procedente: lo había encontrado en el sótano del Museo Rockefeller. No había nada más que decir al respecto porque el contexto en el que se halló se había perdido. Quizá la tumba en la que había descansado decía: «Redentor de la Humanidad» o tal vez «El mejor panadero de Jerusalén». No había forma de saberlo. Pero aunque Sukenik dio marcha atrás con el osario, insistió con otro asunto relacionado: los judeocristianos o ebionitas.

Ebionitas es el nombre con el que originalmente se designaba a algunos de los primeros seguidores de Jesús. El nombre nos llega a través de los primeros Padres de la Iglesia como Ireneo. Deriva del término hebreo *evionim*, «los pobres». Lo más probable es que se considerara un título por aquellos que renunciaron a los bienes mundanos en pro de los espirituales. Otra denominación histórica de los primeros seguidores de Jesús es *nazarenos* y aun otra es *judeocristianos*. La primera también nos llega a través de autores cristianos. No queda claro cuáles eran las diferencias entre ebionitas y nazarenos, pero algunos estudiosos han apuntado que los primeros eran básicamente judíos que creían que Jesús era el Mesías, al tiempo que rechazaban su divinidad; mientras que los segundos eran judíos que aceptaban los principios de la incipiente fe cristiana, entre ellos el nacimiento de virgen y la Santísima Trinidad. La palabra *judeocristiano* es una moderna invención académica para referirse tanto a los ebionitas como a los nazarenos, un término comodín para cualquier seguidor judío de Jesús de los tiempos antiguos. Si bien Sukenik abandonó la cuestión del osario de Jesús, estaba convencido de que muchas de las tumbas descubiertas en Jerusalén, y sus osarios, pertenecían al primer movimiento de Jesús, los judeocristianos.

Estudiar a los judeocristianos es una labor que estaba —y está— plagada de potencial controversia. Es probable meterse en problemas tanto con los judíos como con los cristianos, porque implica arrojar luz en las esquinas oscuras de la llamada tradición judeocristiana. Ciertamente es algo en lo que los Kloner de este mundo no quieren implicarse. ¿Por qué los judeocristianos plantean este problema? Empecemos considerando la cuestión desde la perspectiva cristiana.

Según la mayoría de los eruditos, Jesús fue crucificado en torno al año 30 d. C. La cristiandad se convirtió en religión oficial del Imperio romano bajo Constantino en 312 d. C. Aproximadamente trescientos años separan la Crucifixión de Jesús, como judío culpable de sedición contra el Imperio romano, y su elevación como deidad suprema —si no «la» Suprema Deidad— de ese mismo imperio. Durante su meteórico ascenso al poder, sus seguidores pasaron de ser una secta judía perseguida a ser la fuerza religiosa dominante del mundo civilizado. Todo esto se cumplió mientras otros mesías judíos, como Bar Kojba, continuaban desafiando la autoridad romana. Pensémoslo: vender la figura de Jesús a los romanos fue como un intento de convencer a los estadounidenses de después de la guerra de Vietnam de que alguien del que pensaban que era un líder del

Vietcong era en realidad un pacifista y el Hijo de Dios. No fue tarea fácil, seguro.

Una de las formas en que los primeros seguidores gentiles de Cristo cumplieron la transformación del movimiento de Jesús de una secta judía perseguida en una religión de los gentiles del mundo entero fue separándose de los llamados judeocristianos, los seguidores judíos de Jesucristo. Antes de la destrucción de Jerusalén en el año 70 d. C. era casi imposible. Al fin y al cabo, Jesús, su familia, los apóstoles, y todos y cada uno de sus seguidores significativos habían sido judíos. Las personas que tocaron a Jesús, que hablaron con él, que partieron el pan con él y que lo consideraban el Mesías eran todas judías. En cambio, después de su Crucifixión, un judío llamado Saúl, que se convirtió en el apóstol Pablo, se alzó para liderar a unos seguidores gentiles que pronto amenazaron con superar de manera abrumadora al grupo original.

La lucha entre seguidores judíos y gentiles de Jesús parecía irrelevante mientras Jerusalén se sostuvo. En otras palabras, siempre y cuando funcionara el Templo judío, los judeocristianos tenían la última palabra en el incipiente movimiento de Jesús. Ni siquiera Pablo podía pasar por alto a Jacobo, «el hermano del Señor» (Gál 1, 19) y líder de los judeocristianos de Jerusalén. En cambio, una vez que el Templo fue destruido y Jerusalén quedó reducida a cenizas, el movimiento original perdió su base de poder y desapareció de las historias oficiales. La leyenda cuenta que los judeocristianos huyeron a Pella, en la actual Jordania, donde sobrevivieron un par de siglos y finalmente fueron o bien asimilados en la cristiandad gentil o reabsorbidos por el judaísmo rabínico.

Los Padres de la Iglesia, los hombres que dieron forma a la cristiandad, o bien no hicieron caso a los ebionitas y nazarenos o trataron con ellos en varias polémicas contra los herejes; de hecho, estos escritos son con frecuencia nuestra única constancia de algunos de estos grupos. Al fin y al cabo, no había razón alguna para hacer especial hincapié en su existencia; teniendo en cuenta que estos grupos destacaban al Jesús histórico por encima del teológico, entrar en disputa podría conducir a preguntas embarazosas como «Si María era virgen, ¿cómo es que Jesús tenía cuatro hermanos y dos hermanas?». Ese problema se trató, por cierto, convirtiendo a los hermanos en hermanastros y hermanastras, o en primos. Ahora bien, otras preguntas eran aún más incómodas: «Si Jesús y sus seguidores respetaban el sabbat, seguían las leyes *kosher*, y practicaban la circuncisión, ¿por qué no lo hacen los cristianos?». Por supuesto, siempre pueden formularse respuestas teológicas, pero era preferible no dar voz a la gente que había caminado con Jesús. En pocas palabras, al continuar con la práctica del judaísmo, los judeocristianos avergonzaban a la primera Iglesia.

Así que los judeocristianos desaparecieron de las pantallas del radar. De manera retroactiva, no existieron. Incluso los académicos que se especializaron en movimientos cristianos anteriores al emperador Constantino olvidaron en gran medida a los judeocristianos. Para mucha gente, la cristiandad nació en Roma en el siglo IV. Por consiguiente, apenas nadie espera encontrar pruebas arqueológicas anteriores. Puesto que no existían, ¿cómo podían haber dejado material para que lo descubrieran los arqueólogos?[1]

Por su parte, los judíos generalmente han seguido la corriente al punto ciego cristiano. Al fin y al cabo, durante casi dos milenios la relación entre cristiandad y judaísmo —entre cristianos y judíos— fue la relación entre gobernantes y gobernados. Los judíos no estaban en posición de decir a las autoridades papales: «Por cierto, Jesús era uno de los nuestros. Desde nuestro punto de vista, es un mesías fallido pero un gran patriota, y si no nos creen, ¿por qué no estudian

---

1. En 2006, la Iglesia cristiana más antigua que se conoce fue hallada accidentalmente en el patio de una prisión en Meguido. El mosaico es claramente cristiano gentil y por consiguiente no resulta controvertido.

a los ebionitas?». Por consiguiente, a medida que la cristiandad gentil evolucionaba a partir de lo que había sido una secta judía, las autoridades rabínicas trazaron una línea clara entre cristianos y judíos. Desde su perspectiva, puesto que la cristiandad se había convertido en una religión gentil, los seguidores de Jesús tenían que elegir entre ser cristianos o judíos. No podían ser ambas cosas.

El momento definitivo del derrocamiento de los judeocristianos en la sinagoga llegó alrededor del año 90 d. C., con la introducción de la maldición de la *Birkat ha-Minim* en el servicio de plegarias judío.[1] *Minim* significa «género», «variedad» o «rama» en hebreo. En términos religiosos designa a una «secta». En términos prácticos ha pasado a significar «herético». Curiosamente, los enemigos de Israel —por ejemplo, los romanos— no se mencionaban. Se trataba de una cuestión interna. La maldición solo podía hacerse efectiva si, una vez más en términos prácticos, los herejes dirigían el servicio de plegarias. La maldición de la *Birkat ha-Minim* exigía a los líderes de la congregación que se denunciaran públicamente a ellos mismos si de verdad eran seguidores de Jesús. El efecto red de este cambio en la liturgia iba a forzar a los ebionitas y nazarenos, muchos de los cuales dirigían el servicio de plegarias, a recoger su taled y salir de la sinagoga. Cuando lo hicieron, también salieron de la historia. Literalmente se cayeron de la silla teológica. Resultaban embarazosos tanto para los judíos como para los cristianos. Los judíos querían olvidar que Jesús tenía un grupo de seguidores relativamente grande y creciente, y los gentiles se alegraron de predicar que puesto que los judíos habían rechazado a Jesús, ahora eran ellos mismos un pueblo rechazado.

La desaparición de los judeocristianos de la historia se tradujo en que, arqueológicamente hablando, uno no podía buscar ningún objeto cristiano anterior al siglo IV. Antes de ese momento, según la

---

1. La maldición fue introducida en Yabné bajo el patriarca Rabban Gamaliel II.

lógica aceptada, los judeocristianos son indistinguibles de otros judíos. No puede haber «cultura material» —prueba palpable de su existencia— para descubrir. Según la mayoría de los historiadores y arqueólogos de Oriente Próximo, por tanto, la arqueología de los primeros cristianos empieza con Constantino o justo antes de él, a principios del siglo IV d. C.

Sukenik discrepaba de todo esto. Creía que había encontrado pruebas de tumbas protocristianas en y en torno a Jerusalén, especialmente en Talpiot.[1] También creía que la arqueología podía llenar un hueco creado por la teología. El conjunto de la comunidad arqueológica de Israel vio la obsesión de este profesor de la Universidad Hebrea con la judeocristiandad como un interés excéntrico y raro de una mente por lo demás sensata. No hicieron caso —y continúan sin hacerle caso— a esta parte del legado de Sukenik. Pero piénsese: si este tenía razón y podían localizarse tumbas judeocristianas tempranas, ¿por qué no la tumba de la familia de Jesús?

En el mundo cristiano, Sukenik tenía su contrapunto: el padre franciscano Bellarmino Bagatti (1905-1990). Desde la década de 1930, ocupó una cátedra en el Studium Biblicum Franciscanum de Jerusalén, donde enseñó, estudió, escribió y trabajó. Además de ser monje franciscano, el padre Bagatti, italiano de nacimiento, también era un consumado arqueólogo. De hecho, abrió un pequeño museo que albergaba algunos de sus numerosos hallazgos. Este todavía puede visitarse junto a la iglesia de la Flagelación, la segunda estación del Vía Crucis.

---

1. En septiembre de 1945 se encontró en Talpiot una tumba que contenía once osarios. Fue Sukenik quien la excavó. Desde el punto de vista arquitectónico es muy similar a la Tumba de los Diez Osarios. En el osario número 8 hay grandes marcas de cruces. También hay una inscripción escrita en griego: «*Iesus Alot*». Se ha sugerido que se trata de una versión del verbo hebreo *alé* que significa «levantarse». En el osario 7 hay una inscripción en griego hecha en carboncillo. Sukenik la tradujo como «*Pobre Jesús*». En el osario 1 se encontró una inscripción en hebreo «*Shimon bar Saba*». La familia Barsabás es un nombre familiar conocido solo por los Hechos de los Apóstoles (1, 23; 15, 22).

En 1953, los franciscanos estaban renovando su iglesia en Dominus Flevit («el Señor llora») en el monte de los Olivos, con vistas al monte del Templo. Fue allí, según la tradición cristiana, donde Jesús vio el Templo de Jerusalén, el pilar de la veneración judía durante mil años, y lloró por lo que creía, de manera acertada, que era su destrucción inminente. Es un episodio importante en la historia del primer movimiento cristiano, porque no solo Jesús predijo la destrucción del Templo, sino que también profetizó su Resurrección. Jesús prometió que tras su destrucción, él personalmente reconstruiría el Templo en tres días. De este modo, anunciaría «al final de los días» la era del Tercer Templo y el advenimiento del gobierno de Dios en la Tierra. Cuando eso no ocurrió, algunos de sus seguidores concluyeron que habían entendido mal las palabras de Jesús. El «templo», decían, significaba su «cuerpo» y «reconstruirlo» en tres días era una alusión a su propia Resurrección tres días después de la Crucifixión.[1] La cuestión, después de todo, era salvar a la humanidad en su conjunto y no redimir al pueblo judío de la opresión romana.

Para otros seguidores, en cambio, esto no tenía sentido. Para ellos, Jesús era el Mesías, y como Mesías su labor consistía en volver a unir a las tribus de Israel, emancipar al pueblo de Dios y anunciar el comienzo de un estado universal de gobierno divino restableciendo el sagrado trono de Dios en Jerusalén. Puesto que el Templo fue destruido después de la Crucifixión, argumentaron, también sería reconstruido después de la Segunda Venida. Cuando murieron, muchos habrían querido ser enterrados en el monte de los Olivos para disponer de una localidad en primera fila para la Segunda Venida. Al menos eso es lo que pensó Bagatti en 1953, cuando descubrió lo que llamó una «necrópolis judeocristiana».

1. Así es como el Evangelio de Juan explica la alusión de reconstruir el Templo (Jn 2, 19-22).

Allí, el monje desenterró al menos media docena de tumbas y docenas de osarios en cuyas inscripciones aparecían nombres del Nuevo Testamento como «Safira» y «Marta». Algunos de los osarios incluso tenían cruces grabadas. A diferencia del osario de Jesús de Sukenik, el hallazgo de Bagatti de lo que creía que era el primer cementerio judeocristiano no copó los titulares. Por el contrario, las afirmaciones del italiano provocaron las burlas del mundo cristiano y judío, religioso y laico. Así que abandonó el asunto. Detuvo la excavación de Dominus Flevit, dejando tumbas sin explorar y sepulcros abiertos. Sin embargo, hasta la fecha, en Dominus Flevit hay una placa que identifica la necrópolis como «judeocristiana» —Bagatti no se desdijo de esta afirmación— y los turistas pueden ver los huesos desenterrados de personas que, de acuerdo con el religioso, eran los seguidores originales de Jesús. No se han vuelto a enterrar, quizá para evitar la controversia de si deberían tener una sepultura judía o cristiana.

Si Bagatti tenía razón, el cementerio de Dominus Flevit es uno de los descubrimientos arqueológicos más importantes de toda la cristiandad. ¿Por qué se abandonó la excavación y se olvidaron sus hallazgos? Había cuatro razones fundamentales, ninguna de ellas buena. Primero, estaba el razonamiento circular de que como los judeocristianos no podían diferenciarse de otros judíos, nunca podrían encontrarse restos de judeocristianos. Segundo, la teoría convencional sostenía que la cruz (un símbolo que saltaba a la vista en los osarios) no apareció como símbolo cristiano antes de Constantino. Eso era sencillamente falso. Por ejemplo, pueden encontrarse menciones de la cruz como símbolo cristiano en Tertuliano, un autor cristiano, que vivió al menos cien años antes que Constantino.[1]

Las siguientes dos razones eran más políticas que históricas.

---

1. Véase *De Corona* (iii) de Tertuliano para su punto de vista de que los cristianos «adornaban sus frentes haciendo la señal de la cruz».

Bagatti encontró la necrópolis judeocristiana de Dominus Flevit solo cinco años después del nacimiento del Israel moderno, y solo ocho años después de Auschwitz. Los judíos del post-Holocausto que vivían en un Estado recién nacido ya habían tenido suficiente cristiandad europeizada. Estaban tratando de reconectar con su propio pasado judío. La última persona de quien querían oír hablar era un monje franciscano que sostenía que algunas de las primeras tumbas halladas en Jerusalén pertenecían a los seguidores de Jesús. «No toquéis nuestra historia» era, y sigue siendo, el mantra de los arqueólogos israelíes.

Cabría haber esperado respaldo a Bagatti por parte de la Iglesia, pero había dos problemas con sus hallazgos, ninguno de los cuales tenía relación con la arqueología. En primer lugar, el franciscano estaba desenterrando los restos de la misma gente a la que los Padres de la Iglesia calificaron de herejes. No era una buena razón para celebrarlo. En segundo lugar, había un hallazgo particularmente inquietante en Dominus Flevit: Bagatti había identificado lo que posiblemente era el osario de san Pedro.

Durante años, el Vaticano ha estado excavando bajo la basílica de San Pedro en Roma, buscando pruebas de que el apóstol realmente estaba enterrado allí, como dicta la tradición. No cabe duda de que hay un antiguo cementerio romano debajo de la basílica de San Pedro, pero se trata de un cementerio pagano. No hay el menor atisbo de indicio arqueológico creíble que relacione el cementerio que se halla debajo del Vaticano con el primer obispo de Roma. Y aun así, de vez en cuando surgen rumores de que se han hallado reliquias del santo. En una ocasión, huesos hallados en el antiguo cementerio bajo un monumento del siglo II que supuestamente señalaba el lugar del martirio de Pedro coparon las noticias internacionales hasta que se determinó que pertenecían a diferentes personas, hombres y mujeres, y que incluso había algunos huesos de pollo. No solo no existen pruebas de que el principal discípulo de Jesucristo esté enterrado bajo el Vaticano, sino que no hay indicio alguno de que existiera allí cementerio cristiano, judío o judeocristiano de ningún tipo.

Pero si había que encontrar algo, ¿qué aspecto tendría? Bueno, para empezar es dudoso que la lápida de san Pedro, por ejemplo, mencionara siquiera el nombre «Pedro». Al fin y al cabo, ese no era su nombre, sino su título. Los Evangelios relatan que Jesús se volvió hacia un discípulo de nombre Simón (Shimon en hebreo y arameo) y lo llamó Kefa —que significa «piedra» en arameo (Petros en griego)— y declaró que él era la piedra sobre la cual debería edificarse su Iglesia (Jn 1, 42; Mt 16, 16-19). En otras palabras, Pedro es una derivación del nombre Petros, que a su vez es una traducción del arameo Kefa, que es el apelativo, título o sobrenombre que Jesús le dio a uno de sus más distinguidos discípulos.

Pero ¿cuál era el verdadero nombre del discípulo? Bueno, no hay discusión respecto a eso. Los Evangelios son claros en que el nombre de Pedro es realmente Shimon bar Yonah (Simón, hijo de Jonás). Resulta que Shimon, o Simón, era el nombre judío más común de la Judea del siglo I. Encontrar un osario con su nombre sería insignificante, porque alrededor del 20 por ciento de los judíos varones se llamaba Simón. El nombre de Jonás, en cambio, era muy raro. Encontrar un osario con la inscripción: «Shimon bar Yonah» es un acontecimiento muy raro, y tal hallazgo debería copar los titulares. De hecho, no cabe ninguna duda de que si el Vaticano encontrara un osario bajo la basílica de San Pedro con el nombre de Shimon bar Yonah, habría una gran conferencia de prensa, el Papa celebraría una misa especial y el osario se convertiría en la reliquia más sagrada de la cristiandad. Con toda probabilidad, se colocaría en la basílica de San Pedro como elemento central del Vaticano y millones de fieles harían cola durante horas para pasar por delante en actitud de veneración y plegaria.

Y aun así, un osario con el nombre de Shimon bar Yonah fue hallado en un contexto arqueológico mucho más convincente que el cementerio pagano que hay debajo de la basílica de San Pedro. Fue hallado por Bagatti en lo que se identificó como la necrópoli judeocristiana de Dominus Flevit. De los miles de osarios hallados en la zona de Jerusalén, sigue siendo el único con esa inscripción. De hecho, dicha inscripción es tan rara que no tiene precedentes en ningún escrito del siglo I, ya sea en osarios, pergaminos o lo que fuera. Sin embargo, como el osario no se encontró donde les habría gustado a los poderes fácticos, no hubo conferencia de prensa, no hubo servicio religioso, no hubo consagración del osario ni sepultura de los huesos. Nada. Fue hecho desaparecer en el pequeño museo de Bagatti en la iglesia de la Flagelación de la Ciudad Vieja de Jerusalén, donde todavía permanece, roto y olvidado. Los huesos se desecharon, la tapa se perdió, dos de los laterales también se extraviaron, y se arrojó sin ceremonia alguna en medio de otros veinte osarios, testigos silenciosos de lo que ocurre a los objetos que no cumplen con las expectativas teológicas o arqueológicas. Tú lo encuentras. Tú lo olvidas.

En 2003, en compañía del doctor Kloner en el sótano del viejo almacén de la IAA, todavía estaba a meses de saber todo esto. Lo único que sabía entonces era que estaba investigando la inscripción de un osario con las palabras «Yaakov [Jacobo], hijo de José, hermano de Jesús», y allí se encontraba aquel hombre diciéndome que ya se había localizado un osario con el nombre de Jesús, hijo de José.

—¿Dónde está? —pregunté.

—Aquí mismo —respondió Kloner.

Fue a hablar con la joven que se hallaba sentada en la entrada estudiando para sus exámenes en la universidad. Tenía veintitantos años, era atractiva y de aspecto ligeramente libresco. Trabajaba a tiempo parcial en el sótano de la IAA. Kloner le pidió que buscara «Jesús, hijo de José» y ella lo hizo. No había emoción en sus ojos. Sus dedos no temblaron mientras localizaba la tarjeta en el archivo índice. El sudor no perló su frente cuando me condujo a través de filas de osarios que descansaban en estanterías y se apilaban en el suelo.

—Aquí está. —Sonrió, y señaló el osario más sencillo que había visto hasta y desde entonces—. Vea, aquí en el costado está la inscripción —me indicó.

—Es difícil de leer —advirtió Kloner—, como la escritura de los médicos —añadió riendo—. Solo los farmacéuticos pueden leerlo.

Yo encendí mi linterna y la coloqué de perfil contra la inscripción del osario y Kloner trazó las letras con los dedos: «Jesús, hijo de José».

Traté de mantener la calma, pero algo me decía que aquello no era sencillamente un ejemplo de algo que se repitiera todos los días. El arqueólogo me dijo que había encontrado el osario en una tumba, en Talpiot Este, uno de los barrios periféricos de Jerusalén, en la carretera a Belén. Las excavadoras habían descubierto la tumba en 1980 durante la construcción de un complejo de apartamentos en la zona. Él había sido llamado junto con Yosef Gat, un arqueólogo rumano-israelí ya fallecido, para investigarlo. Habían sacado diez osarios de la tumba. Aquel era uno de ellos.

—¿Había más inscripciones? —pregunté.

Se rió.

—Si se lo digo, saldrá corriendo gritando: «¡He encontrado a toda la familia de Jesús!».

No me hizo ninguna gracia. No obstante, conseguí sonreír y plantear una cuestión:

—¿Qué otros nombres había en la tumba?

—Si no me equivoco, había un Matia [Mateo], Yosef [José] y dos Marías —anunció.

—¿Y por qué no es significativo? —pregunté.

—Porque María, o Miriam, es el nombre femenino más común entre las mujeres del siglo I en Israel —dijo—. Si hubiera estado en un mercado en tiempos antiguos y hubiera gritado «Miriam», el 25 por ciento de las mujeres se habrían dado la vuelta. Por eso hay tantas

Marías en los Evangelios. Todo el mundo se llamaba María. Encontrar a una María al lado de un Jesús no es gran cosa.

—En serio —rogué—. ¿Cuántas otras veces se han descubierto tumbas con dos Marías, un José y un Jesús?

—Ninguna —respondió Kloner—. Pero aquí está su problema, la segunda María tenía otro nombre y no era Magdalena. Su nombre es Mariamne, que es una versión helenística macabea de Miriam. Una de las mujeres de Herodes el Grande se llamaba así. Pero ninguna persona relacionada con Jesús se llamaba Mariamne. Lástima, señor Jacobovici —dijo al tiempo que se reía y se abría paso por las antigüedades para salir de las pilas de osarios.

Yo me entretuve un poco y miré la inscripción. Incluso mi ojo poco avezado distinguía con claridad las letras que se traducían como «Jesús, hijo de José». Entonces me incliné, miré en torno a mí y, cuando estuve seguro de que no había nadie cerca, levanté la tapa del osario. Estaba vacío. Pero en el fondo, mezclado con una especie de tierra rojiza, y claramente visible entre granos de piedra caliza que se habían desprendido de los laterales del osario, había restos humanos.

Ron Pappin es una anomalía. Es de Timmins, una localidad minera del norte de Ontario. Ha sido de todo desde dependiente de ferretería hasta farero. Es una de las raras avis cuya vida parece no tener nada que ver con aquello que le rodea. Se ha convertido en experto en todas las cosas pasadas. Puede describir las calles de la antigua Roma mejor que las del Nueva York moderno, porque, la verdad sea dicha, nunca ha salido de Canadá. Hace mucho que decidió que si solo va a viajar con su imaginación, prefiere visitar el mundo antiguo.

Ron estaba a punto de obtener su doctorado en estudios antiguos por la Universidad de Toronto cuando su mujer, mucho más joven que él, contrajo la enfermedad de Lou Gehrig, o esclerosis lateral amiotrófica, y la ha estado cuidando desde entonces. Fuma en pipa, así que su dentadura es de color marrón oscuro y tiene mal aspecto. Le faltan los dientes delanteros, pero como dedica todo su dinero al cuidado de su esposa, no se los ha arreglado. También luce una versión canadiense del sombrero de Indiana Jones y una voluminosa barriga. Es una figura singular. Es amigo mío y el jefe de investigación de mi equipo.

Cuando volví de Jerusalén en otoño de 2003, me llevé el informe de Kloner publicado por la IAA sobre el descubrimiento de la tumba en Talpiot Este. Al dejar caer el informe en el escritorio de Ron, dije:

—En mil novecientos ochenta encontraron una tumba al sur de Jerusalén.

—Encuentran muchas tumbas —repuso—. ¿Qué tiene que ver con el osario de Jacobo? —preguntó.

Estábamos trabajando en una película destinada a convertirlo en el osario más famoso de la historia.

—Bueno —contesté—, en la tumba de Talpiot encontraron diez osarios, seis de ellos con inscripciones. Los inscritos incluían un Mateo, un José, dos Marías y un Jesús, hijo de José.

Ron arqueó una ceja.

—¿Y a nadie le extrañó?

—Bueno —repliqué—, una María se llamaba María, lo cual merece atención pero la otra se llamaba…

—¿Magdalena? —me interrumpió, riendo.

—No, Mariamne —informé.

—Nunca la he oído nombrar. Lástima —chasqueó la lengua y volvió a su trabajo.

—Echa un vistazo —le sugerí—. Mira si hay una conexión entre los nombres de Mariamne y Magdalena.

—Bueno —empezó Ron, exhibiendo una sonrisa desdentada—,

hoy tenemos internet. ¿Por qué no lo miramos ahora mismo? —Introdujo en el buscador Google el nombre de «Mariamne» y se volvió hacia mí ligeramente pálido—. Mira, Simcha —exclamó.

Por encima de su hombro miré la pantalla y el artículo al que su búsqueda le había conducido.

—«Según estudiosos modernos —leyó en voz alta—, el verdadero nombre de María Magdalena era Mariamne.»

3

Simcha. La tumba perdida

Oded Golan es el coleccionista de antigüedades bíblicas de más triste fama que hay en el mundo. Lo conocí en octubre de 2002, justo después de que Hershel Shanks me proporcionara acceso exclusivo al artículo que estaba a punto de publicarse en la portada de la *Biblical Archaeology Review (BAR)* relativo al descubrimiento del osario de Jacobo, hermano de Jesús. En ese momento, entre el pequeño círculo de gente conocida, el osario de Jacobo era completamente legítimo, y su propietario israelí deseaba permanecer en el anonimato.

Viajé a Tel-Aviv para grabar en vídeo un último examen del osario anterior a la publicación del artículo en la *BAR*. El mundo todavía no conocía la existencia de lo que en apariencia era un objeto arqueológico que atestiguaba la existencia de Jesús de Nazaret. Hershel me contó que después de ese examen final, el propietario podría retirar el acceso al osario.

—Puede que sea una oportunidad única —advirtió.

No podía desaprovecharla.

En el día señalado, salí del hotel Carlton, situado a orillas del Mediterráneo, y puse rumbo al centro de Tel-Aviv. El propietario iba guiando a mi chófer a través de un teléfono móvil. Había imaginado una carretera junto a la costa, al estilo de las que ascienden a las colinas de Hollywood, hasta una villa aislada en lo alto de algún acantilado. En cambio, circulamos un par de manzanas y nos detuvimos ante un anodino edificio de apartamentos de escasa altura de la capital. Mi equipo de filmación israelí y yo subimos en un pequeño ascensor a la tercera planta, y me encontré en una especie de apartamento de soltero, saludado por un tipo de mediana edad, aspecto juvenil y complexión media.

Oded Golan es un hombre complejo. Procede de buena familia. Su madre es profesora jubilada de agricultura y su padre, ingeniero. Su hermano es editor de libros educativos. Golan ha sido oficial del ejército israelí y empresario. Es un apasionado de las mujeres asiáticas, la arquitectura moderna y la música clásica. La única cosa que destaca en su por lo demás común y corriente apartamento es el piano de media cola blanco de la sala de estar. El apartamento estaba un poco sucio pero ordenado, una noción de limpieza del soltero. No cumplía en nada con mis expectativas de lo que debía ser la casa de uno de los más activos coleccionistas de antigüedades bíblicas. El legendario multimillonario Shlomo Moussaieff, probablemente el coleccionista de antigüedades bíblicas más famoso del mundo, tiene casas en Israel, el Reino Unido y Estados Unidos, todas ellas reconocidas por su opulencia y decoro. En el centro del apartamento de Golan, me sentí engañado. Estaba esperando a Moussaieff y me encontré con Golan.

Pero de repente Golan pulsó un botón y todo cambió. Se levantaron las persianas en varias paredes, dejando a la vista estantes de cristal donde se exhibían objetos de los tiempos bíblicos de valor incalculable. Me sentí parte de una película de James Bond, no de un documental sobre otro «James», «Jacobo, hijo de José, hermano de Jesús».

Golan es coleccionista y ello impregna su persona. Mientras charlábamos recibió una llamada de un árabe de cerca de la ciudad de Hebrón, en Cisjordania, uno de aquellos territorios del antiguo Israel cuya propiedad se disputan israelíes y palestinos. El hombre que estaba al otro lado de la línea dirigió a Golan a un sitio web. Yo lo seguí hasta su ordenador. Y allí, ante mis ojos, había un tesoro de objetos de la Edad del Bronce descubierto el día anterior por jóvenes palestinos: espadas, cuchillos, joyas, cerámica y más. Después de un rápido vistazo a la mercadería, Golan compró un par de espadas de la Edad del Bronce por varios miles de dólares. Si el Éxodo bíblico se produjo en el Bronce tardío, aquellas espadas podían haber pertenecido a soldados de élite israelíes que sirvieron en el ejército de Josué.

—La IAA no sabe que se ha producido este importante descubrimiento. Nunca lo sabrá. Los árabes me están proporcionando a mí lo que podríamos llamar «primera opción». Lo que yo no compre, saldrá del país y terminará en la sala de juntas de algún ejecutivo de Tokio, perdido para siempre para los investigadores. Estoy llevando a cabo un servicio a este país, asegurándome de que al menos parte de estos tesoros se queda aquí. ¿Y cree que recibo algunos doctorados honorarios por mis esfuerzos? Al contrario. Como compro objetos a árabes de Cisjordania, la Autoridad de Antigüedades me trata como un delincuente involucrado en actividades ilegales. ¿Usted cree que tiene sentido? —preguntó Golan.

En realidad no tenía mucho sentido. De hecho, si yo fuera la IAA, trataría de regular el mercado de antigüedades comprando hallazgos arqueológicos a jóvenes palestinos. Sería una especie de «programa de intercambio de jeringuillas» de antigüedades bíblicas. No criminalices lo que no puedas controlar o castigar. Regúlalo.

En cualquier caso, en otoño de 2002, no tenía ideas profundas respecto al mercado de antigüedades bíblicas. La única cosa que me preocupaba era el osario de Jacobo y la inscripción en su lateral: «Jacobo, hijo de José, hermano de Jesús». Así que durante todo el día grabé en vídeo las diversas pruebas que los expertos estaban realizando en el apartamento de Golan. André Lemaire, el gran epígrafo de la Sorbona, examinó la inscripción una última vez, evaluando el estilo de escritura, la gramática, etcétera. El doctor Shimon

Ilani y el doctor Amnon Rosenfeld de la Sociedad Geológica de Israel examinaron la pátina, la fina película que se acumula a lo largo de miles de años en la piedra caliza de los osarios. Por su parte, Hershel Shanks estaba revisando lo que históricamente sabíamos de Jacobo, tratando de parangonar esta información con la del osario. Por ejemplo, Flavio Josefo, el historiador judeorromano del siglo I, registró que Jacobo fue muerto en Jerusalén, así que no era sorprendente encontrar allí su osario. La historia coincidía con la arqueología. Además, el Nuevo Testamento se refiere explícitamente a Jacobo como «hermano del Señor» (Gál 1, 19). Por consiguiente, hallarlo relacionado con el osario de su hermano era coherente con lo que conocíamos sobre él. El osario coincidía con el Nuevo Testamento.

Se respiraba un clima de euforia en el apartamento. Todo el mundo estaba del mismo lado. La inscripción era buena. La gramática era buena. La pátina era buena.

El osario descansaba en una mesa situada en medio de la sala. Me asomé y vi fragmentos de hueso. «ADN de la familia de Jesús», pensé. Después supe que Golan había puesto los fragmentos en un contenedor de plástico y se los había dado a un amigo para que los custodiara.

Cuando todo el mundo terminó, me quedé atrás un rato. Golan fue al piano blanco de media cola y empezó a tocar una pieza de Beethoven. Era uno de esos momentos surrealistas de la vida. Allí estaba yo en Tel-Aviv, escuchando música clásica alemana tocada por un coleccionista israelí junto al osario del hermano de Jesús.

Cuando Golan terminó de tocar la sonata, lo felicité por su actuación y volví a pie a mi hotel. Mientras caminaba por la playa, el sol se estaba poniendo. Se oía una canción de Barbra Streisand procedente de un restaurante de *humus*, casualmente llamado Simcha's Place. No me detuve a comer. Seguí caminando, aferrándome a las cintas calientes que tenía en la mano. ¡Tenía al hermano de Jesús en vídeo! El sol era un círculo rojo adentrándose en el mar, y lo único en lo que podía pensar era en el hecho de que pronto prácticamente todo el mundo estaría obsesionado con las imágenes capturadas por mi cámara.

El 21 de octubre de 2002, Hershel Shanks y el Discovery Channel dieron una conferencia de prensa en Washington D. C. A la mañana siguiente, una fotografía en color del osario de Jacobo aparecía en la portada del *New York Times*. De hecho, el reportaje copó titulares en todo el mundo, y treinta segundos de las imágenes registradas en el apartamento de Golan fueron emitidas por todo el globo a través de la CNN.

El 31 de octubre de 2002, el osario saltó de nuevo a los titulares de las noticias, en esta ocasión porque se rompió de camino a Toronto, donde iba a ser exhibido en el Museo Real de Toronto. Una vez más yo estaba en el centro de la acción, filmando el osario roto, el proceso de restauración y su exhibición final.

Cien mil visitantes desfilaron ante el osario restaurado durante la exhibición del objeto en Toronto. Uno de ellos era el profesor James Tabor, jefe del Departamento de Estudios de la Religión en la Universidad de Carolina del Norte en Charlotte. De hecho, grabé a Tabor en vídeo mientras examinaba el osario expuesto bajo un cristal, pero en ese momento no lo sabía. Era parte de una multitud de académicos que se encontraban en esa localidad canadiense porque la Sociedad de Literatura Bíblica, la Academia Americana de la Religión, la Escuela Americana de Investigación Oriental y la Sociedad de Arqueología Bíblica habían decidido celebrar sus reuniones anuales en el mismo hotel de la ciudad. Era extraño. Hershel había acudido a mí, y más de mil eruditos bíblicos también acudieron a Toronto, como hizo el osario. Era como si los protagonistas me estuvieran siguiendo a mí en lugar de al revés.

No conocía a Tabor en el momento de la exhibición del osario. Hablé con él por primera vez al cabo de unos meses, después de que el osario hubiera regresado a Jerusalén y de que la IAA declarara que se trataba de una falsificación. Me llamó a casa un domingo por la tarde cuando estaba tratando de ayudar a mi mujer a acostar a mis cuatro hijas y a mi hijo.

—¿Simcha?

Oí mi nombre hebreo pronunciado con un acento peculiar.

Tras iniciar la conversación, Tabor me explicó que el año anterior, él y un amigo, el arqueólogo Shimon Gibson, habían excavado en Jerusalén una tumba saqueada por ladrones. En ella habían encontrado lo que parecía ser un resto humano mohoso. Bajo el microscopio resultó ser el sudario más antiguo jamás encontrado en la zona de Jerusalén. Era un fragmento de sudario fechado en los tiempos de Jesús. Había envuelto en una ocasión a un hombre que murió de lepra o enfermedad de Hansen. El leproso era el caso más viejo de esta dolencia infecciosa crónica hallado en ningún sitio y demostraba que la gente sufría realmente de lepra en tiempos de Jesús. Recientemente, algunos estudiosos han especulado que cuando el Nuevo Testamento habla de «lepra» realmente solo está refiriéndose a erupciones cutáneas. El hallazgo de Tabor y Gibson puso fin a esa clase de especulación.

Tabor es un hombre fascinante y agradable. También es extremadamente listo y erudito. En ese momento estaba escribiendo lo que pronto sería un *best seller*, *The Jesus Dinasty*. Lo que no podía adivinar era por qué me había llamado de repente.

—Me confiaré a usted —dijo—. Creo que el osario de Jacobo de Oded Golan salió de nuestra Tumba del Sudario. Dudo que lo tenga desde los años setenta u ochenta, como afirma. Creo que lo tiene desde hace un año. Sin embargo, pienso que la inscripción es auténtica.

—¿Por qué iba a mentir acerca de cuándo adquirió el objeto? —pregunté.

—Porque en mil novecientos setenta y ocho Israel cambió sus

leyes de antigüedades —respondió Tabor—. Así que si encontraste o compraste algo antes del setenta y ocho es todo suyo. Si es de después y es un hallazgo significativo, pertenece al Estado.

—¿Por qué cree que es de su tumba? —inquirí.

—Se robaron varios osarios de allí, así que podía habérselo comprado a cualquiera que entrara en la Tumba del Sudario. Había una María en la tumba, y solo es una del puñado de Marías que se han encontrado inscritas en un osario. Si Jacobo también era de la misma tumba, entonces quizá la Tumba del Sudario es la tumba familiar de Jesús.

No creí la teoría de Tabor. El cronograma era demasiado corto. Golan no podía haber comprado el osario solo un año antes. Era demasiado apresurado. Golan lo compra. Lemaire lo ve. Establecen la relación con el hermano de Jesús y de repente está en las primeras páginas de los periódicos. Aunque Golan no lo hubiera comprado antes de que cambiaran las leyes de antigüedades, creía que tenía el osario desde hacía mucho tiempo. Si no desde 1978, tal vez desde principios de los años ochenta. Además, había conocido a Golan. Quizá amañaba un poco las cosas, pero, en mi opinión, no se las inventaba. Tabor se equivocaba, pensé: el osario de Jacobo no procedía de su Tumba del Sudario.

—¿Dónde encajo yo en esto? —pregunté.

—Bueno —contestó Tabor con rapidez—, conseguimos extraer ADN de la mayoría de los osarios hallados en la tumba. Si pudiéramos conseguir fragmentos de hueso del osario de Jacobo, podríamos intentar extraer ADN y compararlo con el ADN de nuestra tumba. De esa forma sabríamos si se originó allí. Golan confía en usted. Si ha conseguido recuperar algún fragmento de hueso autentificable, quizá se lo entregaría.

—De acuerdo, James —dije—. Lo intentaré. Pero creo que se está equivocando de tumba.

Cuando oyó mi respuesta, Tabor quiso saber por qué pensaba

lo que pensaba. Me gustó. A la mayoría de los especialistas bíblicos no les importa lo que crean los periodistas o realizadores de cine. Están tan pagados de su propia habilidad de citar a Ireneo que no discuten, dan lecciones. En cambio, este académico quería saber de qué tumba pensaba que provenía el osario de Jacobo. Aunque nunca lo había visto, me fiaba de él. Así que nos prometimos mutuamente guardar secreto y le dije lo que pensaba:

—Creo que procede de otra tumba en la que había un osario de María. La tumba de Talpiot.

Hubo un momento de silencio en el otro extremo.

—¿No es esa la de Jesús y las dos Marías? —quiso saber al fin.

Estaba impresionado. La mayoría de los eruditos desconocían la existencia de la tumba.

—Sí —asentí—, es esa.

—Pero la segunda María no coincide. No es Magdalena —aseveró Tabor.

—Venga a verme —propuse—, y después de que firme un contrato de confidencialidad le enseñaré un secreto.

Como dice la vieja canción: «What a difference a day makes» («Cómo cambian las cosas de un día para otro»). O de un año para otro, en este caso. En otoño de 2002, estaba en Tel-Aviv filmando lo que prometía ser una de las historias más importantes de la década. En otoño de 2003, los vientos de la publicidad habían cambiado. En el tribunal de la opinión pública, Oded Golan se había transformado de coleccionista a maestro de la falsificación, y el osario de Jacobo había sido desestimado por un grupo especial de la IAA por considerarlo una falsificación.

Por mi parte, defendí mi documental *Jacobo, hermano de Jesús*. Fue emitido en Pascua de 2003 en los Discovery Channel de todo el mundo. Hershel Shanks también mantenía su historia, y de hecho ha llevado a cabo desde entonces una incansable defensa del osario. Pero desde el momento en que el viento cambió, Hershel y yo estábamos en minoría. Todos los demás desaparecieron. Golan fue maltratado por la policía de Tel-Aviv y posteriormente detenido para ser interrogado. En última instancia fue acusado de fraude y falsificación. ¿Cómo había ocurrido todo eso y por qué?

El «cómo» es fácil de explicar. El osario había pasado dos pruebas de microscopio de electrones (una en Israel y la otra en Canadá). También había pasado una inspección realizada por el legendario Frank Moore Cross, epígrafo de Harvard. El Museo Real de Ontario en Toronto había sometido la inscripción a un examen por medio de luz ultravioleta de onda larga, cuyo propósito era determinar si había fragmentos de residuos microscópicos extraños en sus grietas. No había nada. En otras palabras, el osario era uno de los objetos arqueológicos más analizados de la historia, y pasó todas las pruebas de rayos ultravioleta.

Sin embargo, cuando terminó la exposición del Museo Real de Ontario, la IAA impidió que el osario de Jacobo fuera trasladado a Nashville, Tennessee, donde varios grupos cristianos estaban ansiosos por exhibirlo. La IAA insistió en que Golan devolviera el osario a Israel. Este obedeció y la IAA le confiscó el objeto de dos mil años de antigüedad y lo sometió a una prueba más: la prueba de isótopos del oxígeno, que se basa en la temperatura a que el agua es absorbida en las superficies minerales. La idea es que si la temperatura no es coherente con la vida (presumiblemente) sin cambios de un osario en el interior de una tumba, la inscripción ha de ser una falsificación. La «teoría», ciertamente, se basa en el supuesto de una tumba cerrada. La «prueba» no se diseñó para incluir la posibilidad de que, digamos, un metro de barro de *terra rossa* fluyera al interior de la tumba.

Los negativistas de la IAA creían que la primera parte de la inscripción, «Jacobo, hijo de José», era auténtica, pero que Golan había añadido las palabras «hermano de Jesús». Después, la policía israelí acusaría al coleccionista de agregar esas palabras a la inscripción a fin de cambiar un osario de 500 dólares por un objeto religioso de valor incalculable. El problema con el test de isótopos de la IAA, que fue llevado a cabo por un geólogo con botas de vaquero de la Universidad de Tel-Aviv llamado Yuval Goren, es que la única parte de la inscripción que «aprobaba» era la última letra (la *ayin* hebrea) en la palabra Jesús (Yeshua). Según esos isótopos despreocupados, si alguna parte de la inscripción era auténtica, era la segunda, y el falsificador habría añadido la primera («Jacobo, hijo de José»). Claramente, esto era imposible. Pero nadie pareció notarlo. La noticia se divulgó por el mundo: una prueba de isótopos había revelado que la pátina en la inscripción no era coherente con las temperaturas de una tumba sepulcral y que la segunda parte de la inscripción (la parte de Jesús, la parte que había «aprobado») era una falsificación. En la mente de la opinión pública, no era solo la inscripción lo que se consideraba una falsificación: el osario mismo se convirtió en sospechoso.

En pleno frenesí de los medios, fui al Servicio Geológico de Israel, bajo cuyos auspicios se desarrolló el test de los isótopos. Me reuní con su director, el doctor Amos Bein. Es un hombre nervioso de unos sesenta años, y mientras gesticulaba me dijo que los resultados de la prueba de isótopos podían significar dos cosas:

—O bien la inscripción fue manipulada… o… –Su voz se perdió en el silencio.

—¿O qué? —presioné.

—O se limpió —respondió.

—Pero todo el mundo puede ver que se ha limpiado —dije—. No hace falta ningún test especial para eso. Se ve a simple vista. De hecho, el año pasado los doctores Ilani y Rosenfeld estaban preocupados por el hecho de que muy poco o nada de la pátina había sobrevivido a la limpieza.

—Muy bien —dijo el doctor Bein.

—Muy bien ¿qué? —pregunté—. Todo el mundo cree que la inscripción es falsa por una prueba llevada a cabo bajo sus auspicios, y me está diciendo que todo lo que prueba el test de isótopos es que lo han limpiado. —Apenas podía creer lo que acababa de oír.

—Yo no lo expresaría de ese modo —convino el doctor Bein, y gesticuló un poco más—, pero sí, en lo esencial es correcto.

Al cabo de un momento de silencio asombrado, tuvimos la siguiente conversación:

SIMCHA. ¡La IAA está diciendo al mundo que la inscripción es una falsificación!

DR. BEIN. Ese es su problema. Hable con ellos.

SIMCHA. Según la prueba de isótopos, si algo está falsificado es la primera parte. La segunda parte, referida a Jesús, está validada por los isótopos.

DR. BEIN. Podría decirse.

En el momento de escribir esto, Oded Golan sigue en su singladura kafkiana a través del sistema judicial israelí. Meses después de iniciado el juicio, en 2006, el doctor Wolfgang Krumbein, profesor de la Universidad de Oldenburg, en Alemania, y uno de los expertos más destacados sobre la pátina en piedra, declaró que la inscripción era auténtica y que la prueba de isótopos era un error. En ese momento ya nadie estaba escuchando. Por lo que al mundo concernía, el osario de Jacobo era una elaborada adulteración creada por un avaricioso falsificador que esperaba ganar millones a costa de cristianos estúpidos.

¿Por qué ocurrió eso? No lo sé. Lo que sí sé es que la IAA le tenía manía al osario de Jacobo. A lo largo de los años he tratado de entender el motivo. Quizá era una cuestión de ego. Cuando la noticia saltó, nadie en la organización sabía nada de ello. Cuando el *New*

York Times llamó para pedir un comentario, todo el mundo se sintió engañado. Cuando el osario viajó a Toronto, todo el mundo volvió a sentirse estúpido. Golan había descrito honradamente el objeto como «un osario de hace dos mil años» cuando solicitó un permiso de salida para su hallazgo arqueológico. No señaló, no obstante, que en su costado tenía la que probablemente fuera la única mención arqueológica de Jesús de Nazaret. Creo que la IAA decidió devolvérsela al coleccionista por hacerles sentir estúpidos. No creo que se sentaran y urdieran un plan para arruinarlo, pero el resultado fue el mismo: la policía convirtió su vida en un infierno. De hecho, durante más de un año, mientras se celebraba el juicio, Golan estuvo bajo arresto domiciliario, sin derecho siquiera a pasear hasta el colmado de la esquina.

Aunque quizá me equivoco. Había otra razón por la que la IAA no podía soportar a Oded Golan. Es un coleccionista, un gran coleccionista. Desde la perspectiva de esta organización, los coleccionistas son los proxenetas de la arqueología bíblica. Al comprar objetos, crean un mercado que alienta a los ladrones a saquear tumbas antiguas. Siguiendo dicha perspectiva, una vez que una tumba ha sido saqueada, los objetos que contiene, al verse su contexto arqueológico alterado, pierden casi todo su valor histórico. La única forma de proteger las antigüedades es destruir a los coleccionistas. La IAA pensaba darle un castigo ejemplar a Golan, un atesorador arrogante que parecía estar burlándose de las autoridades. Además, al margen de si falsificó o no el osario de Jacobo, varios agentes de la IAA me confiaron que están convencidos de que es un falsificador. Dado que el osario de Jacobo surgió del mercado de anticuarios, desde su punto de vista carece de valor histórico. Así pues, ¿qué importa si falsificó ese osario en particular? Lo importante era acabar con Golan.

Por mi parte, no creo que solo los objetos hallados por los arqueólogos tengan valor histórico. Es mejor que los encuentren los arqueólogos, pero realmente eso rara vez sucede. Tratar como falsificaciones todos los objetos que han surgido a través del mercado de antigüedades es una tontería. Algunos de los mayores hallazgos —los Manuscritos del mar Muerto, por ejemplo— fueron descubiertos accidentalmente por gente de a pie, que luego vendió los objetos en el mercado de antigüedades. Además, decidir que alguien es un falsificador y luego tratar los componentes de su colección como falsificaciones constituye simplemente una estupidez. Pero allí donde hay polis frustrados que no pueden incautarse los bienes de quien están seguros es un delincuente, se traspasan límites. Hubo y continúa habiendo una actitud muy displicente hacia las pruebas del osario de Jacobo.

Por lo que a mí respecta, finalmente me convertí en persona non grata para la IAA. El desagrado que sienten por mí culminó en acusaciones concretas presentadas en mi contra en 2006 por haber entrado supuestamente sin permiso de la organización en una tumba y haberla dañado. Yo iba bien acompañado: el doctor Shimon Gibson también fue acusado y trasladado a comisaría para ser interrogado.[1] Finalmente las acusaciones contra ambos fueron retiradas.

En este clima de intimidación, descubrir los osarios relacionados con la familia de Jesús era una empresa muy impopular, pero a eso precisamente dediqué la mayor parte de los años 2005 y 2006.

Y todo empezó con una llamada telefónica de James Tabor en la primavera de 2004.

—Simcha —dijo.

—Hola, James, ¿qué pasa?

—Nunca va a creer lo que he encontrado.

—¿Qué? —pregunté.

—¿Qué cree que ocurrió con la tumba de Talpiot después de su

---

1. En el momento de escribir esto, estoy en la lista de niños buenos de la IAA, después de trabar amistad con el director a través de un amigo común en el Ministerio de Turismo de Israel.

descubrimiento en mil novecientos ochenta? —me planteó Tabor, con su voz subiendo de tono por la excitación.

—Por lo que yo sé —repuse—, participaron tres arqueólogos: Yosef Gat, Amos Kloner y Eliot Braun. Fueron a inspeccionar la tumba, sacaron los osarios y dejaron a los constructores. Supongo que estos la destruyeron cuando edificaron los apartamentos de Talpiot.

—Eso era lo que yo pensaba —dijo Tabor—, pero escuche esto: estaba en Jerusalén charlando con mi amigo Shimon Gibson. Ya conoce al doctor Gibson, es un arqueólogo bastante famoso.

—Sí —dije—, he oído hablar de él.

—Bueno —continuó Tabor—, como excavamos la Tumba de los Sudarios, me preguntó por mi conversación con usted en relación con los fragmentos de hueso del osario de Jacobo, y le conté que su teoría era que procedía de Talpiot, no de la Tumba de los Sudarios. ¿Y sabe quién (en mil novecientos ochenta) dibujó el plano de la tumba de Talpiot que apareció en un informe interno de la IAA de mil novecientos noventa y seis? —preguntó el profesor de religiones de manera retórica.

—No tengo ni idea. Tengo una copia del informe, así que supongo que lo hizo Kloner —dije.

—Vuelva a intentarlo, amigo Simcha —el acento de Tabor se hacía más fuerte cuando iba animándose—. Fue Shimon. ¿Puede creer semejante coincidencia? Shimon entonces era un jovencito, pero ya era un perito avezado de la IAA. Así que Kloner lo llamó para que examinara la tumba de Talpiot y la dibujara.

—Está de broma —dije, dejándome caer en una silla.

—Y aún hay más. —Tabor prácticamente estaba pavoneándose—. Le dije a Shimon que era una lástima que hubieran destruido la tumba, y él dijo que no creía que la hubieran destruido.

«¿La tumba familiar de Jesús está intacta?», pensé. Lo único que podía hacer era permanecer concentrado en lo que Tabor estaba diciendo.

—Fue increíble —continuó mi interlocutor—. Shimon y yo fuimos a Talpiot. Shimon lo pasó mal para orientarse, claro, porque el barrio tiene un aspecto completamente distinto al de hace veintiséis años. Pero hay una gasolinera, y él más o menos se imaginó la ubicación de la tumba utilizándola como referencia. Así que empezamos a llamar a los timbres. ¿Se lo imagina? Un tío hablando inglés con acento americano y el otro hablando hebreo con acento británico, llamando a su puerta y preguntándole si tiene una tumba en el sótano.

Reí en voz alta. Mi cerebro funcionaba a toda velocidad.

En ese momento, tuve que pedirle que me llamara al móvil. Mi mujer y mis hijos estaban listos para ir a una fiesta de cumpleaños y a la piscina en el edificio de apartamentos de mi madre. Tabor accedió, y escuché el resto del informe mientras metía a los niños en la furgoneta e intentaba ajustar sus cinturones de seguridad:

—Así que después de llamar a unas cuantas puertas, un tipo dice: «Yo no tengo ninguna tumba en mi casa, pero el vecino de al lado sí».

El profesor rió ruidosamente. Yo grité para pedir a los niños que se callaran, y mi mujer me miró con esa mirada que me decía: «No puedes esperar que los niños dejen de ser niños cuando te traes el trabajo a casa».

Y continuó:

—Así que fuimos a la puerta de al lado. Es una familia sefardí simpática. Al principio estaban un poco sorprendidos, obviamente, pero fueron muy amables y nos dejaron pasar. Nos obsequiaron, ya sabe, al estilo israelí: té y galletas. Luego nos llevaron a su patio y ¿está preparado para esto? —preguntó Tabor.

—Estoy listo —dije.

—¡Hay dos respiraderos *nefesh* que salen del suelo de su patio!

Un respiradero *nefesh* es un respiradero de almas o hueco espiritual. Las autoridades rabínicas insisten en que se instalen cuando se erige un edificio encima de una tumba. Los respiraderos tienen dos propósitos: primero, permitir el libre acceso desde la tumba al mundo exterior para las almas que en alguna ocasión habitaron la cueva; y en segundo lugar, proporcionar acceso a un espacio que los constructores crean entre el techo de una tumba y el suelo del apartamento que hay encima.

Lo último implica asuntos de pureza ritual, como se entiende en la ley judía. La cuestión de la pureza ritual es un elemento central de la vida en el judaísmo. Alguna gente en la actualidad confunde la impureza ritual con una noción primitiva de «suciedad». Las feministas judías, por ejemplo, se sublevan por el hecho de que el judaísmo ortodoxo trata a las mujeres como ritualmente impuras durante el ciclo menstrual, durante el que los judíos observantes evitan el contacto físico. Las feministas ven esto como el resultado del patriarcado en el judaísmo tradicional. No lo han entendido. Los hombres después de la eyaculación también son ritualmente impuros. El cuerpo de un ser querido es ritualmente impuro después de la muerte. La idea no tiene que ver con lo limpio y lo sucio, sino con la vida y su ausencia.

Según el judaísmo, la vida es sagrada. Donde existe vida o el potencial de vida, también existe un estado de santidad. Cuando la vida o el potencial de vida parte, deja una ausencia tras de sí, una especie de vacío sagrado. Piénsese en un parque de atracciones o un circo después de que todas las personas se hayan ido a casa. No es solo un lugar vacío, sino una vacuidad que ansía la vida que hasta hace poco la ha habitado. Así es como el judaísmo contempla la impureza espiritual. Puesto que una mujer fértil posee el potencial de la vida, la menstruación indica que ese potencial se halla en esos momentos ausente, hasta que el ciclo empiece de nuevo. De manera similar, cuando un alma abandona un cuerpo, deja tras de sí una ausencia que crea un estado de impureza ritual. De igual modo, una tumba que todavía tiene cadáveres es ritualmente impura.

Hablando en términos prácticos, nada de esto afecta a nadie actualmente, salvo a los Cohen y quizá a los Katz. Entre los judíos modernos, la gente con los apellidos Cohen o Katz son descendientes de sacerdotes bíblicos. *Cohen* en hebreo significa «sacerdote» y *Katz* significa «sumo sacerdote». Los sacerdotes judíos no están autorizados a entrar en contacto con la impureza ritual, ni siquiera hoy en día. Así pues, según la ley religiosa, cualquiera llamado Cohen no debería vivir en un edificio de apartamentos donde hay una tumba debajo del patio de alguien. De algún modo eso invalida ritualmente todo el edificio. A no ser —y aquí es donde la ley rabínica proporciona el antídoto— que se cree una especie de colchón de aire entre el edificio y la tumba, de manera que no se construye el patio encima de la tumba: sobre ella se edifica un suelo, se deja cierto espacio, y luego se construye otro suelo.

Ahora sé lo suficiente sobre tumbas para entender lo que Tabor me decía. Dos respiraderos *nefesh* que sobresalían del patio podían significar una cosa y solo una: había una tumba bajo el apartamento de la familia sefardí. La tumba familiar de Jesús no había sido destruida. De hecho, había al menos un respiradero que conducía a ella. También supe de inmediato que podría introducir cámaras robotizadas en la tumba a través de ella. Si estábamos en el lugar adecuado, podríamos romper el suelo del patio y entrar en la tumba familiar de Jesús.

Soy director de películas, periodista y estudiante de historia. En 2004 todo mi ser me decía que estaba a punto de conseguir el mayor hito arqueológico de la historia: el descubrimiento, no solo de una inscripción perteneciente a Jesús, sino de la tumba de Jesús y prácticamente toda su familia, incluidos María su madre, José su hermano (o posiblemente incluso su padre), Mateo y María Magdalena. Pero había muchas preguntas por responder. ¿Por qué en el osario de José se leía «Yosa», una especie de Pepe antiguo? De hecho, puesto que José (el padre) desapareció de la narrativa evangélica cuando Jesús era niño, uno habría pensado, como creen la mayoría de los estudiosos, que murió en Nazaret. Si la tumba de Talpiot era la tumba familiar de Jesús, ¿cómo podía haber terminado el viejo José en Jerusalén? Además, ¿cuál era el significado de la inscripción de la segunda María, «Mariamne, también conocida como Mara»? ¿Quién era ese Mateo de la tumba? ¿Era el autor del Evangelio que lleva su nombre? Había mucho trabajo por delante, y me di cuenta de que podía resultar que la tumba de Talpiot no tuviera nada que ver con la familia más famosa de la historia.

Una noche de primavera, después de que todos se hubieran ido a dormir, me senté a solas en mi estudio. En mi escritorio tenía la biblia de investigaciones de tumbas en la zona de Jerusalén: *A Catalogue of Jewish Ossuaries* (1994) de L. Y. Rahmani. También tenía el estudio definitivo de la profesora Tal Ilan sobre las inscripciones judías de los tiempos antiguos, *Lexicon of Jewish Names in Late Antiquity: Palestine 330 B.C.E. — 200 C.E.* (2002). Y, por supuesto, el informe de Amos Kloner sobre la tumba de Talpiot. Cogí los rotuladores de mis hijos y una libreta de acuarelas y pasé sus primeros dibujos hasta llegar a una página en blanco. Encima, escribí:

«LO QUE SABEMOS» en letras mayúsculas y gruesas y subrayando el encabezado. Debajo, escribí lo siguiente:

1. 1980. Excavadora revela tumba en Talpiot, Jerusalén. Llaman a la IAA. Llegan arqueólogos; Gat, Kloner, Braun y el joven Gibson. Hacen un plano de la tumba y se llevan los osarios al almacén de la IAA, donde los catalogan.
2. La tumba tenía una extraña entrada. Una especie de símbolo de aspecto masónico, un galón con un círculo en medio.

3. Otro aspecto extraño: debajo del cieno había tres cráneos que habían sido cuidadosamente colocados —casi como guardianes— en las entradas de los tres nichos funerarios.

4. La tumba fue saqueada en tiempos antiguos. Faltaban objetos habituales, como pequeñas lámparas de aceite, frascos de perfume y jarras de barro.

5. Los contenidos de la tumba estaban en el catálogo de Rahmani. Los osarios estuvieron siempre en manos de la IAA, así que no hay problemas relativos a procedencia o falsificación. Cuatro osarios no tenían inscripciones. Los otros seis, sí.

6. Los osarios se identifican como sigue:

   a. «Jesús, hijo de José.» Difícil de leer pero, al final, fácilmente descifrable. ¿Puede ser difícil de leer por alguna razón? Si este era el osario de Jesús, ¿sus seguidores lo estaban protegiendo de posibles enemigos? Además, es el más sencillo de los diez osarios. No hay osario más simple que este. No tiene ninguna ornamentación. ¿La modestia del osario coincide con lo que conocemos de Jesús? ¿Este Jesús fue enterrado apresuradamente? ¿Ambas cosas?

   b. «Yosa», «Jos'e» o «José». ¿Puede ser este el José que se menciona en el osario de Jesús? ¿Es este su padre? Rahmani así lo cree, y lo anota en su descripción.

   c. «María.» Extraña inscripción. Letras hebreas. Versión latina de nombre hebreo. El nombre de la Virgen María siempre ha llegado a nosotros como «María». Exactamente del modo en que aparece en el osario. Rahmani cree que podría ser la mujer del José enterrado en la tumba.

   d. «Mariamne, también conocida como Mara.» Inscripción en griego. Según destacados académicos como los profesores François Bovon y Karen King de Harvard, este es el nombre real de María Magdalena. Los profesores no parecen conocer

97

la existencia de este osario. Si es María Magdalena, ¿qué hace en la tumba «familiar» de Jesús? ¿Estaban casados?

e. «Matia» o Mateo. Claramente un nombre del Nuevo Testamento. ¿Podría ser el autor del Evangelio? ¿Estaba emparentado con Jesús?

f. «Judas, hijo de Jesús.» El osario más explosivo de la tumba. En cierto sentido, más explosivo que el de Jesús. Si «Mariamne» era la mujer de Jesús, ¿es este su hijo? Es el osario más pequeño de la tumba. ¿Judas murió en su infancia? Pero ¿los Evangelios nunca mencionan un hijo? ¿Podía ser Judas el enigmático «discípulo al cual Jesús amaba» mencionado en el Evangelio de Juan?

En el pie de la página escribí en grandes letras de imprenta: ¿SIGUIENTE PASO?

Normalmente, cuando tengo una historia que quiero investigar, escribo un *treatment* que es un término cinematográfico extravagante para referirse a un *proposal*. También adjunto un presupuesto y un calendario de producción a mi «tratamiento» e intento que se impliquen algunas cadenas. En primer lugar, estaba el problema de las filtraciones. Podía llevar una historia tan grande como esta a una cadena de Estados Unidos, pero ellos no me debían lealtad. Podían robarme la idea y ponerla en un programa informativo como *60 Minutes* o *20/20* antes de que se investigara adecuadamente. De esa forma convertirían la tumba en una historia vieja antes de que yo pudiera empezar. Por otra parte, siempre podía acudir a mis contactos en Discovery Channel, la gente que había financiado el documental sobre el osario de Jacobo. Aunque, dada la controversia que lo rodeaba, podrían tener cierto recelo a los osarios. Además, estaban sumidos en cambios internos, y la propuesta podía perderse en su reorganización. No me gustaban mis opciones. El truco era subir a alguien al barco sin que se filtraran las revelaciones. Así que decidí que antes de acercarme a alguna cadena, tenía que tener más propiedad sobre la historia. Necesitaba asegurarme acceso exclusivo a algo, si no a los osarios del almacén de la IAA, al menos a la tumba de debajo del patio que había encontrado Tabor.

Durante la mayor parte de 2005 estuve filmando mi serie de arqueología *The Naked Archeologist* en Israel. Eso resultó muy práctico porque me permitió conocer a Shimon Gibson, que, junto con James Tabor, acababa de anunciar al mundo el descubrimiento de lo que pensaban que era la cueva de Juan el Bautista, un lugar para la inmersión ritual, o bautismo, que había estado activo en el siglo I. La cueva también tenía en sus paredes dibujos bizantinos posteriores que parecían describir la actividad de Juan el Bautista, primo de Jesús por parte de madre. Justo cuando Jesús estaba iniciando su predicación, Juan fue decapitado como alborotador por Herodes el Grande. Según los Evangelios, fue él quien bautizó a Jesús, y no al revés. Está claro por diversas fuentes antiguas, incluidos los Evangelios, que en su día Juan fue, por así decirlo, más grande que Jesús. Juan es visto en la tradición cristiana como una figura semejante a Elías, el que precede al Mesías para anunciar su inminente llegada.

Shimon Gibson es natural del Reino Unido. Cuando era joven, su madre se trasladó con él y su hermano gemelo al desierto del Néguev, en el sur de Israel. Allí, mientras paseaba entre las dunas, el joven Gibson desarrolló una pasión por la arqueología.

Le pedí que fuera asesor exclusivo de nuestro inminente documental sobre la tumba de Talpiot, y él aceptó.

—Eso no significa que esté de acuerdo con todo lo que se diga —me confesó.

—No espero eso —respondí.

—Para empezar —dijo Gibson—, deje que le diga esto: los nombres del Nuevo Testamento de los osarios de Talpiot son los nombres judíos más comunes del siglo I en Israel. Estadísticamente hablando, encontrar a un Jesús, María, Judas, etcétera, en la misma tumba es totalmente insignificante. ¿Todavía me quiere como asesor? —Sonrió.

—¿Es usted estadístico? —pregunté.

—No —contestó Gibson.

—Entonces, ¿cómo sabe que este conjunto de nombres no es significativo estadísticamente?

Pareció perplejo. En esos momentos una amplia sonrisa se dibujó en su rostro.

—La segunda María, Simcha. La segunda María arruina el conjunto.

Le pasé por encima de la mesa un contrato de confidencialidad.

—Ah —exclamó con una sonrisa malévola—, tiene un secreto.

—La verdad es que sí.

Después de que firmó, y con cámaras grabando, le revelé lo último en erudición del Nuevo Testamento relativo a María Magdalena.

—Según los pesos pesados en este campo, el nombre real de María Magdalena era «Mariamne», el nombre exacto que encontramos en el osario de Talpiot enterrado junto a Jesús.

Gibson parecía asombrado.

—¿Quiénes son esos pesos pesados? —preguntó, en un tono bastante escéptico.

—François Bovon de Harvard es uno —anuncié más triunfantemente de lo necesario.

—Conozco a Bovon. Es fiable donde los haya. ¿Conoce la tumba?

—No —respondí—. No lo creo. Esa es la razón del contrato de confidencialidad.

La misma revelación se produjo de modo similar en un bar de Toronto con James Tabor. Con unos tipos tatuados jugando al billar como telón de fondo, le revelé la conexión de «Mariamne». Casi se cayó del taburete. Sin exagerar. Entonces insistió en estudiar minuciosamente todos los artículos que conectaran Mariamne con María Magdalena.

—Se reducirá a las estadísticas —auguré.

—Bueno —dijo Tabor—, antes de ir allí, voy a reforzar su tesis.

Ahora fui yo el que estuvo en peligro de caer del taburete.

—¿Qué quiere decir? —pregunté.

—¿Sabe que uno de los osarios de Talpiot dice «Yosa», que es un diminutivo de Yosef o José? —preguntó.

—Sí, Rahmani dice que ese Yosa es el mismo José mencionado en el osario «Jesús, hijo de José» —contesté.

—Seguro. Porque supone que puesto que hay un «Jesús, hijo de José» y un «Joey» en la misma tumba las dos inscripciones deben referirse al mismo José —dedujo Tabor.

—Pero tiene sentido —repuse.

—En un plano superficial —replicó Tabor, y luego señaló a la referencia a Yosa en el *Lexicon* de Tal Ilan—. De todos los nombres inscritos en los osarios, el «Yosa» de la tumba de Talpiot es el único «Yosa» hallado jamás —sentenció, clavando su mirada en la mía.

—«Yosi» es un diminutivo de «Yosef» incluso hoy —protesté.

—Es cierto —convino Tabor—, pero no «Yosa». Eso no se oye hoy y era muy raro en tiempos antiguos. Adivine de dónde conocemos el nombre —me retó.

—No tengo ni idea —concedí.

—Del Evangelio de Marcos —susurró al inclinarse hacia delante—. «Yosa» o José es *Joses* en griego, se menciona explícitamente como uno de los cuatro hermanos de Jesús.

4

Charlie. Sobre probabilidad, posibilidad y la «ecuación de Jesús»

En 70 d. C., cuando los soldados de Tito salieron de Jerusalén, esperaban haber dejado atrás una provincia muerta, sembrada de cadáveres. Tito, el hombre que pronto sería emperador, creía que había terminado con los rebeldes judíos y con los reformistas religiosos al menos durante el resto de su vida, y quizá para siempre. A sus espaldas, en la noche subterránea, diez osarios yacían de cara al desaparecido Templo judío, como si esperaran su redescubrimiento, o renacimiento, o ambas cosas. Y en uno de ellos, estas palabras parecían destinadas a permanecer por siempre: «Jesús, hijo de José».

Conocí a Simcha en octubre de 2004. Simcha tiene una personalidad rayana en lo obsesivo y es verdaderamente erudito. Eso me resultó obvio desde el primer momento.

Después de que el sol se pusiera en Toronto y después de que nuestras conversaciones hubieran abarcado Egipto, el universo y todo lo que hay entre Santorini, Creta y el Libro del Éxodo, Simcha me dijo que había descubierto algo muy extraño, «de hecho, algo maravilloso».

En esa tarde de octubre, menos de una docena de personas en todo el planeta habían visto todas las piezas del rompecabezas arqueológico y habían conocido el secreto que Simcha estaba a punto de revelar. Ni siquiera aquellos que excavaron la IAA 80/500-509 tenían un conocimiento real de lo que habían descubierto.

—Bueno, este es el trato —anunció Simcha—. Voy a necesitar a alguien que no tenga ningún interés religioso personal; alguien en quien pueda confiar para que siga las pistas allí donde le lleven. Necesito un lobo solitario en este proyecto, alguien que se cuestione prácticamente todo.

—¿Qué habéis encontrado?

Simcha sonrió y puso un documento en la mesa. En su cubierta solo aparecía el título: «Contrato de confidencialidad».

—¿Qué demonios habéis encontrado? —pregunté otra vez.

—Bueno —dijo Simcha—, deja que te pregunte antes algo. ¿Crees que es posible que María Magdalena y Jesús de Nazaret pudieran estar enterrados juntos en la misma tumba?

—Eso es imposible.

—Respuesta correcta. Ahora, ¿quieres que te meta en esto o no?

No tuvo que preguntarlo una segunda vez.

Simcha fue rápido en señalar, el día que me metió en el proyecto, que la principal diferencia entre el controvertido osario de Jacobo y osarios con inscripciones similares a las halladas en la IAA 80/500-509 era que la procedencia de estos últimos era indiscutible. Fueron situados en el plano in situ (mientras seguían en la tumba); fueron excavados, fotografiados y catalogados por un equipo de arqueólogos. En cambio, el osario de Jacobo simplemente se había materializado en un mercado de antigüedades de Jerusalén, alrededor de 1980, sin ninguna documentación.

—El osario de Jacobo era interesante —expuso Simcha—, pero no puede compararse con esta tumba. La simple realidad es que la tumba de Talpiot fue explorada y documentada por arqueólogos; por un grupo de arqueólogos que de hecho no quería descubrir esta combinación de nombres y que los catalogó debidamente para archivarlos. Este simple hecho impide toda posibilidad de que los objetos o sus descubridores formen parte de una falsificación para captar la atención.

Si algo indicaba el largo silencio de Kloner, Braun y Gibson era lo opuesto a una falsificación, justo lo contrario a intentar atraer la atención hacia ellos mismos. Todo parece indicar que los arqueólogos habían esperado que su descubrimiento acumulara polvo en un almacén hasta que ellos estuvieran jubilados y fueran ellos mismos polvo al fin. Para entonces, la controversia pertenecería a otra generación. Para entonces, ya no sería un problema de su incumbencia.

Entretanto, Simcha había recibido copias de los informes de los arqueólogos y empezó a estudiar los osarios. Me desveló que, pese a que al menos dos de los tres arqueólogos supervivientes habían creído durante más de veinte años que se había construido encima de su tumba, esta no había sido destruida, sino que, en algún lugar debajo de lo que llamaban respiradero de almas, esperaba a ser redescubierta.

El equipo de Simcha, basándose en el presentimiento de que la segunda María de la IAA 80/500-509 podría estar relacionada con María Magdalena, llevó a cabo una investigación del nombre Mariamne; esa búsqueda condujo, de un solo golpe, al trabajo de François Bovon, un erudito del Nuevo Testamento de la Universidad de Harvard.

—¿Y sabes qué encontramos? —me preguntó Simcha después de que firmara un contrato de confidencialidad.

Me entregó una carpeta que contenía copias de un manuscrito antiguo, redactado en griego, junto con la traducción del profesor Bovon. En la primera página se leía el título: «Hechos de Felipe». En ese texto, María Magdalena era un apóstol que predicaba, bautizaba y obraba milagros. Esta María era muy diferente de la Magdalena de la doctrina de la Iglesia y no era en absoluto una «pecadora».

—¿Te has fijado en la versión griega de su nombre? —inquirió—
. Según el apóstol Felipe, que se identifica como hermano de María,
no es conocida como Magdalena, «la mujer de Magdala», sino que
se conoce por su nombre, por la misma palabra escrita en el lateral
de la IAA 80/500: Mariamne.

—Y dime una cosa, ¿cuáles son las probabilidades? —dijo Simcha—. Los arqueólogos implicados en el descubrimiento en mil novecientos ochenta en Israel no saben de la conexión de Mariamne
ni de los Hechos de Felipe ni acerca de la última investigación
relativa a textos antiguos del período del Nuevo Testamento. A la
inversa, y de forma igualmente asombrosa, ninguno de los expertos más destacados en las Escrituras cristianas y gnósticas tiene noticia de la tumba o de los osarios en el almacén de la IAA.

Si bien la relación Bovon-Mariamne era convincente, distaba de
ser concluyente. La prueba de esta agrupación de nombres bíblicos
sería revelada por los números. ¿Cómo de inusual era en realidad?
Necesitaba comparar «Mariamne» y los otros nombres, estadísticamente, con el número de veces que estos nombres aparecían en otras
inscripciones de osarios.

Pero mientras que yo estaba pensando en estadísticas, Simcha
reveló que existía la posibilidad del ADN. La práctica normal de la
Autoridad de Antigüedades de Israel consistía en recoger los huesos
de los osarios recuperados y entregarlos a las autoridades religiosas
para que fueran nuevamente enterrados. Sin embargo, algún tipo de
barro, o sedimento mineralizado, se había acumulado formando una
pequeña capa dura en el fondo de varios osarios de la IAA 80/500-
599. Había pequeñas astillas de hueso atrapadas en los sedimentos
minerales, y se habían enviado fragmentos de hueso de dos osarios a
un laboratorio de Canadá. El laboratorio había comunicado a Simcha
esa misma semana que parecía posible extraer ADN de los restos.

—¿Y de quién estamos hablando? —pregunté.

—De Jesús y Mariamne —fue la respuesta.

¿El ADN de Jesús, hijo de José? Me dio la sensación de que la caída de Alicia por la madriguera era un dechado de episodios de previsibilidad en comparación con la tumba de Talpiot. En momentos como ese, el reflejo normal es intentar refrenar el caos y devolver cierta medida de orden al universo.

—Espera un momento —atajé—. Si los números, después de que los examine, sugieren que este es el lugar del reposo final de Jesús y su familia, ¿el osario del Jesús resucitado no debería estar vacío?

—¿Tú qué crees? ¿Su osario debería estar vacío? —preguntó Simcha.

—Bueno —contesté—, quizá sí. Quizá no. La gente que cree en una Resurrección física no se vería afectada por el hallazgo de un osario de Jesús. En los Evangelios gnósticos, Jesús se presenta ante los apóstoles como una especie de fantasma sagrado, aparece y vuelve a desaparecer. Y continúa manifestándose de esa forma durante casi dos años después de la Crucifixión. En los cuatro Evangelios, Jesús solo en ocasiones tiene forma física, como cuando el incrédulo Tomás Dídimo toca las cinco heridas momentos después de que el mesías entrara en la sala, como un espíritu, a través de las puertas cerradas (Jn 20, 26-29). El autor de Lucas escribe de forma casi apologética, reconociendo al principio que todo esto suena extraño pero que es así como parece ser que ocurrió. Lee tú a Lucas y Juan y verás a qué me refiero. Esta gente creía en una Resurrección que en ocasiones parecía haber sido más o menos física y en otras enteramente espiritual.

»En cualquier caso, ni siquiera una Resurrección física depende del hecho de que la primera tumba estuviera vacía. Depende de las apariciones de Jesús entre sus discípulos. Un devoto cristiano puede creer que Jesús fue sacado de la primera tumba, tradicionalmente identificada con la que hay debajo del Santo Sepulcro en

Jerusalén, y trasladado a una segunda. Con respecto a su Ascensión al cielo, el Nuevo Testamento tampoco nos cuenta que sus cronistas creían que Jesús, cuando ascendió, necesitaba llevarse consigo todo su cuerpo. Así que, si crees en una Ascensión física, el osario es un problema. Pero si crees en una espiritual, se convierte en objeto de veneración.

A falta de una máquina del tiempo, la ciencia no puede revelar nada acerca de aquello de lo que los discípulos realmente fueron testigos o creyeron en relación con la Resurrección, pero las pruebas estadísticas, las pistas escritas en la química de la pátina cristalina de la tumba y los resultados de las pruebas de ADN estaban aguardando para revelar si se trataba del artículo genuino.

El Evangelio de Mateo nos cuenta que mientras Jesús permanecía muerto en la cruz, el crepúsculo del sabbat, anunciando el tradicional día de descanso, casi había caído sobre la ciudad. Un discípulo rico e influyente llamado José de Arimatea acudió al prefecto romano, Pilato, y obtuvo permiso para bajar el cuerpo del ajusticiado de la cruz y enterrarlo antes de la puesta de sol, de acuerdo con la ley judía. Ante la inminencia del día santo, y puesto que los enterramientos están prohibidos durante su curso, no había tiempo de hacer nada más que envolver a Jesús en un sudario. José de Arimatea dejó el cuerpo temporalmente «en su sepulcro nuevo, que había labrado en la peña; y después de hacer rodar una gran piedra a la entrada del sepulcro, se fue» (Mt 27, 57-60).

Al margen del Nuevo Testamento, el historiador judeorromano Josefo, que escribió hacia el año 80 d. C., refirió que «los judíos se ocupaban tanto del enterramiento de los hombres, que bajaban a aquellos que habían sido condenados y crucificados, y los enterraban antes de la puesta de sol» (*La guerra de los judíos*, 4: 5,2).

Si todo hubiera ocurrido según la costumbre de la época, el cuerpo habría sido trasladado después del sabbat a la tumba familiar de Jesús. Los huesos y el sudario de Jesús habrían sido depositados en un arcosolio de la tumba durante alrededor de un año después de la Crucifixión y sepultura. De allí, habrían sido colocados en un osario y este habría sido dispuesto en un nicho como forma de reposo final.

Sin embargo, como nos cuenta Mateo 27: 61-66, todo no ocurrió según la costumbre.

> Y estaban allí María Magdalena, y la otra María, sentadas delante del sepulcro [aquella tarde de viernes]. Al día siguiente, que es después de la preparación, se reunieron los principales sacerdotes y los fariseos ante Pilato, diciendo: «Señor, nos acordamos que aquel engañador dijo, viviendo aún: "Después de tres días resucitaré". Manda, pues, que se asegure el sepulcro hasta el tercer día, no sea que vengan sus discípulos de noche, y lo hurten, y digan al pueblo: "Resucitó de entre los muertos. Y será el postrer error peor que el primero"». Y Pilato les contestó: «Ahí tenéis una guardia; id, aseguradlo como sabéis». Entonces ellos fueron y aseguraron el sepulcro, sellando la piedra y poniendo la guardia.

Resulta interesante que Mateo registre una tradición contemporánea que muestra cómo las autoridades temían que los discípulos se llevaran el cuerpo de Jesús. Habían pasado a la clandestinidad, por así decirlo, y no se dejaron ver durante la Crucifixión, pero se esperaba que aparecieran y trasladaran el cadáver. No es de extrañar que las autoridades hubieran establecido «una guardia» para custodiar el cadáver de un hombre que era percibido como un líder revolucionario y «rey de los judíos»; es extraño, en cambio, que hubieran asegurado la tumba «sellando la piedra». Las tumbas eran cerradas en el momento de la sepultura para evitar que los animales se llevaran el cuerpo. Este error en el texto es una pista de que Mateo no estaba familiarizado con la mecánica del enterramiento secundario. Probablemente añadió esta escena como forma de refutar un rumor que aseguraba que los discípulos se habían llevado el cuerpo de Jesús.

Hay otra pista en el texto respecto a lo que podía haber ocurrido al «día siguiente», el día del sabbat. Obviamente, «los principales sacerdotes y los fariseos» no habían apostado ningún guardia todavía. La tumba era accesible. Habían supuesto que los discípulos de Jesús no trasladarían el cuerpo durante el día sagrado, porque entre los fariseos eso se habría visto como una profanación. Supusieron que los discípulos esperarían hasta que se pusiera el sol —es decir, hasta el final del sabbat— y llegarían «de noche». Podrían haberlo supuesto erróneamente. Los discípulos de Jesús aparecen varias veces en los Evangelios siendo más indulgentes con la ley del sabbat que los fariseos y el propio Jesús (véase Mt 12, 1-21 por ejemplo). Es perfectamente posible —utilizando la propia cronología de los Evangelios— que los discípulos llegaran «de día», durante el día sagrado de descanso. Si lo hicieron, podrían haber trasladado con facilidad el cadáver. De hecho, al estar posicionados para actuar, podían haber esperado hasta que el sol se pusiera sobre la tumba y trasladar el cadáver inmediatamente después de la puesta de sol, pero antes de que se apostara la guardia. Así es plenamente posible que el cuerpo de Jesús terminara en una tumba familiar. Si existía tal tumba, ¿qué aspecto tendría para los arqueólogos modernos?

14 de diciembre de 2004
Al padre Mervyn Fernando, Subhodi Institute, Sri Lanka

Apreciado padre Fernando:
Ha surgido una cuestión interesante en el debate y le agradecería mucho su opinión al respecto, aunque sea en el plano hipotético. ¿Y

si los arqueólogos encuentran realmente, digamos, los huesos y el ADN de Jesús? ¿Un hallazgo como este contradiría necesariamente lo que los cristianos creen sobre el relato de la Resurrección?

Hasta pronto,

su amigo,

CHARLIE P.

Querido, Charles:

Su pregunta es muy interesante, aunque hipotética. Los Evangelios que relatan la vida de Jesús probablemente se compusieron entre los años 75 y 110 a. C. Entre los primeros escritos del Nuevo Testamento están algunas de las cartas de san Pablo. El *locus* clásico acerca de la Resurrección del cuerpo está en la primera Epístola de san Pablo a los corintios. Al final del capítulo 15, desde el versículo 35 en adelante. Lo que dice allí sería también aplicable a la Resurrección de Cristo. Es decir, el cuerpo resucitado de Jesús (como lo entiende el apóstol Pablo) es espiritual, no el material y físico que tuvo en el transcurso de su vida. Ese cuerpo físico habría perecido, y si alguna parte de él (huesos) se recuperaran e identificaran, en ningún modo afectaría la realidad de su Resurrección. Calurosos y afectuosos saludos para una gozosa Navidad y un nuevo año colmado de bendiciones divinas.

MERVYN

Supuse que todo se reduciría a la estadística. Cuando la noticia se divulgara, después de los inevitables alaridos de escarnio, reescritura de la historia y retractación de afirmaciones, los hechos de la tumba de Talpiot se sostendrían. Simplemente eran demasiado claros. Y entonces, todo se reduciría a la estadística. «¿Cuáles son las probabilidades —preguntará la gente— de que la tumba de Talpiot pertenezca a Jesús de Nazaret y no a otro Jesús?»

Así que, el día de Año Nuevo de 2005, tenía una lista de nombres de decenas de osarios descubiertos en las colinas de Jerusalén, junto con comentarios de epígrafos tan experimentados en leer inscripciones que en ocasiones eran capaces de identificar la misma caligrafía en osarios desenterrados a kilómetros de distancia. Era el momento de llevar a cabo un análisis estadístico preliminar. Los arqueólogos israelíes habían descartado el conjunto de Talpiot sin contactar siquiera con un estadístico. Yo tengo formación en estadística, así que lo intenté.

Me senté en mi banco favorito del Central Park. Los jóvenes pasaban patinando a toda velocidad a mi lado y los jugadores de ajedrez se hallaban sumidos en sus pensamientos rodeados por corrillos de mirones. Busqué una mesa de ajedrez libre y puse encima dos blocs de notas. Uno amarillo y el otro blanco. En el amarillo escribí: «Hipótesis subyacentes preliminares». El bloc blanco era para los cálculos.

El cálculo matemático referente a la IAA 80/500-599, alias tumba de Talpiot, consistía en «probar» que ésta era la tumba de Jesús de Nazaret utilizando el enfoque estadístico más conservador posible. Empecé, como es natural, yendo directamente a la inscripción de Jesús. ¿Cómo resistiría ese nombre frente a un par de centenares de inscripciones en otros osarios? ¿Cómo de común era «Jesús, hijo de José»?

Según estudiosos como L. Y. Rahmani, Tal Ilan y Rachael Hachlili, Jesús y José eran nombres comunes en el Jerusalén del siglo I; por ejemplo, entre los 233 osarios inscritos catalogados por la IAA, el nombre de José aparecía el 14 por ciento de las veces y el de Jesús el 9 por ciento. Se calcula que, a lo sumo, durante el período completo del uso de osarios en Jerusalén la población masculina fue de 80.000 personas. De entre ellas, 7.200 se habrían llamado

Jesús y 11.200 se habrían llamado José. Multiplicando entre sí los porcentajes (0,09 × 0,14 × 80.000), obtenemos 1.008 hombres que se habrían llamado «Jesús, hijo de José» durante el siglo de uso de los osarios. En otras palabras, aproximadamente 1 de cada 79 varones se llamaba Jesús, hijo de José. En mi bloc blanco anoté: «1 entre 79».

Pero ¿cuántos de esos 1.008 hombres que vivieron antes, durante y después del período de Jesús de Nazaret fueron enterrados con una María, un Judas o un Mateo?

A partir de este punto, «la ecuación de Jesús» era simplemente cuestión de calcular la probabilidad de cada nombre del conjunto de la tumba, uno tras otro, y multiplicarlos uno tras otro.

Casi una cuarta parte de todas las mujeres conocidas de osarios de ese tiempo se llamaban María o alguna variación de ese nombre. Sin embargo, el osario 80/505 cuenta una historia estadística diferente. Esta «María» era una versión latinizada del nombre hebreo. James Tabor y Shimon Gibson descubrirían después una inscripción muy similar en la Tumba del Sudario, pero en 1980 la María de la IAA 80/505, escrito en letras hebreas como «María», era muy rara.

Una inscripción similar del siglo I, María, ya era conocida de la «Casa de la Inscripción Cristiana» de las ruinas de Pompeya. Así que María podría haberse adoptado como la versión cristiana de «Miriam», porque así era como se conocía a la madre de Jesús. Asimismo, María de Nazaret, en los Hechos de Felipe y en otros libros apócrifos que han llegado hasta nuestros días, se distingue de María Magdalena por el nombre «María».

La profesora Tal Ilan registró 8 Marias en 193 osarios. Por consiguiente, aproximadamente 1 de cada 24 mujeres se llamaba María. Así que escribí «1 entre 24» en mi bloc blanco.

«Judas, hijo de Jesús» nunca se había mencionado específicamente ni en las versiones canónicas ni en las no canónicas del Nuevo Testamento. Y aunque el Jesús de los Evangelios tiene un hermano amado y un discípulo fiel llamados Judas, decidí no vincular ningún significado matemático a este osario. Cualquier valor habría rebajado la probabilidad y por tanto apoyado nuestra tesis. Así pues, adoptando un enfoque conservador, neutralicé completamente este osario.

A continuación venía la «María» conocida como «Mariamne» inscrito en griego en el osario 80/500. El nombre en realidad estaba escrito «Mariamn-u», es decir «… de Mariamne» con un destello decorativo o cola al final. El «nu» era un diminutivo del más familiar «Mariamne», que a su vez era una versión griega de Miriam o María.

La segunda parte de la inscripción «Mara» era una forma griega de una palabra en arameo que significa «Señor» o «Maestro».

La inscripción completa podía leerse como «de Mariamne, también llamada Señor/Maestro».

El título en el osario parecía perfectamente coherente con la Mariamne descrita en los Hechos de Felipe como la hermana de Felipe. En ese texto, ella es representada como un apóstol o «maestro». También se identifica explícitamente con la mujer que los Evangelios llaman María Magdalena.

El profesor James Tabor señaló que la misma estructura gramatical en un puñado de osarios de otros yacimientos reveló que el «de» introductorio se refería al osario en sí, y que la inscripción podía por tanto leerse como: «[Este es el osario] de Mariamne, también conocida como Maestro».

Esta inscripción —y encaja con lo que sabemos de María Magdalena— nos presenta una situación única: simplemente no hay ningún otro osario con una inscripción semejante. Puesto que es único en 193 osarios inscritos con nombres de mujeres, podría decirse que solo 1 de cada 193 mujeres podía haberse llamado «Mariamne, también conocida como Mara». En mi bloc escribí «1 entre 193».

En este punto, multipliqué 1/79 × 1/24 × 1/193; el resultado fue 1/365.928. Lo cual equivale a decir, sobre la base de este cálculo preliminar, que el número de varones que probablemente se llamaban «Jesús, hijo de José», que se encontraban en una tumba con un «María» latinizado y compartían esa misma tumba con un «Mariamne, también conocida como Mara» escrito en griego, era de 1 entre 365.928. Dicho de otra manera, como a lo sumo vivieron 80.000 varones en Jerusalén durante el período de uso de los osarios, harían falta cuatro Jerusalenes para producir otro Jesús con esa combinación de nombres en el osario.

Una cosa ya era cierta: aunque «José», «María» y «Jesús» eran nombres comunes en el Jerusalén del siglo I, la agrupación de esos nombres aparecía ahora como muy poco común. Paso a paso, de manera secuencial, las cifras apuntaban que esa combinación de nombres no debería haber ocurrido por casualidad ni siquiera durante la vida entera de la cultura de los osarios en Jerusalén. Cada vez más, con cada nueva entrada en la «ecuación de Jesús», la creencia de Simcha de que se había descubierto la tumba de Jesús evolucionaba ante mis propios ojos desde una hipótesis preliminar a una teoría viable. Esto era el resultado de solo cuatro osarios, y todavía faltaban otros dos.

El siguiente osario era «Jos'e». El Evangelio de Marcos (6, 3) hace mención específica de que Jesús tenía hermanos y hermanas, y nombra a los hermanos: «¿No es este el carpintero, hijo de María, hermano de Jacobo, de José, de Judas y de Simón? ¿No están también aquí con nosotros sus hermanas?». En el Evangelio de Marcos, José, el hermano de Jesús, es conocido por su apodo «Jos'e», exactamente como aparece inscrito su nombre en el osario número 80/504.

En su aproximación a la inscripción «Jos'e», Amos Kloner, tratando de proponer explicaciones alternativas y actuando desde un legítimo escepticismo científico, había argumentado que, aunque «Jos'e» era una inscripción poco común, era un contracción de «José», el segundo nombre más frecuente del período del Segundo Templo.

Había, no obstante, otra forma de interpretar la inscripción «Jos'e». El nombre era único. No aparecía en ningún otro osario conocido, y tiene parangón en el Nuevo Testamento. Calculando el valor de la inscripción que aparece en 1 de 519 osarios de varones registrados por la profesora Tal Ilan y multiplicando 365.928 por 519, da casi 190 millones.

De manera visceral, me parecía demasiado. Así que decidí coincidir con Kloner y tratar la inscripción de «Jos'e» como solo otro «José» en la tumba. Iba a utilizar el valor del 14 por ciento de los varones que habían sido llamados José, es decir, 1 de cada 7. Si multiplicamos 365.938 por 7, obtenemos 1 en casi 2,5 millones.

—Jaque mate —dijo el anciano sentado a mi lado.

Y luego estaba Mateo.

Algunos nombres, como Jonás y Daniel, nos habrían llevado a cuestionarnos todo el conjunto, porque no aparecen ni en el árbol genealógico de José ni en el de María que nos proporcionan los Evangelios. Suponiendo que la genealogía de Lucas 3 describa la de María, la madre de Jesús, como muchos eruditos creen, «Mateo» era un nombre común en su familia. Es, como ha argumentado James Tabor, un nombre de sacerdote, y María, por su relación con Isabel, la madre de Juan el Bautista, tenía un vínculo sacerdotal. Además, el abuelo de María se llamaba Mateo, así que es enteramente posible que, por ejemplo, un primo hermano llamado Mateo, en honor al abuelo, pudiera haber sido enterrado en la tumba familiar. Además, en los Hechos de los Apóstoles (1, 23-26) se recoge un interesante incidente donde los discípulos de Jesús votan al que debe reemplazar a Judas Iscariote. Se elige a un Mateo. Si este Mateo era miembro de la familia, se explicaría su repentina elevación al estatuto de discípulo. No obstante, la inscripción «Mateo» del osario de Talpiot no coincidía explícitamente con ningún miembro conocido de la familia. Desde un punto de vista estadístico, no invalidaba nada, pero tampoco validaba nada. Así que lo descarté.

A partir de ese momento centré mi atención en varios símbolos que parecían acompañar las inscripciones. Entre las nueve cajas de caliza que habían sido autentificadas y catalogadas, existían símbolos y letras de aparentemente la misma escalofriante improbabilidad. En la 80/503 una extraña marca precedía las palabras «Jesús, hijo de José». Casi dos milenios antes, alguien había grabado una gran marca en forma de cruz en la caliza, uniendo su base precisamente a la parte inferior del primer trazo de la palabra «Jesús». La cruz era más alta que el nombre y estaba inclinada hacia la derecha de la inscripción (es decir, al principio de la escritura hebrea de derecha a izquierda), en un ángulo que evocaba de manera inquietante la imaginería medieval de Jesús que lo muestra llevando su propio instrumento de tortura y humillación. La profundidad y anchura de la marca era idéntica a las de los trazos de cada letra de la inscripción, insinuando que la cruz y las palabras se habían grabado con el mismo punzón, por la misma mano y al mismo tiempo, es decir, que la cruz se grabó solo segundos antes que el nombre.

En su informe de 1996, Amos Kloner había menospreciado la marca de la cruz como un grabado hecho por un cantero o por la persona que había recogido los huesos para el osario de Jesús. Se creía que tales incisiones ayudaban a los mamposteros y miembros de la familia a hacer coincidir las cubiertas adecuadas con los osarios correspondientes y en las orientaciones apropiadas. Una pequeña V o una X en el lateral de un osario, coincidente con la misma pequeña incisión en el lado izquierdo de una tapa, habría sido coherente con los muchos ejemplos de marcas de encaje de los mamposteros conocidas de otros osarios. Sin embargo, no era habitual que marcas de mamposteros aparecieran como parte del nombre de alguien, ni era típico que su tamaño fuera mayor que el propio nombre; además, lo habitual era que tuvieran una marca coincidente en la tapa.

En este caso, la anormalidad más patente de todas (si la cruz tenía que explicarse como una marca de mampostero) era que, en lugar de coincidir con una gran cruz (o una cruz de cualquier tipo) en la tapa del osario de «Jesús», en esta había una V o galón, y una estrella de seis puntas profundamente grabada (con una de las puntas divergiendo en una V apenas discernible). Fuera cual fuese el significado de la cruz, la estrella y la V, no tenían precedente en el ámbito de las marcas de mampostero.

El osario de «Mateo» también presentaba extraños símbolos. En la superficie interior del recipiente alguien había inscrito lo que parecían ser letras del alfabeto hebreo garabateadas a toda prisa: una *mem* (la letra m), una *tav* (t) y una *he* (a). Los símbolos por el momento permanecían «ilegibles». Pero podían leerse como «Matia», Mateo. Quizá era una nota del mampostero para sí mismo antes de añadir la inscripción más formal del exterior.

El osario de Mariamne mostraba dos uves, una al lado de otra (sin ninguna marca de mampostero coincidente en la tapa).

El osario 80/506 carecía de nombre. Únicamente un solitario símbolo hablaba con claridad: la marca de una cruz dominaba un lado completo, y semejante tamaño no tenía razón de ser para una marca de mampostero. En su informe Kloner había menospreciado así la 80/506: «El panel posterior presenta otra gran marca de mampostero».

Este arqueólogo siempre mantendría su reticencia a considerar las marcas de cruz o los galones o las *tav* hebreas como algo más significativo que autógrafos de mampostero. La cruz, especialmente, sería un punto de disputa, contra el que podía argumentar el extendido dogma de manual de que el símbolo de la cruz no se utilizó en el cristianismo hasta el tiempo de Constantino, hacia el año 312 d. C.

A fin de merecer tantas décadas de repetición hasta convertirse en un «hecho» perdurable, uno habría esperado que la línea divisoria del 312 d. C. —«Si ve el símbolo del pez es de antes de Constantino; si ve una cruz es de después de Constantino»— se habría basado en infinidad de datos que lo señalaran en el tiempo, un par de cientos de cruces y símbolos de pez hallados en los yacimientos arqueológicos.

De manera sorprendente, cualquier investigación histórica de su origen reveló rápidamente que la línea divisoria de Constantino se había establecido alrededor (o poco antes) del siglo XIX, y no parecía basada en dato alguno; era una profecía que acarrea su propio cumplimiento, una tautología. De hecho, los símbolos —el pez y la cruz— se han convertido en rasgos clave de diagnóstico para datar un yacimiento arqueológico. Dicho de manera simple: un pez significa que estás excavando antes de 312 d. C.; una cruz significa después.

A la manera de todas las tautologías, tal dogma había hecho que muchos exploradores fueran víctimas de una curiosa lógica: si encuentras una cruz inscrita en un objeto, eso significa que el objeto se inscribió después de 312 d. C.; si puedes demostrar que el objeto (como en este caso el osario de Jesús) data de alrededor del año 70 d. C., entonces la inscripción es seguramente cualquier cosa menos una cruz.

El hecho es que el primer movimiento cristiano no habría adoptado un instrumento de tortura como símbolo religioso. Como afirmó en cierta ocasión el padre dominico Jerome Murphy-O'Connor, profesor del Nuevo Testamento en la École Biblique de Jerusalén: «Para los primeros cristianos caminar con crucecitas alrededor del cuello habría sido como si gente de hoy en día llevara pequeñas sillas eléctricas en torno al cuello». Ahora bien, eso no significa que los primeros seguidores de Jesús no usaran símbolos semejantes a cruces que no representaran la cruz romana. En otras palabras, el primer movimiento de Jesús muy bien podría haber usado un distintivo semejante a una cruz como símbolo religioso, pero éste no habría representado el instrumento de tortura al que fue clavado Jesús. Los símbolos semejantes a cruces probablemente eran anteriores en el tiempo a la cruz de Constantino y solo después se convirtieron en el símbolo de la cruz que conocemos en la actualidad».

En enero de 2005, el osario de «Jesús» y su «cruz» pedían a gritos una revisión de la realidad: diversos vislumbres arqueológicos en las primeras décadas del cristianismo revelaron que numerosas sectas ya estaban usando símbolos de la cruz en tiempos en que el Vesubio sepultó Pompeya, unos cuarenta años después de la Crucifixión de Jesús. En Egipto, en torno a 80 d. C., la gente que adoraba a Isis y Osiris, Set y Jesús, y que se llamaban a sí mismos gnósticos, estaban prologando los capítulos de sus Evangelios —capítulos que ya hablaban de la Crucifixión y Resurrección de Jesús— con cruces pintadas a mano que se habían fusionado con el antiguo símbolo egipcio de la vida, el *anj*. Por consiguiente, al oeste de Jerusalén, en el Nilo, más de dos siglos antes de Constantino, una secta de corte cristiano había creado un híbrido de la cruz y el *anj*.

En Herculano, no tan conocida como su ciudad hermana de Pompeya, la nube de ceniza del Vesubio había envuelto —como en una cápsula— una mansión hasta la segunda planta, con cada faja de madera no solo simplemente fosilizada sino conservada intacta y sin descomponerse durante dos milenios. En la planta superior de esa Casa de Justa, había una pequeña habitación o «capilla» pintada de blanco: la única habitación de la propiedad que no estaba decorada con frescos elaborados. En un lado de esa habitación, había un altar de madera perfectamente preservado, semejante a los elaborados templos paganos hallados en casas vecinas, salvo que ese altar, como la habitación misma, era pequeño y simple, y su base había sido diseñada para permitir que una persona se arrodillara. Y encima del «altar» de madera, a la altura de los ojos de la persona arrodillada (presumiblemente el líder de la congregación), había un sencillo cuenco. Y por encima, una cruz de madera fijada con clavos a la pared.

Si alrededor de 80 d. C. las cruces o símbolos similares a cruces podían aparecer en todo el Mediterráneo —en Egipto e Italia—, entonces, ¿por qué no en la Tumba de los Diez Osarios de Israel?

Realmente no había argumento razonable contra el hecho de que gente de Jerusalén, si seguía al hermano de Jesús Jacobo y creía en Jesús como profeta o mesías, usara el símbolo de la cruz en 70 d. C.

En lo referido a las estadísticas de la IAA 80/500-599, no obstante, decidí no incorporar ninguna de esas marcas en la «ecuación de Jesús». Una razón para ello estribaba en que no existían medios fiables de asignar un valor numérico real a símbolos que todavía no estaban catalogados en un censo de otros osarios; sobre todo si algunas de aquellas marcas de cruces y galones tenían símbolos equivalentes en tapas de osarios y podían de hecho representar un sistema de marcado del mampostero.

Camille Fuchs, profesora de estadística en la Universidad de Tel-Aviv, declaró que al evaluar inscripciones de osarios de ese tipo, hemos de recordar que solo una pequeña élite podía costearse criptas familiares y que los osarios inscritos representaban a la gente alfabetizada, que a su vez eran una fracción del Jerusalén de aquel tiempo. Si hubiera rebajado la población de la ciudad durante el período de uso de los osarios limitando nuestra investigación a la gente adinerada y alfabetizada, las cifras habrían jugado con demasiada fuerza a nuestro favor. Decidí no hacer caso ni de la riqueza ni de la alfabetización.

En este punto de mi análisis estadístico, mi factor de probabilidad se mantenía en 1 entre 2,5 millones. Lo cual significaba que las probabilidades eran de 2,5 millones a 1 a favor de que la tumba de Talpiot fuera la tumba de Jesús de Nazaret.

En 130 d. C., el emperador Adriano, penando la muerte de su joven amante Antínoo, se fijó en una nueva estrella que de repente brillaba más que las demás. La llamó Antínoo, creyendo que de algún modo encarnaba el alma del joven. El nombre apenas sobreviviría el sueño de Adriano de construir un imperecedero Templo de Júpiter sobre las ruinas del monte del Templo de Jerusalén. El sueño del emperador, de manera previsible, encendió una segunda revuelta judía, justo cuando la gente, unas seis décadas después de la primera revuelta y la quema de Jerusalén, pensaba que finalmente era seguro regresar a la ciudad.

En 180 d. C. cuando Jerusalén volvía a estar siendo reconstruida y la estrella del Cangrejo brillaba tan roja como la sangre, el Padre de la Iglesia Ireneo de Lyon escribió condenaciones contra el Evangelio de Judas, el Diálogo del Salvador y el Evangelio de María Magdalena. Se habían producido muchos cambios entre los seguidores de Jesús. Tras empezar su ministerio, aparentemente, como un movimiento reformista judío que nunca pretendió fundar una nueva religión, se habían dividido, en tiempos de Ireneo, en sectas judeocristianas, gnósticas y de gentiles romanos y griegos, tan antagónicas entre sí como los católicos y los protestantes irlandeses en un todavía remoto futuro.

Entretanto, los diez osarios continuaban su camino hacia una generación distante y problemática, con todos sus secretos intactos e inalterables.

5

Charlie. Más allá del libro de Números

Hasta el momento, el secreto en sí se mantenía a salvo. Ahora bien, organizar una expedición para localizar y filmar la tumba y continuar con el consabido trabajo de laboratorio requeriría incorporar ejecutivos de producción y especialistas científicos al contrato de confidencialidad. Con cada nueva firma, entraba en el proyecto un nuevo elemento de incertidumbre: todo cuanto era necesario para que la historia saltara a las noticias y creciera de manera incontrolada antes de que tuviéramos todas las pruebas científicas o hubiéramos comprobado y recomprobado los indicios materiales era que una sola persona no soportara el peso de lo que él o ella conocía y empezara a dejar caer pistas acerca de que sabía dónde podía encontrarse la tumba de María Magdalena y Jesús de Nazaret, y del hijo de ambos. Nadie había filtrado todavía ningún detalle real acerca de lo que se había encontrado o se había averiguado. Pero más allá de unos pocos que estaban comprometidos por el contrato de confidencialidad, había un círculo en expansión de personas que sabían lo estrictamente necesario y estaban ocupándose de fracciones asignadas del proyecto sin conocer el significado del conjunto. Las partes eran pistas por derecho propio, y quienes las manejaban eran, por necesidad, expertos inteligentes y competentes. Tarde o temprano, el velo del secreto se desgarraría.

Por el momento, el equipo de Simcha había dado a la expedición el nombre apropiado pero desorientador de Proyecto Egipto. Los escritorios de sus oficinas estaban cubiertos de traducciones del copto al inglés de los textos gnósticos, la mayoría de ellos de Nag-Hammadi, Egipto. Proyecto Egipto parecía una denominación tan buena como cualquier otra para ocultar un secreto a la vista de todos.

—Bueno, esta es la cuestión —dijo Simcha—. Tenemos muchos meses de trabajo por delante, y hemos de incorporar a varias personas...

—Y cada persona que incorporas es un riesgo potencial —añadí.

—Exactamente. Así que la pregunta del momento es, ¿de quién nos fiamos?

No tuve que pensármelo dos veces.

—A lo largo de mi vida —le confesé a Simcha—, he conocido a miles de personas. Me fío de seis. Una de esas seis es James Cameron.

Eruditos.

De alguna manera siempre se encuentran los unos a los otros.

En 2004 no mucha gente sabía que el sistema de aterrizaje de una sonda enviada a Marte había sido diseñado por el creador de *Terminator* James Cameron, o que el realizador cinematográfico era codiseñador de la sonda espacial europea, o que había llevado a cabo algunas de las expediciones científicas más fascinantes en las profundidades del océano, o que sabía defenderse en múltiples campos científicos de manera simultánea.

Si alguna vez se ha preguntado dónde se esconden los eruditos artistas-científicos-exploradores de nuestro tiempo —los Da Vinci actuales—, la respuesta es que no están pintando lienzos ni frescos en los muros de las capillas. Están haciendo avanzar las fronteras de un medio más nuevo, pintando imágenes que se mueven y cantan, en ocasiones en alta definición y 3-D. Parecía lógico hasta el punto de lo verdaderamente obvio que, después del tremendo éxito económico de su película de 1997 *Titanic*, James Cameron, con libertad al fin para hacer aquello que quisiera, volviera cada vez más su atención a la ingeniería y la ciencia, a la exploración y a la filmación de documentales sobre la aventura científica. El camino que eligió parece obvio ahora, tan obvio como son la mayoría de las sorpresas de la historia cuando las ves con la retrospectiva del programa *20/20*.

Simcha Jacobovici era otro de esos eruditos portadores de cámara del siglo XX, otro investigador que se sintió atraído por la filmación de documentales, en parte porque en ocasiones permite consagrar casi enteramente una vida al aprendizaje. Por consiguiente, en relación con la Tumba de los Diez Osarios, no debería sorprender a nadie que Simcha fuera el primero en ajustar el visor en una serie de puntos sin conectar que los especialistas no habían identificado.

Aun así, no contactamos con Cameron de inmediato. A lo largo del mes de febrero de 2005, empezó a intensificarse entre la comunidad periodística el rumor y la especulación acerca de algo inusual en «Egipto». A Simcha le llegó la noticia de que algunos grandes productores de televisión sabían que estaba tras algo que sería sonado, y parecían dispuestos a patrocinarlo «sin reparar en gastos» si se unía a ellos en exclusiva.

El proyecto estaba empezando a desenredarse deprisa, juzgó Simcha. Temía que saltara la liebre antes de que la tumba pudiera ser localizada. Si esto ocurría, a saber qué interpretaciones erradas o incluso de disentimiento podían transmitirse al mundo en la carrera desenfrenada por ser los primeros en dar la noticia, o qué daño podía causarse antes de que la IAA 80/500-509 pudiera ser adecuadamente estudiada y protegida.

La preocupación por las filtraciones era como un millar de cortes de hojas de papel, y la gente ya empezaba a echar sal en las heridas. Como cineasta, Simcha se había incorporado a una cadena en la que confiaba. Esperaba que la búsqueda de la tumba y la investigación científica subsiguiente se financiaran mediante la realización de una película documental. Sin embargo, por una u otra razón, la cadena estaba vacilando antes de dar luz verde al proyecto.

—¿Tu oferta de incorporar a James Cameron sigue en pie? —preguntó Simcha—. ¿Y sabe mantener un secreto?

—Me apuesto mi reputación a que sí.

8 de marzo de 2005

Estimado Jim:

Te adjunto mi informe preliminar. [...] Lamento no haber podido decirte nada cuando nos vimos en enero; pero lo entenderás después de que hayas leído los detalles. [...] He estado trabajando en esto durante cierto tiempo, al principio como abogado del diablo, tratando de descartar el conjunto de osarios y objetos como una anomalía estadística. Como verás, la probabilidad del conjunto es de una entre dos millones. El códice del monte Athos (los Hechos de Felipe), que te enviaré por separado, después del contrato de confidencialidad, respalda la combinación identificada en la tumba, lo cual empuja la curva de la probabilidad a niveles aún más increíbles. Todo ello se encontró in situ, en su contexto arqueológico correcto y fue excavado por arqueólogos. Así que estamos tratando, como de costumbre, con arqueología forense seria y rigurosamente tangible.

Hasta pronto,

CHARLIE P.

8 de marzo de 2005

Simcha:

Si puede verificarse es el súmmum de la historia arqueológica. Y por supuesto las ramificaciones en todo el mundo serán profundas. Me encantaría trabajar contigo en esto. No puedo prometer que lo haré en este momento, necesitaría saber mucho más, pero puedo prometerte absoluto secreto. [...] Deberías mandarme el contrato de confidencialidad para que podamos reunirnos (tú, Charlie y yo) y discutirlo más a fondo.

Gracias,

JIM

El 21 de marzo de 2005, Simcha, Jim y yo nos reunimos en la casa que Jim tiene en las afueras de Malibú para discutir el proyecto por primera vez. En cuestión de segundos todos nos sentimos cómodos unos con otros y, con comida vegetariana *kosher*, en deferencia a Simcha, nos pusimos manos a la obra.

—La cuestión que me inquieta de esta historia —dijo Jim— es cómo la gente parece haber mirado reiteradamente para el otro lado. Sí, puedo entender que les faltaba un elemento de información vital: el nombre de «Mariamne» en griego... pero ¿cómo se podía no hacer caso de este conjunto de nombres tan persuasivo?

En las palabras de Jim se percibía la frustración. Los científicos que entraron por primera vez en la tumba de Talpiot eran un enigma para él, no entendía que se hubieran comportado como si de verdad carecieran de curiosidad científica. O bien eso o, supuso, tenían miedo de algo.

—Has de comprender el modo de pensar israelí. Los nombres de los osarios, por lo que respecta a los arqueólogos israelíes, son nombres judíos típicos del siglo I —explicó Simcha—. Así que no iban a abordar una cuestión política y religiosamente delicada por unos cuantos nombres judíos muy comunes. Pero se habrían fijado si hubieran conocido la conexión entre «Mariamne» y «Magdalena».

—Entiendo que esa Mariamne es una pieza clave del puzle —repuso Jim—, pero alguien debería haberse fijado. Mira los análisis estadísticos del número de personas vivas en esa época en Jerusalén.

127

—Es un período muy reducido —confirmó Simcha—. Un máximo de cien años.

—Sí. Y durante ese margen, un máximo de setenta mil a ochenta mil personas —corroboré.

—Acabando en el año setenta —agregó Simcha.

—Desde luego no es un lapso muy grande —coincidió Jim—. Así que, por más que Jesús y María eran nombres corrientes, y cada uno de ellos aparecía en uno de cada diez o uno de cada veinte osarios, es como decir: «Elige un número del uno al diez». Son números comunes. Pero una combinación de cerradura de cuatro dígitos, con cada rueda entre cero y nueve, tiene una probabilidad de uno entre diez mil. Por eso funcionan. ¿Cómo pudieron no verlo?

—No son estadísticos —los disculpó Simcha—. Y no acudieron a estadísticos. Se llama *jutspá*.

—No entiendo de eso —continuó Jim—. Incluso dejando de lado la pieza de María Magdalena, todavía parece que había un número muy pequeño de familias que podían haber sido propietarias de esa tumba. Quizá un puñado. Pero incluso si tienes una posibilidad de una entre cinco de que esa fuera la tumba familiar de Jesús, ¿por qué dejar que la arrasaran, que es básicamente lo que la IAA creía que habían hecho? ¡Destruida! ¿Y por qué dejar que los osarios se archiven en secreto? Me preocupa que exista un plan.

—Y hay otra singularidad —intervine—. ¿Te das cuenta de lo oscuro que es en realidad el informe de Kloner de mil novecientos noventa y seis? Una tumba de ese tamaño con su ornamentación inusual encima de la entrada… Debería haberse publicado en una de las revistas de más amplia divulgación del campo.

—Es extraño —determinó Jim—. Nunca publicaron un informe académico.

—Debes entender —expliqué— que el informe de Kloner de mil novecientos noventa y seis probablemente solo fue leído por unas pocas docenas de personas, a lo sumo. Un informe interno de la IAA,

128

por su propia naturaleza, se habría mezclado de manera indetectable en el telón de fondo de miles de catálogos de osarios similares. Así que, si nunca has visto el informe interno de la IAA o si resulta que no eres un lector ávido de catálogos de osarios…

—No habrías sabido que esta tumba existe —concluyó Jim.

—Y, por eso —prosiguió Simcha—, el profesor Bovon de Harvard nunca lo supo. Cuando lo conocí, estaba escribiendo un estudio sobre María Magdalena y mencionó, casi de pasada, que su nombre real era «Mariamne». Había documentado cada instancia en que se mencionaba «Mariamne» o «Mariamn-u» o alguna otra variación del nombre. La única cosa a la que Bovon no hizo nunca referencia fue el osario de Mariamne. Todavía desconoce su existencia. No es arqueólogo.

—Hay que unir las piezas —añadió Jim lentamente—. Y los únicos que están ahora mismo en el punto de convergencia de toda esta información…

—Ahora mismo la mitad de nosotros estamos sentados a esta mesa —dijo Simcha.

—¿Y el osario de «Judas, hijo de Jesús»? ¿Qué está haciendo allí? —inquirió Jim.

—Después de matar a los padres fueron a por los hijos —sentenció Simcha—. Los romanos no se andaban con chiquitas. Llamaban a Jesús «rey de los judíos». Se mofaban de su linaje real. Cualquier hijo superviviente habría sido un objetivo. Habrían tenido que esconderlo. Por eso no habíamos oído hablar de él.

—Personalmente, Jim, creo que es el «Discípulo Amado» —apostillé.

—¿O es Judas, el hermano de Jesús mencionado en Marcos? ¿O son todos uno y nada más que uno: «Discípulo Amado», «hermano», «hijo»? —inquirí, dirigiendo mi mirada hacia los dos hombres—. Mirad la historia de las masacres romanas. Los hijos de un aspirante eran condenados, y en cambio a los hermanos a veces se les permitía sobrevivir. Cuando mataron a Calígula, también mataron a su hijo pequeño, en cambio, sus hermanas se salvaron, y su tío Claudio incluso sobrevivió para convertirse en emperador. Así pues, en el círculo íntimo de Jesús, sabían que los romanos matarían al hijo del Profeta, mientras que un hermano pequeño quizá dispondría de una oportunidad de luchar.

—Lo que estás diciendo es que Judas, el «hermano menor» de Jesús, podría en realidad haber sido el hijo de Jesús —recapituló Jim—. Y la clave de su supervivencia era que los discípulos dijeran que era hijo de otro hombre.

—No es imposible —sostuve—. Recuerdo que incluso la Biblia afirma que Abraham dijo que su mujer Sara era en realidad su hermana a fin de salvarse. Además, según Eusebio de Cesarea, alrededor de cincuenta años después de la Crucifixión, el emperador Domiciano ordena que lleven ante él a dos nietos de Judas, porque los romanos todavía se sienten amenazados por los descendientes de Jesús.

—Suena a delirio la primera vez que lo oyes —comentó Jim, pensando en voz alta—, pero tiene cierta lógica. La existencia de este niño de la 80/501, este niño Judas, habría sido ocultada, probablemente incluso a la mayoría de los discípulos, cuando Jesús todavía estaba vivo. Ocultada, probablemente, por órdenes de Jesús.

En este punto, Simcha reveló algo nuevo.

—Había diez osarios en la tumba. Se catalogaron diez. Seis tenían inscripciones. Cuatro no. Pero Tabor y Gibson comprobaron los viejos registros y ¿sabéis qué?

—¿Qué? —preguntamos al unísono Jim y yo.

—Solo hay nueve osarios en el almacén de la IAA. Falta uno.

—¿Cuál? —preguntamos.

—El 80/509, un osario «sencillo» —respondió Simcha—. Pero

es el único no fotografiado y sus dimensiones están expresadas en cifras redondeadas.

—¿Qué conclusión sacas de este osario desaparecido? —quiso saber Jim.

—Creo que desapareció en algún sitio entre Talpiot y la sede central de la IAA en el Museo Rockefeller —expuso Simcha—. Lo que debió de ocurrir es que alguien se llevó un osario. Y al día siguiente, Gat y los demás tuvieron que empezar a explicar por qué contaron y midieron diez y por qué solo tenían nueve en el almacén. Así que el número 509 termina siendo anulado como roto o dañado, con medidas aproximadas —sesenta por veintiséis por treinta centímetros—, sin foto y con una nota que dice que era «sencillo» y carecía de inscripciones visibles.

—Y punto final. ¿Nadie lo cuestiona? ¿Nadie piensa en ello? ¿A nadie le importa? —inquirí.

—¿Por qué es importante el osario que falta? —preguntó Jim.

—Porque creo que es el osario de Jacobo —contestó Simcha.

—Creía que era una falsificación —apuntó Jim.

—Todo el mundo lo cree. Porque así es como ha circulado la noticia —prosiguió el cineasta—. Pero creo que es el real. Además, nadie sostiene que el osario es falso, y nadie argumenta que la primera parte «Jacobo, hijo de José» no sea auténtica. Todo el mundo discute la segunda parte de la inscripción: «hermano de Jesús». Supongamos que pudiera demostrarse que el osario que falta es el osario de Jacobo…

—Añadir a Jacobo al grupo llevaría las estadísticas a la estratosfera —anunció—. No cabría ninguna duda de que esta es la tumba familiar de Jesús.

Nada iba a impedirles pasar a través de las puertas a este mundo perdido. Ninguno de los que estaba ese día en aquella sala en California iba a renunciar. La Tumba de los Diez Osarios era un misterio que escapaba a lo imaginable, que emergía como por casualidad, en su propio momento. Como un mensaje en una botella, el conjunto de inscripciones de osarios había navegado en una travesía de dos milenios, trayendo consigo su extraña muestra de arqueología y lo sagrado, de ADN y pátina, de Jesús y Magdalena. Los lanzó a los tres hacia una familia acerca de la cual el mundo había conocido, hasta ese momento, solo relatos bíblicos y menciones históricas vagas, y un miembro de esa familia —Judas, hijo de Jesús— era una persona acerca de la cual la historia no había conocido nada en absoluto.

Mientras se llevaban a cabo preparativos para examinar la tumba, los objetos, las escrituras, los apócrifos, ellos también sabían que iban a acercarse cada vez más a la más famosa de las familias. Sus propias vidas se verían acechadas y ocasionalmente profundamente inquietadas por el pasado, por lo científico y lo sagrado, por lo profundo y lo profano. Una vez que empiezas a reconstruir a personas o una familia desaparecida y empiezas darles vida en la imaginación, creas, en cierto modo, fantasmas en el ojo de la mente.

> 5 de abril de 2005
> Querido, Charlie:
>
> La película documental está asegurada. Después de que Jim se uniera al equipo, hemos conseguido apoyo de los canales Discovery Channel y C-4 en el Reino Unido, y de Vision TV en Canadá. La búsqueda de la tumba puede empezar en serio.
> Suerte,
>
> SIMCHA

Debajo de Jerusalén, todavía durmiendo bajo tierra, los huesos de la Tumba de los Diez Osarios continuaban bañados en vapor mineral.

En 312 d. C., cuando Constantino cesó de luchar contra los cristianos y decidió unirse a ellos, los huesos ya habían adquirido considerables membranas o pátinas de calcio, silicio y trazas de metales. A veces —como en el caso del osario que un día sería llamado IAA 80/506—, gran parte de una inscripción o decoración finalmente sufre evaporación y se convierte en indescifrable (a excepción, en el caso del 80/506, de la gran marca de cruz en un lateral). En otros sitios, la pátina se acumula, capa sobre capa, casi como las capas de una perla (aunque todavía más lentamente). La pátina mineral, al acumularse en las superficies de dientes y arcos supraciliares, forma ocasionalmente una coraza preservativa y de autosellado, una capa adicional de protección contra el mundo exterior. Una de las características definitivas de la pátina de una tumba es que, como el ámbar orgánico de una piedra preciosa, si crece hasta adquirir el grosor suficiente, puede preservar trazas de médula y sangre seca, incluido ADN, el lenguaje de programación molecular en el que cada ser humano está escrito de manera única.

6

Una María llamada Mariamne

L as cimas de monte Athos se elevan desde el mar Egeo como atalayas de una ciudad perdida, custodiando la costa nordeste de Grecia.

Durante la estación de aguaceros de otoño, monjes y peregrinos escalan en procesión las torres de piedra, cuyas cimas quedan completamente ocultas por bancos de nubes bajas. En las terrazas y riscos, los jardines envueltos por la niebla están llenos de toda clase de árboles cargados de fruta. Y cuando los vientos cambian y las nubes se dispersan, el más alto de los monasterios encaramado a los riscos del monte Athos ofrece asombrosas vistas de las islas del Egeo, que se extienden hacia el oeste en largas cadenas en dirección a los restos volcánicos de Thera.

Los Hechos de Felipe es un texto apócrifo que el Nuevo Testamento excluyó del canon oficial. En el siglo II, *apócrifo* significaba «secreto» o «rechazado». Los Hechos de Felipe es un texto ampliamente citado por los primeros autores cristianos, pero finalmente se perdió, salvo unos pocos fragmentos. En 1976, los académicos François Bovon y Bertrand Bouvier fueron autorizados a examinar el contenido de la biblioteca del monasterio de Jenofonte, en el monte Athos. Allí, preservada milagrosamente, descubrieron una copia casi completa del siglo XIV de los Hechos de Felipe, transcrita de textos compilados quizá mil años antes.

En junio de 2000, Bovon y Bouvier publicaron la primera traducción completa —al francés— de la versión del monte Athos de los Hechos de Felipe, con su identificación de María Magdalena con «Mariamne», la hermana del apóstol Felipe. Los Hechos de Felipe nos proporcionan una imagen mucho más completa de María Magdalena que la ofrecida en los Evangelios.

En 2006, Simcha se reunió con el profesor Bovon en la facultad de teología de Harvard, donde este da clases.

—Así es como la historia se despliega —explicó Bovon—. En los Hechos de Felipe hay dos partes. En la primera, Felipe es enviado por Jesús resucitado, pero es débil y está cargado de rabia, y teme ir solo. En la segunda parte, su hermana, Mariamne, lo acompaña, y también el apóstol Bartolomé.

»"Y aconteció —empieza el versículo 94 del capítulo 8 de los Hechos de Felipe— que cuando el Salvador dividió a los apóstoles y cada uno fue al sitio indicado, le tocó a Felipe ir al país de los griegos."

»Después de oír eso, Felipe rompe a llorar: "Y lo pensó mucho" este encargo peligroso, y su resolución se debilitó, con lo cual Jesús se volvió hacia la hermana de Felipe para que lo fortaleciera y lo guiara: "Lo sé [que tu hermano está desconcertado], tú elegida entre las mujeres; pero ve con él, y dale ánimos, porque sé que es un hombre iracundo e impetuoso, y si lo dejamos ir solo dará muchas retribuciones a los hombres [en castigos obrados por un poder celestial e incorruptible]. Pero hete aquí que enviaré a Bartolomé y Juan a sufrir privaciones en la misma ciudad, por la gran maldad [entre] los que moran allí [...] Y cambia tu aspecto de mujer y ve con Felipe". Y a Felipe, [Jesús] le dijo: "¿Por qué tienes miedo? Si yo estoy siempre contigo".

»Cuando sigues los primeros capítulos de este periplo —apunta Bovon—, los escribas describen al Señor diciendo a María: "Tú eres una mujer, pero tienes la fuerza [interior, espiritual] de un hombre, y debes confortar a tu hermano y darle consejo".

»Y es una figura fuerte, Simcha, idéntica a la imagen de Magdalena que recibimos de otro texto antiguo, el Evangelio gnóstico de Tomás. Según estos cronistas, Jesús daba poder a las mujeres. Esta idea de que una mujer podía ser sacerdotal y espiritualmente igual al varón tuvo que ser revolucionaria en su tiempo. De hecho, cuando se nos presenta a esta hermana del apóstol Felipe, ya es muy fuerte y tiene mucha fe y está muy próxima al Señor, mientras que Felipe empieza en la dirección opuesta.

—Veamos —preguntó Simcha—, ¿dice específicamente que esta Mariamne es su hermana?

—Sí —respondió rápidamente Bovon—. Se explicita que no es su hermana solo en un sentido espiritual; es claramente una hermana carnal de Felipe. Y también queda claro que esta María no puede confundirse con la madre de Jesús, porque María la Virgen se menciona de manera separada en este mismo texto, en un contexto que es completamente diferente al de la hermana María que viaja con Felipe.

»Lo que es igualmente explícito en los Hechos de Felipe es que la hermana de Felipe ostenta incluso el título de "apóstol". Cuando el texto describe a estos tres apóstoles, trasladándose de ciudad en ciudad, da los nombres en la misma secuencia: Felipe, Mariamne y Bartolomé. Así que ella es considerada una "apóstol", lo que significa "ser enviada", y ella fue enviada, igual que los otros dos apóstoles. No había diferencia.

—Esta María Magdalena —le dijo Bovon a Simcha—, esta María de los Hechos de Felipe, es claramente igual a los otros apóstoles, y, según se describe, es incluso mucho más inteligente que Felipe.

»Otro aspecto interesante es que esta María surge completamente formada como figura directriz de la Iglesia, sin mención a su vida anterior, aparte del hecho de ser la hermana de Felipe. Pero el mensaje preponderante es que es vista de manera positiva como misionera cristiana. Y me resulta muy interesante que haga todo lo que hacen Felipe y Bartolomé como misioneros varones. Reza. Realiza bautismos y sanaciones. Obra milagros.

»En los Hechos de Felipe 8, 95, cuando Jesús resucitado aparece ante Mariamne, se refiere a los poderes milagrosos concedidos a los apóstoles y expresa su preocupación por que Felipe, cuando los paganos se levanten contra él, pueda tornarse iracundo con aquellos mismos poderes, sin estar a la altura del mensaje de Jesús, como se expresa en Lucas 6, 35-36, de ser amable y misericordioso con los ingratos e incluso con aquellos que obran el mal. Por consiguiente, Mariamne —la "elegida por Jesús entre las mujeres"— ha de acompañar a Felipe allá donde vaya este. "Y cambia —le dice Jesús como instrucción final a Mariamne— tu aspecto de mujer."

Al menos un especialista ha traducido el significado de esta instrucción como simplemente: «Y, Mariamne, cambia tu ropa. No lleves ese vestido de verano poco práctico en el largo camino a Grecia».

Bovon percibe un significado algo más místico, sepultado ahora en una cultura eclesial perdida en la antigüedad. Observa que el Evangelio de Tomás, en sus versículos finales, se hace eco de un mensaje muy similar, un mensaje que un cuerpo de hombre o de mujer ha de ser visto como nada más que una cáscara externa que «viste» el espíritu; lo que realmente importa, en el Juicio Final, es el «espíritu» que mora en su interior.

Si de verdad la María del osario número 80/500 era el mismo apóstol María que había encontrado Bovon, entonces su viaje físico y espiritual a su lugar de reposo final había resultado inusualmente difícil.

Simón y Pedro, como se registra en los dichos 22 y 114 del Evangelio de Tomás, finalmente se alzaron y se pronunciaron contra María

Magdalena. Declarando que una mujer no era digna de vida espiritual, los dos hombres exigían que fuera expulsada de la congregación. Y Jesús replicó, con más que una pizca de humor irónico: «Dijo Jesús: "Mira, yo me encargaré de hacerla macho, de manera que también ella se convierta en un espíritu viviente, idéntico a vosotros los hombres: pues toda mujer que se haga varón, entrará en el reino del cielo"» (Evangelio de Tomás, dicho 114).

El asunto del estatus de María Magdalena en el ministerio y su conflicto con Pedro se trata de nuevo en el Evangelio de María Magdalena, descubierto en Nag-Hammadi, Egipto, en 1945. En ese texto, el capítulo 5 se abre con Felipe y los otros apóstoles perdiendo su valor, de manera semejante a como se describe en los pasajes posteriores a la Crucifixión del Evangelio de Juan y en los Hechos de Felipe del monte Athos:

«Estaban apenados. Lloraban en gran medida, diciendo: "¿Cómo podemos ir a los gentiles y predicar el Evangelio del Hijo del Hombre? ¿Si no se lo permitieron a Él [Jesús], cómo nos lo permitirán a nosotros?"».

Aquí fue otra vez Magdalena quien tomó la palabra, y quien empezó a fortalecer la flaqueante determinación de los hombres: «No lloréis y no os apenéis ni seáis indecisos, porque Su gracia estará enteramente con vosotros y os protegerá», lo cual como se narra en los Hechos de Felipe (8, 95) era el mismo mensaje dado al hermano de María Magdalena: «¿Por qué tienes miedo? Si yo estoy siempre contigo».

Preparaos para la lucha y alzaos como hombres, continuó María (en Magdalena 5, 1-3): «No lloréis. [...] Alabemos su grandeza, pues nos ha preparado y nos ha hecho hombres».

En este texto también se relata que, un año y medio después de la Crucifixión, Jesús se apareció de nuevo ante María Magdalena (sin manifestarse a sí mismo ante el resto de los apóstoles) y le comunicó una revelación y una instrucción finales.

María mantuvo oculto el diálogo con el Salvador. Pero Pedro la instó a revelar lo que sabía, diciendo (según 5, 5-6 del Evangelio de María Magdalena): «Sabemos que el Salvador te amaba más que al resto de las mujeres. Dinos las palabras del Salvador que recuerdes».

Al decir que el Apocalipsis no ocurriría en el transcurso de su vida sino en un futuro distante, Magdalena confundió y enfureció a los apóstoles.

Después de oír esto, Pedro, en Magdalena 18, ataca: «¿Ha hablado con una mujer sin que lo sepamos, y no manifiestamente, de modo que todos debamos volvernos y escucharla? ¿Es que la ha preferido a nosotros?».

María, dice el Evangelio, se echó a llorar y se enfrentó a Pedro: «Pedro, hermano mío, ¿qué piensas? ¿Supones acaso que yo he reflexionado estas cosas por mí misma o que miento respecto al Salvador?».

En ese momento, Leví se alzó en defensa de María Magdalena y reprendió a Pedro: «Pedro, siempre fuiste impulsivo. Ahora te veo ejercitándote contra una mujer como si fuera un adversario. Sin embargo, si el Salvador la hizo digna, ¿quién eres tú para rechazarla? Bien cierto es que el Salvador la conoce perfectamente; por esto la amó más que a nosotros».

En el siglo III, un texto gnóstico llamado Evangelio de Felipe, también hallado en Nag-Hammadi, afirma: «El Señor la amaba [a María] más que a [todos] los discípulos (y) la besó en la [boca repetidas] veces». (55) Hay un agujero en el texto donde muchos eruditos piensan que el original decía: «boca».

En la segunda parte de los Hechos de Felipe —en lo que Bovon llama «el segundo acto»—, la hermana de Felipe, de nuevo, es cualquier cosa menos la que nunca sacaban a bailar de la tradición eclesial. Los milagros que se habían manifestado durante la vida de Jesús tenían ahora su réplica, incluida (en Hechos de Felipe 1, 1-4) la resucitación de entre los muertos, semejante a la de Lázaro, de una adoradora romana de Apolo y Ares.

Felipe no siempre podía obrar semejantes milagros a no ser que Mariamne le ayudara. Cuando reprodujo la restauración de la vista al ciego, frotó los ojos sin mirada de un hombre con saliva que había recogido de la boca de su hermana.

Parece que los Hechos de Felipe son una ventana a la fe de los primeros cristianos, y al significado de las inscripciones de la IAA 80/500-509.

—En este texto —explicó Bovon a Simcha—, el grupo de Mariamne viajó a través de Siria, en dirección norte hacia el mundo de habla griega. Y esta apóstol, Mariamne, aparece en la cristiandad antigua como una formulación griega de María Magdalena; y aquí, en el original griego de estos Hechos de Felipe, por supuesto, hemos leído exactamente este mismo nombre.

»Hablando claro —continuó Bovon—, en los Hechos de Felipe la primera María (Magdalena) es llamada Mariamne. La segunda María también es mencionada, pero solo una vez, en un discurso sobre el nacimiento de Jesús. Y es llamada…

—María —concluyó Simcha por él.

—María —repitió Bovon.

—Y María Magdalena…

—Es claramente Mariamne —anunció Bovon—. Así que no hay confusión entre las dos personas.

En aquellos días del Imperio romano, Jerusalén era una encrucijada internacional de comercio, una característica que se ve reflejada en el conjunto de la tumba de Talpiot, cuyos nombres estaban escritos en arameo, griego, hebreo y latín escrito en hebreo. La tumba parecía estar comunicando que, en ese período, Jerusalén no solo era bilingüe sino probablemente trilingüe. Al epígrafo Frank Moore Cross el conjunto de las inscripciones ya le había parecido muy destacable, incluso en una ciudad trilingüe. Algo inusual se había registrado en este grupo. Entre las tres generaciones representadas en la Tumba de los Diez Osarios, cabría esperar (como normalmente se ve en otras tumbas) que, si se trataba de hijos enterrando a sus padres, se hubiera usado el mismo idioma en cada enterramiento; a no ser, supuso el epígrafo, que aquella gente hubiera viajado ampliamente y hubiera vuelto a Jerusalén con apelativos y nombres cariñosos de tierras extranjeras.

Por el momento, Bovon no sabía nada de la IAA 80/500-509 y su inusual conjunto de nombres. Aun así —y era imposible que Simcha contuviera su entusiasmo— las conclusiones de Bovon acerca de Mariamne convergían en Talpiot.

—La María Magdalena del Nuevo Testamento —continuó el de Harvard— empezó como una rica mecenas del ministerio de Jesús, saliendo de su localidad, cercana al mar de Galilea. Ahora bien, los arqueólogos le contarán que es una región muy bilingüe. Séforis, no muy lejos de Nazaret, era una gran ciudad dominada por los romanos y de lengua griega. Así que yo esperaría que María Magdalena hablara en griego además de en hebreo y arameo. Diría que debería haber sido bilingüe.

—¡Sí! —dijo Simcha—. ¡Tan cerca de Séforis! Tiene sentido que hubiera estado con gente que hablara en griego y que su nombre...

Simcha interrumpió la frase.

—¿Sabe, Simcha, que hasta el día de hoy la Iglesia ortodoxa griega celebra a María Magdalena (a la que llamen Mariamne) cada veintidós de julio?[1]

—No —respondió el interpelado—. No lo sabía.

Y a su vez formuló una pregunta.

—Veamos, profesor, dice que san Felipe estaba asociado con líderes seguidores de Jesús que hablaban en griego. Y Mariamne está

1. Para la Iglesia ortodoxa la celebración del 22 de julio venera a «Santa María Magdalena, la sagrada portadora de mirra e igual a los apóstoles».

relacionada con Felipe. Me pregunto, ¿si unos arqueólogos encontraran la tumba de María Magdalena, esperaría que su nombre estuviera escrito en griego?

Bovon lo miró socarronamente, como si aguardara la conclusión de un chiste o una revelación de algún tipo.

—Verá —empezó el cineasta—, hasta que mencionó todo esto, yo podría haber anticipado que, si existe el osario de María Magdalena, este estaría inscrito en hebreo o arameo.

—No necesariamente —repuso Bovon.

—¿Dónde esperaríamos que estuviera enterrada? —preguntó Simcha.

—Al final de la historia del martirio de Felipe, Bartolomé y Mariamne no mueren con él como mártires, sino que se dan detalles de sus destinos. Se supone que Bartolomé fue a Asia Menor, y Mariamne al valle del Jordán, no muy lejos de su hogar. Veamos, no sé si este texto está apoyado por alguna otra prueba. Parece un elemento de información extraño: decir dónde se supone que murió. Es contradictorio con otras tradiciones.

—O sea, que vuelve al río Jordán —dedujo Simcha.

—A casa. Sí.

—¿Algún sitio en…?

—En Israel. Esto, una vez más, es en cierto modo diferente de la tradición predominante… que la había situado en algún lugar del sur de Francia. Aun así, al final de los Hechos de Felipe, Mariamne vuelve a Israel, y allí es donde probablemente murió y fue enterrada. Esta es la tradición más temprana.

—Entonces necesitaríamos pruebas arqueológicas o…

Bovon le interrumpió.

—Probablemente ni siquiera la arqueología probaría nada… —Se sumió de repente en cavilaciones, entonces levantó una ceja y dedicó a Simcha una mirada de sospecha.

—Podríamos encontrar su tumba –aventuró Simcha.

—Eso espera.

—Sí. Eso espero.

La sonrisa de Simcha había desaparecido.

—¿Ha encontrado algo? —preguntó el profesor—. Esa es la razón de su visita, ¿no?

Los Hechos de Felipe proporcionaban información muy importante para ser contrastada con la tumba de Talpiot. En primer lugar, proporcionaba un nombre de la madre de Jesús, María, y otro para María Magdalena, Mariamne; en segundo lugar, proporcionaba un estatus para Mariamne: era una apóstol, una maestra o, usando el arameo, una «Mara»; en tercer lugar, se movía en círculos griegos; y cuarto, sus huesos estaban enterrados en Israel.

Durante todos estos años, la Tumba de los Diez Osarios durmió. Al iniciarse el siglo VI, cuando Persia y el Sacro Imperio Romano de Bizancio no peleaban contra «los bárbaros del norte» o entre sí, trataban de atacar y reclamar la Ciudad Santa. Después, los soldados cristianos del emperador Heraclio capturaron Jerusalén alrededor de 610 d. C. En esa época, mientras Heraclio estaba tratando de abortar una rebelión árabe en Siria, una carta inusual fue enviada a su puesto de avanzada imperial en Bosra, al sur de Damasco. La carta hubo de ser traducida de un extraño idioma del desierto. Según registraron los amanuenses, el mensaje —que pedía al emperador que «reconociera al único Dios verdadero»— fue contestada con lo que podría llamarse el silencio despectivo de la indiferencia. Al mensajero simplemente le dijeron que «se fuera». Resultó que la carta estaba redactada por un líder árabe al que los cristianos habían perseguido hasta el desierto oriental, por alguien que todavía seguía al profeta Jesús, pero que había emergido él mismo como profeta. El hombre se hacía llamar Mahoma, el Profeta de Dios.

En 638 d. C. Jerusalén fue capturada por el califa Omar, y dieci-

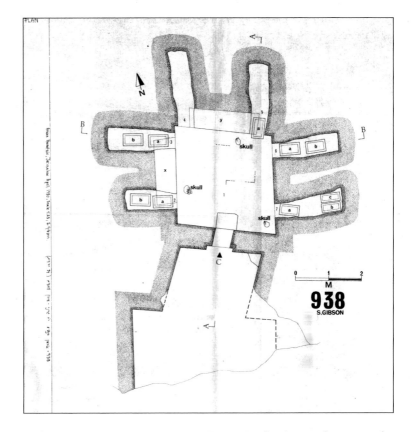

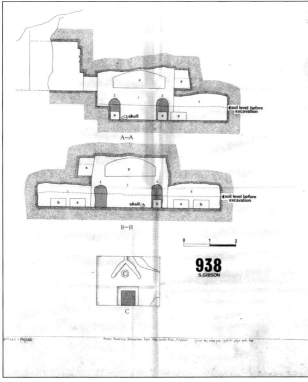

Arriba: A vista de pájaro, plano esquemático de la Tumba de los Diez Osarios dibujado en 1980 por Shimon Gibson. Se indica la ubicación en donde fueron hallados los osarios, así como las tres calaveras excavadas por el doctor Gat.

A la izquierda: Los dibujos de Shimon Gibson dan una visión lateral del volumen de tierra (*terra rosa*) que había penetrado en la tumba a lo largo de los siglos. Apenas un metro de altura en total.

La acción combinada de la dinamita y de un accidente de la excavadora de los constructores dejó expuesta a la luz la entrada de la antecámara de la tumba.

En diciembre de 2005, Simcha Jacobovici y su equipo examinan las inscripciones de los osarios en el depósito oficial de la Autoridad Israelí de Antigüedades.

Simcha y un miembro de su equipo estudian el osario número 80/503 (inscrito «Jesús, hijo de José»).

La cara anterior del osario con los restos de Jesús es una de las más sencillas. Aparentemente, sufrió algún daño y fue inicialmente rechazada por los artesanos, y la inscripción con el nombre atraviesa diversas melladuras y arañazos anteriores.

No hay en esta cara del osario 80/503 ningún intento decorativo más allá de una letra «Tau» en forma de cruz, y luego la inscripción, que leída de izquierda a derecha reza: «Yeshua [hijo de] Yehosef», es decir, «Jesús, hijo de José». Que el más sagrado de los nombres de la tumba estuviera inscrito en uno de los osarios más sencillos concuerda con muchas de las cosas que Jesús predicó, por ejemplo la frase 66 que le atribuye el Evangelio de Judas Tomás, que dice: «Mostradme la piedra que los constructores rechazaron. Esa es [mi] piedra basal».

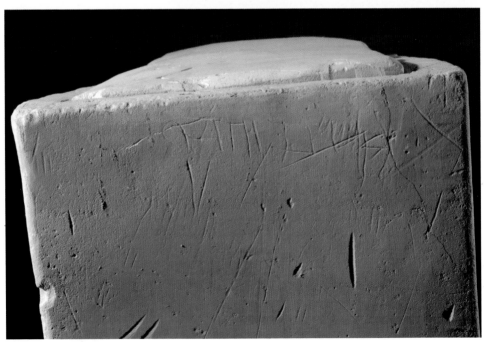

De los diez osarios de la tumba, solo tres estaban decorados. El 80/508, en el que no hay inscrito ningún nombre, y los correspondientes a Mariamne (en la foto), y el que parece pertenecer a Judas, su hijo.

Inscrito en griego, el osario de Mariamne proclama: «[Este es el osario] de Mariamne, conocida también como Mara [la versión masculina y femenina del Señor]».

El osario «Mateo» es el único que rivaliza en simplicidad con el de Jesús, y confirma el mensaje evangélico según el cual era perfectamente posible que las personas más corrientes podían convertirse en apóstoles. La superficie del osario de Mateo (al igual que otros de la misma tumba) muestra acumulaciones de minerales y bacterias que se acumularon sobre su superficie a lo largo del siglo de penetración de *terra rosa* en la tumba.

Este es el aspecto de la Tumba de los Diez Osarios el día 14 de diciembre de 2005. Bajo sendos arcos se pueden observar los estantes para los entierros. Todas las paredes de la tumba, así como todas las superficies, aparecen cubiertas de una pátina cristalina de *terra rosa* mineralizada.

Hay dos nichos que se encontraban llenos de libros sagrados y escritos religiosos, exactamente hasta la altura alcanzada por la *terra rosa* depositada en la tumba.

Después de que la Tumba de los Diez Osarios fuese excavada, y antes de quedar sepultada bajo el cemento y el acero de los constructores, las autoridades religiosas dictaminaron que el recinto era el lugar de reposo final de los textos sagrados. Un final adecuado y pacífico, «y casi poético», en palabras de Simcha.

Simcha y Charlie entraron en la cámara central de la Tumba de la Familia de Jesús el día 14 de diciembre de 2005. Si hubiesen podido elegir entre este descubrimiento y el de la tumba del «Rey Tut», ambos coincidieron en afirmar que su elección se hubiese decantado por esta tumba, cuyo tesoro consistía en la información preservada por sus inscripciones, y por sus restos biológicos, así como en la química de su pátina.

Charlie busca un punto limpio de la tumba del que extraer muestras de pátina. Jamás hubiese podido imaginar una cueva más extraordinaria.

Simcha se detiene a contemplar el símbolo de la antecámara, antes de proceder a penetrar en la cámara central, el 14 de diciembre de 2005. Encuentra fragmentos de libros sagrados formando una alfombra en el suelo.

Por encima de la tumba, los constructores de las viviendas crearon en 1980, y siguiendo las instrucciones de las autoridades religiosas ortodoxas, un jardín en el que plantaron una rosaleda.

Después de la Primera Cruzada, el gran círculo y el signo angular presente en la entrada de la tumba fueron reproducidos en los libros de los templarios que hablaban del Reino de los Cielos. En torno al año 1500 de nuestra era, en la *Cena de Emaux*, pintada por Carucci, se representa la cena posterior a la Resurrección, en aquella aldea próxima a Jerusalén, y de la que da cuenta Lucas, 24. Este cuadro de la Florencia renacentista muestra la evolución del antiguo signo, que acabó transformándose en un triángulo dentro del que se inscribe el ojo de Dios «que todo lo ve».

El 15 de diciembre de 2005, unos robots miniatura realizaron un reconocimiento detallado de la segunda cámara, la más profunda. Sigue siendo la única tumba con osarios que no ha sido excavada completamente en Israel.

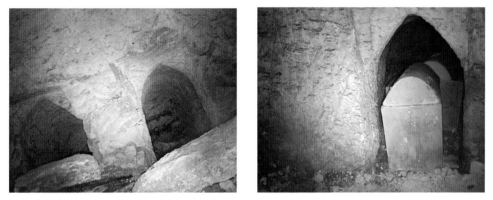

Dos osarios reposan tranquilamente en un nicho de la segunda cámara. El reconocimiento realizado por medio de la microcámara reveló la existencia de más inscripciones en lengua griega, pero no había suficiente espacio entre la pared del túnel y la cara inscrita de los osarios para poder descifrarlas.

Junto a la rosaleda, Simcha discute con los vecinos y los representantes de las autoridades.

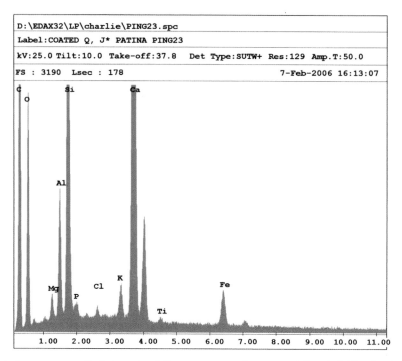

Detalle de la espectrografía (*ping* núm. 23) que muestra el aspecto típico de la Tumba de Talpiot y la pátina de los osarios. Esta muestra procede de la pátina del osario de Jesús.

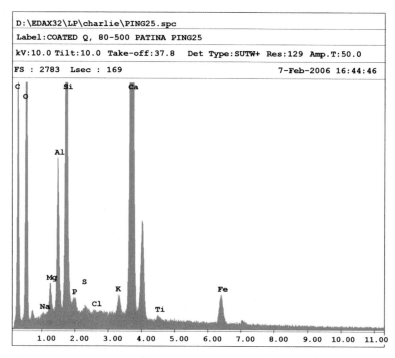

Análisis de la pátina (*ping* núm. 25) del osario inscrito «Mariamne» en el que se comprueba que el resultado es prácticamente el mismo de todas las muestras de pátina tomadas en la misma tumba.

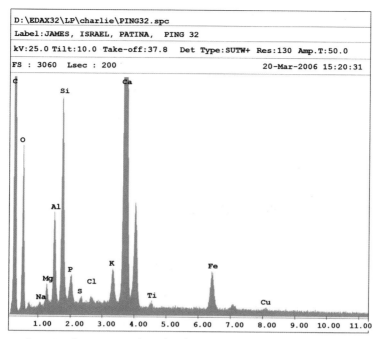

D:\EDAX32\LP\charlie\PING32.spc
Label:JAMES, ISRAEL, PATINA, PING 32
kV:25.0 Tilt:10.0 Take-off:37.8 Det Type:SUTW+ Res:130 Amp.T:50.0
FS : 3060 Lsec : 200
20-Mar-2006 15:20:31

Esta muestra de pátina (*ping* núm. 32) analizada aquí fue tomada en el osario de Jacobo. Se pudo comprobar que era un eco del mismo tipo de pátina contenida en la «Tumba de Jesús y su familia», lo cual hace pensar que el discutido osario de procedencia no certificada podría ser el décimo osario que no se pudo encontrar.

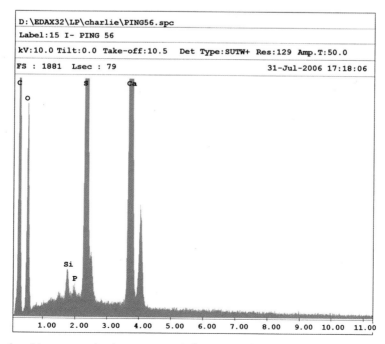

D:\EDAX32\LP\charlie\PING56.spc
Label:15 I- PING 56
kV:10.0 Tilt:0.0 Take-off:10.5 Det Type:SUTW+ Res:129 Amp.T:50.0
FS : 1881 Lsec : 79
31-Jul-2006 17:18:06

Muestra de pátina promedio (*ping* núm. 56) de otra tumba de la época que también contenía osarios. Es evidente que no se encuentran aquí los picos que delatan la presencia de hierro, titanio y potasio, característicos de la *terra rosa*. No fueron las únicas diferencias que se hicieron patentes de inmediato.

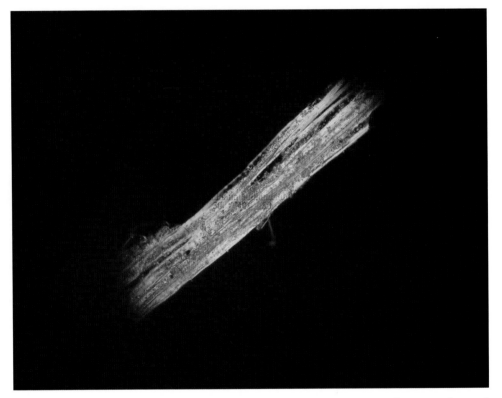

Grupo de fibras extraídas del centro de una acumulación de materia mineral encontradas en el osario de Jesús. Su análisis demuestra que eran lo contrario del lujo, simple arpillera.

siete años después los seguidores de Mahoma aniquilaron los últimos restos de la flota bizantina.

Otro siglo llegó y pasó. Y otro. Todo en el mundo había cambiado y continuaba cambiando, y aun así, salvo por una lenta acumulación de pátina, todo permanecía igual en la Tumba de los Diez Osarios.

7

El gemelo

Por qué iban a enterrar a la hermana de Felipe en la tumba de Jesús? ¿Y por qué habría al lado de ellos un osario con la inscripción «Judas, hijo de Jesús»? ¿Era su hijo? En ninguno de los Evangelios, sean canónicos o apócrifos, se describe a María Magdalena —Mariamne— como casada con Jesús. Ni se menciona nunca a un hijo del Mesías. Y aun así, lógicamente, si Jesús tenía mujer e hijo, o bien no habrían hablado de ellos o habrían hablado de ellos en clave.

Jesús, su familia y sus seguidores eran plenamente conscientes de que estaban viviendo en una sociedad romana y que los romanos mataban a todos los herederos de cualquier aspirante a un reino en territorios que controlaban, mientras que con frecuencia permitían sobrevivir a los hermanos.

Incluso en Roma, en el período de la vida de Jesús, durante la lucha del emperador Tiberio para situarse en el trono de Roma. Los tres nietos más favorecidos del predecesor de este, el emperador Augusto, murieron violentamente, lo mismo que su padre, Agripa (el yerno de Augusto). Julia (hija de Augusto y mujer de Agripa) fue desterrada a una isla remota en lo que se convirtió en una sentencia de muerte. Después de que Tiberio se convirtiera en emperador, la hija de Agripa, Agripina, fue detenida y golpeada hasta la muerte. Otro heredero de Augusto, Julio César Germánico, adoptado por el emperador específicamente como heredero del trono, falleció, como el propio Augusto, en misteriosas circunstancias. Aunque un hermano perdió la vida, el otro, Claudio, se salvó. Claudio sobrevivió porque nunca fue adoptado por Augusto y nunca fue percibido por Tiberio como candidato a emperador.

En los días de la Pascua judía, alrededor de 30 d. C., «al oír que Jesús venía a Jerusalén», escribió el cronista de Juan 12, 12-13, una gran multitud de personas «tomaron ramas de palmera y salieron a recibirle, y clamaban: "¡Hosanna! ¡Bendito el que viene en el nombre del Señor, el Rey de Israel!"». El gobernante local tuvo que sentirse especialmente vulnerable durante la Pascua, porque los vientos de rebelión iban cobrando fuerza allí y también mucho más lejos. En Roma, un hombre llamado Elio Sejano, comandante de la guardia pretoriana, trató de hacerse con el trono. Tiberio acabó con él, y tampoco fue clemente con su mujer, su amante y sus dos hijos preadolescentes. En cambio, a una hermana de Sejano se le permitió sobrevivir.

El mensaje era sencillo y directo: «Si matamos al padre, después buscaremos a la mujer y los hijos».

Durante los años que llevaron a la llegada de Jesús a Jerusalén, y en los años posteriores, el mensaje fue reforzándose de manera constante: si matan al Mesías —el Rey de Israel—, entonces la mujer y los hijos están en peligro. En cambio, un simple hermano podría contar con una oportunidad de sobrevivir, especialmente si pasaba desapercibido. Era así de sencillo.

Considerando su política habitual, podía contarse con que los romanos, en la Jerusalén dada a las revoluciones, vieran el linaje de cualquiera que reclamara el trono davídico como un peligro real y persistente. Según los Evangelios, el prefecto romano Pilato escribió en el cartel de encima de la cabeza del pretendiente real: «Jesús de Nazaret, Rey de los Judíos». Le colocaron una corona de espinas en la cabeza, le pusieron en la mano derecha una caña como báculo y lo vistieron de púrpura, todo ello con aparente voluntad de mofa

(Jn 19, 2; Mt 27, 29). Los hermanos de Jesús, y los apóstoles, sabían a ciencia cierta lo que harían los romanos a continuación. A decir de todos, los romanos eran muy buenos en perseguir a hijos, hijas y viudas.

Así que una mujer de Jesús, si existía, podía haber sido referida en clave como «compañera» o amiga «querida» de Jesús. Y el pequeño Judas, aunque probablemente tenía unos 10 o 13 años el día de la Crucifixión, habría sido conocido —incluso por la mayoría de los apóstoles— no como «Judas, hijo de Jesús», sino como el hijo de otro o quizá un hermano menor de Jesús.

Dada la manera de proceder de los romanos, si de verdad existía un «Judas, hijo de Jesús», los miembros supervivientes del movimiento de Jesús no se habrían sentido inclinados a gritar su nombre en la plaza del mercado, sino que probablemente habría surgido una terminología en clave: «¿Has visto al "hermano" de Jesús?» o «¿Has visto hoy al pequeño "gemelo"?».

Ahora bien, si los textos antiguos hablaban en código, ¿todavía es posible descifrarlo?

El Evangelio de Marcos (6, 3) afirma en términos que no dejan lugar a dudas que Jesús tenía familia y que como mínimo tenía hermanos: «¿No es este el carpintero, hijo de María, hermano de Jacobo, de José, de Judas y de Simón?».

En la tradición cristiana «Judas», el hermano de Jesús, se conoce como san Judas, uno de los apóstoles. Otro apóstol ha sido conocido por nosotros como Judas Tomás Dídimo (Tomás el Apóstol).

La relación entre «Judas» y «Tomás» se da con frecuencia en la Antigüedad. Por ejemplo, el Evangelio gnóstico de Tomás se abre con estas palabras: «Estas son las palabras secretas que pronunció Jesús el Viviente y que Dídimo Judas Tomás consignó por escrito».

¿Quién es este misterioso Dídimo Judas Tomás?

Dídimo era una palabra, no un nombre. Significa «gemelo» en griego.

En cuanto a «Tomás», nunca existió en hebreo semejante nombre. Se trata asimismo de una palabra y no de un nombre. Tomás (*teom* en hebreo) siempre ha significado «gemelo».

El valor semántico de estas dos palabras —una en griego y la otra en hebreo— se revela cuando volvemos a la primera frase del Evangelio de Tomás. Aquí el cronista proclama que estas enseñanzas «secretas» de Jesús fueron escritas por Dídimo Judas *Tomás*, lo que se traduce como «Gemelo Judas Gemelo».

El nombre sugiere con fuerza que Judas (el hermano) y Tomás eran de hecho una y la misma persona. En el Evangelio de Tomás (dicho 11), Jesús le dice a Tomás: «El día en que erais una misma cosa, os hicisteis dos». Eso parece exactamente lo que le ocurrió a Judas. Se convirtió en Judas y en Tomás: «Gemelo Judas Gemelo».

Este extraño código sería imposible de descifrar de no ser por un osario de Talpiot con la inscripción «Judas, hijo de Jesús». ¿Puede ser que el hijo se convirtiera en el «gemelo» —quizá un antiguo código de júnior— como forma de protección ante las autoridades romanas? ¿Puede ser que el hijo de Jesús hubiera sido ocultado —conmovedoramente, como un niño— a la vista de todos desde el principio?

En Marcos (12, 1-12), Jesús cuenta la parábola de un buen hombre que cedió su viña a unos labradores. Al cabo de un tiempo, el señor envió a un siervo a recoger una parte de la cosecha como pago del arriendo. El siervo fue golpeado y volvió con las manos vacías. El señor envió a otro y luego a otro, cada uno de los cuales sufrió peor abuso que el anterior, y al último lo mataron. Finalmente el señor envía a «un hijo suyo, amado» y heredero, confiando en que los labradores no le harán daño, pero también lo matan.

El Evangelio de Tomás parece preservar una versión de la misma parábola en la que el hijo y heredero es asesinado por los labradores mientras que simplemente golpean a los siervos. Esta versión insinúa un significado más profundo inmediato para un hijo de Jesús, si este existía:

> Él dijo: «Un hombre de bien poseía un majuelo y se lo arrendó a unos viñadores para que lo trabajaran y así poder percibir de ellos el fruto. Envió, pues, a un criado para que estos le entregaran la cosecha del majuelo. Ellos prendieron al criado y le golpearon hasta casi matarlo. Este fue y se lo contó a su amo, quien dijo: "Tal vez no les reconoció"; y envió otro criado. También éste fue maltratado por los viñadores. Entonces envió a su propio hijo, diciendo "¡A ver si respetan por lo menos a mi hijo!" Los viñadores —a quienes no se les ocultaba que este era el heredero del majuelo— le prendieron [y] le mataron. El que tenga oídos, que oiga» (Evangelio de Tomás, dicho 65).

Quizá Jesús está hablando en términos teológicos. Quizá, como muchos han interpretado, la parábola describe su propia muerte. Sin embargo, en lo que al parecer es una versión más antigua, la parábola de la viña podría tener un significado más directo y sencillo. Podría referirse al destino que habría esperado a cualquier hijo superviviente enviado al mundo por Jesús, una interpretación cimentada en el hecho de que el cronista de la parábola no es otro que Dídimo Judas Tomás (Gemelo Judas Gemelo).

En el dicho 13, Judas Tomás relata secretos mantenidos entre él y Jesús y ocultados para siempre a los apóstoles que le preguntaron: «¿Qué es lo que te ha dicho Jesús?».

Y Dídimo Judas Tomás replica: «Si yo os revelara una sola palabra de las que me ha dicho, cogeríais piedras y las arrojaríais sobre mí: entonces saldría fuego de ellas y os abrasaría».

Habían transcurrido ochocientos años y la tumba permanecía inmaculada. Nadie había entrado ni había dispuesto calaveras en el suelo de la cámara central. Las cámaras de la tumba todavía permanecían relativamente limpias, salvo por una fina película de sílice y cristales de apatita y una ligera capa de polvo que erosionaba la piedra caliza. Durante todos estos años transcurridos, el suelo y las paredes habían estado a merced de ácaros de las cuevas y pequeños escarabajos. En cierta ocasión, un pequeño ciempiés fue capaz de colarse a través de una rendija entre el muro de la antecámara y la piedra de cierre. La ecología de la cueva era probablemente capaz de sostener, a duras penas, a algunos de estos animales hasta su estado adulto. Salvo por el leve reptar de un puñado de ciempiés desnutridos, la Tumba de los Diez Osarios estaba tan silenciosa como los desiertos del espacio. Pero el silencio era solo un respiro. No podía durar para siempre. Nada dura eternamente.

8

Charlie. «La ecuación de Jesús» modificada

Entre un pequeño círculo de científicos, exploradores y eruditos, una oscura tumba en un remoto rincón de las colinas de
Jerusalén había entusiasmado como ninguna otra cuestión científica. En 1980, la cuestión de la inscripción «Jesús, hijo de José» fue
respondida con un rechazo rápido y fácil: todos esos nombres eran
comunes.

Lo que no se tuvo en cuenta hace tantos años era que la cuestión
no eran los nombres tomados individualmente. Lo que era preciso
estudiar era el conjunto completo de nombres, realmente poco común.

Como se ha visto antes, yo había aplicado una prueba estadística muy conservadora al conjunto de Talpiot, llegando a un límite
inferior de 1 posibilidad entre 2,5 millones de que esa tumba perteneciera a alguien que no fuera Jesús de Nazaret y su familia. Por lo
tanto, alrededor de 2,5 millones de varones habrían tenido que vivir en Jerusalén —unas treinta y una veces la población masculina
de la ciudad— antes de que una familia no relacionada con Jesús de
Nazaret pudiera producir este conjunto de nombres solo una vez por
mera casualidad.

Simcha buscó una segunda opinión del profesor Andrey Feuerverger de la Universidad de Toronto, uno de los estadísticos más
eminentes de Norteamérica. Igual que yo, Feuerverger construyó su
ecuación de manera conservadora. Igual que yo, no asignó ningún
valor a la inscripción «Judas, hijo de Jesús» y contó el inusual «Jos'e»

como cualquier otro José. Al final, la versión de Feuerverger de la ecuación se situaba aproximadamente en los mismos valores que la mía, 1 posibilidad entre 2,4 millones en lugar de 1 entre 2,5 millones.

El profesor de la Universidad de Toronto hizo hincapié en un aspecto:

—Una de las cosas que resulta más interesante en esta tumba —le explicó a Simcha— es que, si te centras en los nombres de manera individual, puedes fácilmente terminar con la impresión de que no hay nada ni siquiera inusual respecto a este conjunto particular.

»Sin embargo, Simcha, tu equipo tenía razón al señalar que la forma adecuada de analizarlo es mirar todos los nombres de forma conjunta.

»Y lo que ocurre cuando haces esto —confirmó el estadístico— es que, aunque la posibilidad individual de cada nombre en particular no es excesivamente pequeña, cuando se multiplican, empiezan a construir una imagen en la que el conjunto general de la tumba es muy raro.

»Realmente es una posibilidad —aseguró Feuerverger— que este yacimiento en concreto sea de hecho la tumba de la familia del Nuevo Testamento. Es una posibilidad que creo que hay que tomarse en serio.

Feuerverger estaba especialmente impresionado (desde el punto de vista matemático) con la inscripción «Mariamne-Mara».

—Es extremadamente inusual —dijo—; con una relación con Magdalena de los Hechos de Felipe, una conexión que parece expresar que pertenece a esta tumba.

El estadístico empezó entonces a trabajar en un estudio sobre la tumba de Talpiot para publicarlo en una revista de estadística. No obstante, antes de someterlo a la revisión por pares, y dada la naturaleza explosiva de sus hallazgos, lo sometió informalmente a algunos colegas. Estos le dijeron que sus razonamientos y sus cálculos parecían correctos, pero le advirtieron que publicar estadísticas acerca de cualquier cosa relacionada con la tumba familiar de Jesús podía convertirse en algo muy controvertido.

En este punto, se le ocurrió a Feuerverger que, por más conservador que hubiera sido su enfoque estadístico de la ecuación de Jesús, alguien, en algún sitio, pediría una estrategia más conservadora. Así que decidió repensar la ecuación.

De repente, llamó a Simcha y le anunció:

—Lo tengo. No voy a trabajar simplemente con las probabilidades de que los nombres en estos osarios aparezcan juntos y tratarlos como si ocurrieran en un vacío.

—¿Vas a ser ultraconservador con nosotros? —preguntó Simcha.

—Solo estoy tratando de ser preciso —se defendió el matemático.

—Así que esto es lo que voy a hacer. Voy a calcular contra este conjunto de nombres y contra los resultados de probabilidad actuales, lo que llamo un factor sorpresa.

Lo que esto significa es que Feuerverger iba a dar valor a los nombres de los miembros de la familia de Jesús que no estaban en la tumba. Su influencia disminuiría la fuerza matemática de los nombres que sí se hallaban en ella.

—Así es como funciona el factor sorpresa —empezó el profesor—, Simcha. Sé que dijiste «uf» cuando leíste «Mariamne» y cuando descubriste que podía ser María Magdalena. Sé que crees que el nombre de «Jos'e» como hermano de Jesús es muy significativo. Ese es el factor «bomba» o lo que yo llamo factor sorpresa, pero puede funcionar en ambos sentidos. Teniendo en cuenta que «Simón» también era un hermano, habrías dicho «uf» a un «Simón», habrías argumentado que una inscripción «Simón» en la tumba aumentaba las probabilidades de que esta sea la tumba de Jesús, de manera que su ausencia debería reducir las probabilidades.

»Estoy elevando las restricciones de la probabilidad —explicó Feuerverger—. Voy a contar como factores todos los hermanos que faltan, digamos que como forma de disminuir la probabilidad de que esta sea la tumba familiar de Jesús.

Puesto que el «primo Mateo» había sido declarado neutral en términos estadísticos, Feuerverger decidió no asignar un valor de sorpresa a los apóstoles o primos ausentes.

La ausencia de un osario perteneciente a José, el padre de Jesús, era otra cuestión que cabía considerar. Según todos los datos, José parecía haber muerto lejos de Jerusalén —antes de que Jesús empezara su ministerio—, y probablemente no debería estar en la tumba de Talpiot.

Si bien era cierto que una inscripción «José, padre de Jesús» (aunque Simcha podía explicar su ausencia) habría supuesto un enorme factor «bomba», Feuerverger no estaba seguro de que tuviera que asignar un «valor negativo de José». En esta instancia, los indicios dictaban que un «José, padre de Jesús» estaba representado por la inscripción que decía «Jesús, hijo de José». Según el mismo criterio, si el osario de «Jesús» hubiera tenido la inscripción «Jesús, hijo de José, hermano de Jacobo», ello habría supuesto un valor positivo, no negativo, aunque el osario de «Jacobo» resultara no estar presente en la tumba.

Construir la «ecuación de Jesús» a partir del conjunto de nombres de la tumba y calcular las probabilidades individuales había sido un procedimiento relativamente sencillo y directo. Reducir el significado de los nombres en los osarios prometía ser igual de sencillo y directo.

El primer desafío de Feuerverger, el Simón faltante, duró poco. «Simón» como «Mateo» estaban entre los nombres comunes de los osarios del siglo I; de hecho, era tan común, que en una tumba con diez osarios, con cinco de ellos presumiblemente varones, las posibilidades de encontrar un Simón (uno de cada cuatro hombres) era una certeza matemática, no un factor «bomba» estadísticamente hablando. La ausencia de un osario de «Simón» era por consiguiente igual a su presencia: el nombre de «Simón» era un nombre interesante pero neutral, tanto si resultaba estar presente como si no, y carecía de valor numérico alguno.

La ausencia de una inscripción «Jacobo, hermano de Jesús» era diferente, y poderosa. El nombre Jacobo, según los cálculos de Rahmani e Ilan, se producía solo en el 2 por ciento de los osarios, o en 1 de cada 50. La ausencia de un «Jacobo» impactaba negativamente en la ecuación.

La ausencia de un «Judas, hermano de Jesús» también tenía poder de disminuir. El nombre de Judas se registraba en los osarios con una frecuencia del 10 por ciento, en 1 de cada 10. Su ausencia ahora importaba.

Al final, Feuerverger contó todo esto dividiendo los 2,4 millones entre 4 para considerar «desviaciones no intencionadas» en las fuentes históricas. En ese punto, el «factor de probabilidad» se reducía a 600.000 a 1 a favor de la tumba desde el anterior 2,4 millones a 1. A continuación, Feuerverger dividió 600.000 entre 1.000, es decir, el máximo número de tumbas que podían haber existido en Jerusalén datables en el siglo I.

Cuando hizo todo ello, obtuvo un factor p (factor de probabilidad) de 600 a 1 a favor de que la tumba perteneciera a Jesús de Nazaret.[1]

—¿Es decepcionante? —le preguntó Feuerverger a Simcha.

—No me importa —contestó este—. Es un buen resultado, porque significa que incluso cuando contamos osarios que simplemente no están aquí y tumbas que no se han encontrado y que podrían no existir... En última instancia, si fuera un hombre que apues-

---

1. En el momento de escribir esto, el trabajo de Feuerverger ha sido presentado a una destacada publicación especializada y está en proceso de revisión.

ta y me dejaras ser la banca, podrías asegurarme que cada vez que un jugador hiciera girar la ruleta las probabilidades serían de seiscientos a uno a mi favor. No dudaría en jugar.

Pero entonces el cineasta le preguntó a Feuerverger.

—¿Y si resultara que, de algún modo, ese «Jacobo, hermano de Jesús» también perteneciera a esta tumba?

—¿Te refieres al llamado osario de Jacobo?

—Sí. ¿Y si resulta que es algo más que «el llamado»?

Andrey Feuerverger dejó escapar un prolongado silbido.

—Si las pruebas señalaran en esa dirección —expuso—, creo que las cifras aumentarían hasta al menos una posibilidad entre treinta mil. Si ese nombre pudiera multiplicarse en la «ecuación de Jesús» entonces sería lo que llamamos una certeza estadística.

»Pero recuerda —advirtió—, incluso sin Jacobo, un factor p de uno entre seiscientos significa que si tuvieras un fármaco del que aseguras que cura el cáncer y fallara solo en uno de cada seiscientos pacientes, te darían el premio Nobel.

Al oeste de Jerusalén, los últimos vestigios de la industria egipcia de copia de manuscritos había sido aniquilada. La Biblioteca de Alejandría —atacada por cristianos, por musulmanes y nuevamente por cristianos— había quedado reducida a cenizas a principios del siglo VII. En 900 d. C., en Córdoba y en Jerusalén, los eruditos islámicos y judíos encontraban bibliotecas y reintroducían un sistema de cañerías, cisternas y canales de irrigación. En las colinas de encima y alrededor de la tumba, las dos tribus semíticas trabajaban juntas, reintroduciendo el alumbrado en las calles, la alquimia y los cultivos en terrazas. Una nueva matemática estaba destronando a los torpes numerales romanos y sustituyéndolos por otros arábigos, y también se había desarrollado el álgebra y las primeras ecuaciones de la ciencia física y química. Nuevas aleaciones metálicas, tintes y cristales ópticos parecían señalar el camino de salida de la época de las tinieblas, pero eso no iba a ocurrir. Por lo que respecta a la tumba de Talpiot, el largo sueño de la civilización significaba que su propio sueño continuaría al menos un tiempo más. Sin una edad de expansión para el conocimiento y la industria, la tumba permanecía más allá del alcance de la revelación científica. El descubrimiento y la interpretación pertenecían a otra era.

9

El parámetro de Jesús

Siempre habrá gente que considerará que la idea de relacionar personas del Nuevo Testamento con huesos en osarios carece de sentido.

Existía (y aún existe) entre los eruditos una fuerte resistencia a la posibilidad de encontrar un objeto arqueológico que pueda ser relacionado directamente con los relatos evangélicos de Jesús y su familia.

Y aun así —y para muchos lectores puede constituir una sorpresa—, a los eruditos les gusta vincular osarios con personajes principales de los Evangelios, siempre y cuando no estén relacionados con Jesús y su familia. Por ejemplo, diez años después de que se hallara la tumba de Talpiot, una excavadora reveló el nombre de Caifás en una tumba cercana al Bosque de la Paz de Jerusalén. La comunidad académica anunció que se había hallado la tumba familiar del sumo sacerdote del Templo que persiguió a Jesús. La historia copó titulares de noticias a escala internacional.

La sepultura que las excavadoras descubrieron era la mitad de grande que la tumba de Talpiot y carecía de antecámara. Entre los objetos hallados en el interior había lámparas de aceite de cerámica y una botellita de cristal romano que contenía restos de un perfume oleoso. Los hallazgos más excepcionales eran dos osarios con el nombre de Caifás. El más profusamente ornamentado de los dos —de hecho, es uno de los más decorados entre los osarios conocidos, con sus pentáculos grabados, rosetas en forma de flor enmarcadas por ramas de palma— tenía la inscripción Yehosef bar Qafa', o José, hijo de Caifás, identificado con el sumo sacerdote de los Evangelios (Lc 3, 2; Jn 11, 49) cuyo nombre completo lo proporciona Josefo (*Antigüedades judías*, 18, 2).

Estadísticamente hablando, la parte «José» de la inscripción de Caifás corresponde a uno de los nombres de varón más populares de la región de Jerusalén durante el período del Segundo Templo. Entre las inscripciones de nombres de varón, «José» aparece con una frecuencia del 14 por ciento, mientras que «Caifás» era raro (menos de 1 aparición en 200, es decir, un 0,5 por ciento). Usando estos porcentajes como guía ($0,14 \times 0,005$), podía esperarse que 1 de cada 1.400 hombres de Jerusalén se llamara José, hijo de Caifás.

De manera interesante, los eruditos nunca hicieron el cálculo con este osario. Simplemente supusieron —de forma correcta— que tenía que haber pertenecido al infame Caifás del Nuevo Testamento. Hoy, el osario de José, hijo de Caifás se exhibe de manera permanente en el Museo de Israel. Se describe como el osario que contuvo los restos mortales del sumo sacerdote.

Sin estadísticas, ¿por qué los eruditos están tan seguros de tener al Caifás adecuado? David Mevorach, responsable de los períodos helenístico y romano del Museo de Israel, afirma que dos elementos lo llevan a esa conclusión. El nombre de Caifás era «raro» y el osario, muy «elaborado», coherente con lo que cabría esperar para un sumo sacerdote.

Ahora bien, el osario de Caifás no es el único que los eruditos han relacionado con el Nuevo Testamento. De modo increíble, utilizando los mismos criterios poco estrictos, los expertos coinciden en que también se ha hallado el osario de otra figura clave de los Evangelios.

En la quinta estación de la cruz hay una capilla dedicada a Simón de Cirene, el hombre que, según los Evangelios, ayudó a Jesús a llevar la cruz de camino a la Crucifixión. El Evangelio de Marcos (15, 21) identifica a Simón y sus dos hijos por sus nombres y lugar de origen: «Y obligaron a uno que pasaba, Simón de Cirene, padre de Alejandro y de Rufo, que venía del campo, a que le llevase la cruz». Parece que Simón había venido en peregrinación para la festividad de la Pascua judía desde Cirene (en la Libia actual) a Jerusalén, donde tuvo su encuentro con Jesús. Decenas de miles de peregrinos acuden a la quinta estación de la Vía Dolorosa para rezar en la capilla de Simón de Cirene, sin saber que su osario se ha encontrado. Hoy se halla bajo una mesa en un almacén de la Universidad Hebrea de Jerusalén.

La historia del osario de Simón empezó en 1941, cuando Israel aún se hallaba bajo mandato británico y el bombardeo de Pearl Harbour estaba a punto de provocar la entrada de Estados Unidos en la Segunda Guerra Mundial. El profesor Eleazar Sukenik descubrió la tumba familiar de Simón en el valle de Kidron, al este de Jerusalén.

La tumba de la familia de Simón era simple y de una sola cámara. En el suelo se encontraron once osarios con doce inscripciones y quince nombres. Además del conjunto de nombres que eran comunes en Cirene, uno de ellos tenía el famoso «Simón» inscrito en un lado. En la tapa del mismo osario aparecía a su vez el nombre «Cirene».

Según el analista de la Sociedad de Arqueología Bíblica Tom Powers, con todo lo demás que estaba ocurriendo en el mundo en 1941, debió de resultar muy fácil que la inscripción de «Simón de Cirene» pasara inadvertida para la opinión pública y que escapara incluso de la atención científica. Así que la sepultura quedó desatendida y finalmente olvidada hasta el año 2003, cuando Powers publicó un artículo sobre ella en la *Biblical Archaeology Review* («Treasures in the Storeroom: Family Tomb of Simon of Cyrene», julio-agosto de 2003). Hoy los eruditos están básicamente de acuerdo en que este osario pertenece a esta importante figura del Nuevo Testamento, que según todos los relatos se convirtió en uno de los primeros seguidores del movimiento de Jesús. Una vez más, ¿cómo podían estar tan seguros? Al fin y al cabo, el nombre de Simón es el más popular de los nombres judíos del siglo I d. C.

—Cuando consideramos lo poco común que era el nombre de Alejandro —explica Powers—, los hechos encajan. Los nombres en los osarios apuntan a una familia originaria de Cirenaica y una inscripción lleva el nombre de Alejandro, que se identifica con el hijo de Simón: el mismo parentesco que se menciona en los Evangelios.

La tesis del analista es convincente.

En 2006, a petición nuestra, James Tabor examinó el osario en la Universidad Hebrea de Jerusalén. Confirmó que el topónimo Cirene estaba inscrito en la tapa y, en un lado, inscrito en griego, leyó las palabras: «Alejandro [hijo] de Simón». En el otro lado, escrito en tiza verde, un nombre, Simón, aparecía encima del otro, Alejandro, sugiriendo a Tabor que los huesos de padre e hijo se habían conservado en el mismo recipiente.

Pero ¿hasta qué punto se sostiene «Simón» contra la matemática? Bueno, aunque Simón es un nombre común, Alejandro —como señala Powers— es bastante raro, y el vínculo con Cirene es más raro aún. Sin embargo, si tuviéramos que someter el osario de Simón de Cirene al «factor sorpresa» de Feuerverger, Simón sufriría porque, aunque su hijo Alejandro consta en las inscripciones, su otro hijo, Rufo, que es mencionado en los Evangelios, es notable por su ausencia.

En cualquier caso, incluso después de someter la inscripción a los criterios del profesor de la Universidad de Toronto, sigue habiendo una probabilidad de 200 a 1 a favor de que se trate del osario de Simón de Cirene. Aunque las cifras no son tan convincentes como las de la tumba familiar de Jesús, los eruditos han aceptado el osario de Simón de Cirene como un artículo genuino. Al fin y al cabo, Simón no es Jesús. Solo le ayudó a llevar la cruz.

En 1054 d. C., el 4 de julio, el estertor agónico de la estrella del Cangrejo, que había explotado seis mil años antes, alcanzó la Tierra. La supernova, al elevarse sobre el horizonte este de Jerusalén, cobró el brillo suficiente para proyectar sombras por la tarde y el atardecer, y durante casi dos semanas dio la sensación de que el sol tenía una hermana. Al cabo de más de un año, se apagó.

Por supuesto, la falsa luz diurna de la supernova (ni luz diurna de ningún tipo) no alcanzó la tumba, pero una pequeña cantidad de partículas de la estrella —entre ellas núcleos de nuevos átomos procedentes de la supernova y acelerados a la velocidad de la luz— atravesaron la piedra caliza y los huesos y continuaron su camino hacia el interior de la Tierra. Algunas de las partículas más ligeras y espectrales de la supernova atravesaron por completo el planeta, dejando atrás un rastro más tangible de polvo estelar atrapado por los átomos de calcio y silicio de los huesos y la piedra de la tumba, de manera que los osarios de un hombre llamado Jesús, una mujer llamada María y un hijo llamado Judas preservaron la sustancia misma de una estrella moribunda, que siglos antes, en 70 d. C., debió anunciar (como lo describe Josefo) el incendio de Jerusalén. Por lo tanto, esa misma estrella anunció también a mil mesías que se alzarían contra Roma y terminarían en la cruz, incluido un niño llamado Jesús.

En 1099 un ejército de cruzados —una hueste despiadada cuya hora había llegado por fin— tomó Belén y continuó su marcha hacia Jerusalén. En las afueras de la ciudad, los cruzados lucharon entre ellos para ver qué grupo de conquistadores controlaría parte del oro y las joyas que se hallaran detrás de la muralla. Luego, según los historiadores de la Iglesia, después de un breve episodio de derramamiento de sangre entre sus propias filas, el ejército abrió una brecha en los muros de Jerusalén y entró en la ciudad.

En ese momento, los Evangelios, en su forma escrita final, tenían ya más de setecientos años, pero la mayoría de los invasores del Norte no sabían leer ni escribir. Los cronistas de la Iglesia registraron que pronto resultó imposible a los jinetes cabalgar sin salpicarse con la sangre que cubría las calles. En el interior de las murallas de Jerusalén, musulmanes, judíos y griegos por millares —defensores heridos, jóvenes eruditos, mujeres con niños llorando en sus brazos— quedaron rodeados, se refugiaron en mezquitas y sinagogas y establecieron barricadas en el interior, donde fueron quemados vivos. En la noche en que llegaron los cruzados, otra capa de ceniza carbonizada empezó a contaminar el aire y a filtrarse lentamente en el suelo con la ayuda del agua que se vertía de acueductos destrozados. Los conquistadores se regocijaron por haber recuperado al fin la Ciudad Santa. En la Tumba de los Diez Osarios, la ceniza que descendía llevaba consigo la promesa de ácidos más potentes que llegarían con las siguientes lluvias, la promesa de más arena y roca disuelta en el agua subterránea, la promesa de una pátina más gruesa y protectora sobre dientes y tibias, y sobre la inscripción «Jesús, hijo de José».

10

De dónde vinieron los nazarenos

Mucho antes de que llegaran los cruzados, alguien había cultivado huertos en terrazas construidas encima y alrededor de la tumba, creando hoyas llenas hasta rebosar de tierra cuidadosamente acumulada y nivelada. Este extraño suelo agrícola, conocido como *terra rossa*, era rico en titanio y hierro. Al brillo del alba, y otra vez al atardecer, la *terra rossa* reflejaba rojos brillantes que teñían las colinas de un resplandor rosado.

En algún momento cercano al siglo XII, en algún momento próximo a esa época de cruzados y templarios, aquellos que en última instancia serían conocidos como «clan de la *terra rossa*» entraron en la Tumba de los Diez Osarios. No eran ni judíos de la zona ni musulmanes, porque no seguían la costumbre de ninguno de los dos pueblos.

Los intrusos abrieron el cierre del quinto nicho de osarios, se llevaron el situado más al norte, lo estudiaron, y volvieron a colocarlo en su lugar, pero dejaron un extremo sobresaliendo. Todos los osarios sobrevivieron sin signo de haber resultado dañados o saqueados.

En el centro de la tumba, el clan de la *terra rossa* dejó una tarjeta de visita curiosa: tres cráneos situados en la cámara en una insólita pero clara configuración ceremonial.

Después, por un extraño viraje de la historia, la tumba volvió a cerrarse por segunda vez y, o bien cayó en el olvido o se mantuvo en secreto, desapareciendo una vez más en la historia.

Mirando por la ventana de su oficina, en Santa Mónica Boulevard, Jim Cameron ve a diario al templo masónico de Santa Mónica, cuyo segundo piso está adornado por un compás en forma de galón que encierra una letra G en forma de círculo. El símbolo se parece mucho al galón y el círculo de la entrada a la tumba de Talpiot.

—Hemos de tratar la similitud —le dijo Jim a Simcha un día—. O sea, cualquiera se fijaría en ello y muchos sabrían que este símbolo se ha relacionado con herejías del cristianismo. No podemos olvidarlo.

Ninguno de los implicados en la investigación quería ver arte imitativo de la historia como algo salido de un guión de Ron Howard y Dan Brown.

—Pero —propuso Jim Cameron—, y si por todos los giros y vueltas de la trama, resulta que Dan Brown tenía razón en algo...

—Vale —concedió Simcha—. Juguemos un rato al Código da Vinci. Y basemos nuestras especulaciones en hechos en la medida de lo posible. Para empezar, en lugar de Leonardo, tomemos a Pontormo, su discípulo menos conocido.

Desde el éxito del arrollador *best seller El código Da Vinci*, la pintura de Leonardo *La última cena* ha sido objeto de gran atención. Y aun así, en términos de «código», es mucho más interesante y relevante la pintura de su discípulo Jacopo Carucci da Pontormo llamada *Cena en Emaús*, por los símbolos inequívocos que aparecen en ella.

—Es también una «cena», pero por lo que a nosotros respecta una cena «mejor», porque ocurrió después de la Crucifixión —explicó Simcha.

La pintura de Pontormo recreaba la cena posterior a la Resurrección en el pueblo de Emaús, a unos diez kilómetros de Jerusalén o «unos sesenta estadios» como lo registra el Evangelio de Lucas.

En el relato de Lucas, dos de los que habían visto la tumba vacía iban caminando hacia Emaús, discutiendo sobre lo que había ocurrido, cuando «Jesús mismo se acercó, y caminaba con ellos». Por algún motivo, los hombres no lo reconocieron cuando él les preguntó por qué estaban tristes.

Uno de ellos dijo a Jesús: «¿Eres tú el único forastero en Jerusalén que no has sabido las cosas que en ella han acontecido en estos días? [...] de Jesús nazareno, que fue varón profeta, poderoso en obra y en palabra delante de Dios y de todo el pueblo».

Jesús entonces los acompañó, hablando de las Escrituras y la profecía, todavía sin ser reconocido, ni siquiera cuando lo invitaron a quedarse a cenar con ellos en el pueblo. «Y aconteció que estando sentado con ellos a la mesa, tomó el pan y lo bendijo, lo partió, y les dio.»

Y entonces, después de aparecerse como un ser tangible que partía el pan y comía, Jesús se hizo reconocible de repente: «Entonces les fueron abiertos los ojos, y le reconocieron; mas él se desapareció de su vista» (Lc 24, 13-31).

Esta es la cena que fue objeto de la pintura de Pontormo. El Mesías es la figura central, naturalmente. Está partiendo el pan como en el Evangelio de Lucas, naturalmente. Es la única figura con un halo sobre la cabeza, naturalmente.

Lo que no es natural es la forma brillante sobre la cabeza de Jesús: un triángulo con un ojo de la Providencia en el centro. Si Pontormo sabía algo de la tumba de la familia de Jesús y del símbolo de su entrada, ¿cómo viajó este conocimiento de Jerusalén a Florencia, a lo largo de quince siglos, para convertirse en la pintura en clave de Pontormo?

—Tengo una teoría —anunció Simcha—. Todavía no puedo probarlo, pero al fin y al cabo estamos jugando al Código da Vinci.

Jim parecía complacido.

—Escuchémosla —dijo.

—Creo que los seguidores originales de Jesús, llamados de diversa manera ebionitas, nazarenos y judeocristianos, no «desaparecieron» sin más en la época de Constantino y el ascenso de la Iglesia de los gentiles. Creo que permanecieron largo tiempo, a pesar de que Eusebio los calificó de herejes en el siglo IV. Entonces, ¿qué nos dice eso? —Simcha nos miró con expectación.

—Pasaron a la clandestinidad —apunté.

Todavía existían pequeños grupos de «ebionitas» cuando Eusebio de Cesarea terminó de redactar la *Historia eclesiástica* en 325 d. C. El autor los veía como una «trampa» para los primeros cristianos por el hecho de haber surgido de una herejía que implicaba ver a Jesús como «un hombre simple y común» (libro 3, 27). Los ebionitas creían que Jesús, a pesar de sus grandes milagros y profecías, vivió una existencia plenamente humana y que nació como un ser humano normal «de una relación carnal entre José y María» (libro 5, 8). Eusebio se sintió aún más ofendido por el hecho de que los ebionitas, al tiempo que reconocían la Resurrección y seguían las enseñanzas de Jesús, insistían en la observancia de la ley judía, la Torá.

«Guardaban el sábado —objeta Eusebio— y toda la conducta judaica, pero el domingo observaban prácticas parecidas a las nuestras en memoria de la resurrección del Salvador. Por estos hechos llevan esta denominación, porque el apelativo "ebionita" expresa la pobreza de su mentalidad. Pues los hebreos llaman con este nombre al pobre.» En otras palabras, en el vernáculo de la época, Eusebio llamaba puñado de idiotas a los judíos seguidores de Jesús.

Aun así, lo cierto es que Jesús y las dos Marías, y todos los apóstoles originales, así como los primeros seguidores de Jesús en Jerusalén (incluido Simón de Cirene) eran judíos. Jacobo y los demás, que establecieron la primera iglesia de Jerusalén, estaban fundando lo que, en primera instancia, era un movimiento judío.

Cuando no eran llamados «ebionitas», los primeros seguidores de Jesús eran llamados «nazarenos». Sea cual sea el origen de este nombre —quizá porque Jesús era de Nazaret o nazarita (una especie de asceta bíblico) o porque se refiere a Netser, es decir, una rama de la familia del rey David—, el primer ministerio de Jesús parece haber sido llamado «nazareno». En Mateo (2, 23) el término se aplica al propio Jesús: «Para que se cumpliese lo que fue dicho por los profetas, que habría de ser llamado nazareno». El ministerio de los nazarenos aparece referenciado en torno al año 57 d. C., cuando Pablo fue llevado a juicio ante Félix de Cesarea. Tértulo, acusador de Pablo, dice: «Porque hemos hallado que este hombre es una plaga, y promotor de sediciones entre todos los judíos por todo el mundo, y cabecilla de la secta de los nazarenos».

En su respuesta, Pablo acepta el nombre sin vacilar y, de manera orgullosa e incluso desafiante, define esta herejía nazarena en los siguientes términos: «Pero esto te confieso, que según el Camino que ellos llaman herejía, así sirvo al Dios de mis padres, creyendo todas las cosas que en la ley y en los profetas están escritas» (Hechos 24, 5,14).

«Nazareno» en los tiempos de Jacobo, «hermano del Señor», parecía definir a los primeros seguidores judíos del Mesías-rabino de Nazaret, incluidos hombres como Pablo. Cuando Pablo y Bernabé fueron a Jerusalén a debatir la inclusión de los gentiles en la Iglesia —sin el requisito judío de la circuncisión—, la decisión final fue dictada por Jacobo: «Por lo cual yo juzgo que no se inquiete a los gentiles que se convierten a Dios, sino que se les escriba que se aparten de las contaminaciones de los ídolos, de fornicación, de ahogado y de sangre» (Hechos 15, 19-20). En otras palabras, por lo que respecta a Jerusalén, eran los nazarenos ebionitas los que, teológicamente, llevaban la voz cantante en el movimiento judío de Jesús, y parecían indistinguibles del resto de la población judía.

De hecho, los autores romanos Tácito y Cayo Suetonio, en sus crónicas del reinado del emperador Claudio, no eran capaces de distinguir a los primeros judeocristianos de los judíos en general: «Aquel de quien tomaban nombre, Cristo —escribió Tácito—. […] La execrable superstición, momentáneamente reprimida, irrumpía de nuevo no solo por Judea, origen del mal, sino también por la Ciudad [Roma]» (*Anales*, XV. 44). Según Suetonio (en *Vida de los doce césares*): «Expulsó de Roma a los judíos, que provocaban alborotos continuamente a instigación de Cristo» (V. 25,4).

Aunque se dice que desaparecieron tras la destrucción de Jerusalén, disponemos de pistas históricas que apuntan que los judíos cristianos permanecían mucho después. Además de con Eusebio de Cesarea, contamos con la interesante tradición que rodea el hallazgo de la Vera Cruz. Según la tradición cristiana, Elena, la madre del emperador Constantino, llegó a Jerusalén para localizar lugares históricos relacionados con Jesús. Con el objeto de encontrar el lugar de la Crucifixión, Elena reunió a los «rabinos» locales. Claramente, no podía tratarse de la corriente principal del judaísmo, porque esta no había preservado tradiciones relacionadas con un hombre al que consideraban un falso mesías. De manera igualmente clara, la gente con la que la dama se había reunido tenían que ser judeocristianos.

En el relato, Elena reconoce que los «rabinos» tenían un «conocimiento secreto» relacionado con los lugares históricos del ministerio de Jesús. Por medio de la tortura, fuerza a un judeocristiano de nombre Judas —que luego sería obispo y mártir cristiano— a divulgar el lugar secreto de la Crucifixión.

—¿Y si Elena no planteó las preguntas adecuadas? —inquirió Simcha—. Si existía una tumba familiar de Jesús y ella nunca pensó en preguntar por la misma, los judeocristianos no habrían proporcionado la información de manera voluntaria. ¿Y si setecientos años después de Elena la escena se repitió? Esta vez los judeocristianos revelaron su secreto herético, es decir, que el cuerpo de Jesús estaba sepultado en Jerusalén.

—Así que los judeocristianos siguen funcionando en el siglo XI —dedujo Jim—. Y están a punto de ser ejecutados por la espada de los templarios. En ese momento, ellos revelan quiénes son y conducen a los templarios hasta la tumba. De algún modo, convencen a los caballeros de la historicidad del lugar y, en esencia, convierten a los templarios a su herejía. Es una buena historia. Pero ¡difícil de probar!

El hecho es que, en el muro de la antecámara de la tumba que encerraba los osarios de Jos'e, Judas, María, Mariamne y Jesús, alguien había tallado un galón con un círculo en el medio.

Hoy un símbolo similar, representado como una pirámide completa (o triángulo) que encierra el ojo de la Providencia divina, puede verse en iglesias y templos masónicos de todo el mundo, desde ventanas de la Iglesia de la Anunciación en Nazaret, pinturas antiguas en el monasterio de la Cruz en Jerusalén, grabaciones en la torre de la catedral de Aquisgrán, en Alemania, hasta el templo masónico que hay enfrente de la oficina de Jim en Los Ángeles. Y aun así, nadie sabe lo que este símbolo significa realmente.

En el momento en que Simcha y su equipo estaban buscando la tumba bajo el patio de Talpiot, James Tabor estaba llevando a cabo un estudio más detallado del osario de Simón de Cirene, buscando bajo una luz multiangular los nombres desdibujados de Simón y Alejandro escritos en tiza verde.

De repente, sin proponérselo y en el ángulo preciso, las luces cambiantes ensombrecieron algo en lo que nadie se había fijado antes. La incisión era burda y aparentemente bastante antigua; parecía haber sido grabada con apenas más atención al detalle que el elegante trazo bajo la «Mariamne» de la 80/500 o la cruz grabada en el osario sin nombre 80/506. A pesar de ello, a Tabor no le cabía duda de lo que la incisión pretendía representar: era un galón que enmarcaba un boquete circular (¿moderno o antiguo?) para formar una V invertida que encerraba un círculo oscuro.

No había rastro de una segunda V en la tapa. A Tabor no le parecía una simple coincidencia que una marca del siglo I similar al símbolo de la entrada a la tumba de Talpiot apareciera en el osario que llevaba el nombre de Simón, padre de Alejandro, de quien se creía que se había convertido, junto con su familia, en uno de los primeros seguidores de Jesús.

Tabor se preguntaba si era posible que el galón, como el pez, fuera un símbolo de los primeros seguidores de Jesús. En los turbulentos tiempos anticristianos desde Nerón hasta Vespasiano, ¿podía haber sido este un símbolo secreto judeocristiano?

—He oído decir –observó ahora Charlie— que el círculo en el galón de la entrada de Talpiot no es sino una roseta mal ejecutada, y las rosetas se han hallado por centenares en osarios de Jerusalén del siglo I. Hemos de estar preparados para esto.

—En primer lugar —replicó Simcha—, no hay nada «mal ejecutado» en la entrada de la tumba de Talpiot. Pero, al fin y al cabo, ¿qué es una «roseta»? La cuestión es que los eruditos no lo saben.

»Muchos historiadores dicen que no es más que una simple decoración fácil de ejecutar. No es razonable. La gente no escogía ni escoge símbolos para sus tumbas simplemente porque son fáciles de grabar. Así pues, ¿cuál era su significado?

»Hoy la estrella de David se refiere a Israel, pero hace dos mil años, la mayoría de los símbolos judíos aludían Dios y su Templo, no a Israel en sí. Entonces, ¿cuál era el símbolo de Israel? Bueno, ¿por qué no la omnipresente roseta? No saco esta idea de la nada. En el Cantar de los Cantares (2, 1-2), Israel se refería a sí misma como "la rosa de Sharon", y Dios se refiere a Israel como una flor entre espinas. Es explícito. En el Cantar de los Cantares, significaba a Israel entre las naciones fieles a Dios. En un osario —y sobre todo en tiempos romanos— probablemente apelaba a la esperanza de un "verdadero Israel" entre las espinas.

»En cuanto al triángulo —continuó el cineasta—, existen muchos ejemplos de que se trataba de una forma simplificada de representar la fachada del Templo de Salomón en Jerusalén. Siguiendo el principio de que los símbolos se simplifican, en los osarios más antiguos el triángulo era soportado por columnas, pero más tarde, algunos artistas descartaron estas y mantuvieron el triángulo. Después de 70 d. C. y el final de la tradición de los osarios, el triángulo aparece en muchas sinagogas. Pero lo que es único en el gran triángulo de la antecámara de nuestra tumba es que no está acabado. Es solo un galón. Shimon Gibson cree que significa algo, pero no sabe qué. En mi opinión, si un triángulo completo simboliza el Templo, el triángulo sin finalizar representa el Templo que estaba (como predijo Jesús) destinado a caer y que todavía tenía que reconstruirse.

El Tercer Templo. El Templo de los tiempos mesiánicos, el del final de los tiempos.

Visto de ese modo, el galón y el círculo simbolizaban, durante los últimos años antes de que la tumba se cerrara y de la destrucción del Templo, una esperada Resurrección tanto para el Templo como para Israel.

—De acuerdo. Eso podría explicar el símbolo en la entrada, pero no explica cómo llegó a la pintura de Pontormo —repuso Jim.

El hecho es que el galón y el círculo aparecieron a lo largo de toda Europa, como por generación espontánea, después de la Primera Cruzada. Uno de los primeros ejemplos —quizá el primer ejemplo— era el de un monje cristiano medieval llamado Lambert de Saint Omer, en Francia, que había pintado lo que llamó *El Jerusalén celestial*. De manera provocativa, el libro para el que se había encargado el grabado pretendía preservar elementos de la teología de las Cruzadas. La obra de Lambert estaba dominada por círculos en el interior de galones, el mismo símbolo que está grabado en la entrada de la tumba de Talpiot.

Lambert no era un caso único. El símbolo parecía haber cobrado vida propia y con mucha frecuencia se relacionó con grupos heréticos como los templarios y, después, los francmasones. Es en este contexto histórico cuando aparece el símbolo en la *Cena en Emaús*, insinuando que el secreto de la Ascensión de Jesús continuaba vivo en el tiempo de Da Vinci y Pontormo. Pero ¿quién podría haber descubierto los secretos de la tumba en el siglo XI? Bien, es un hecho que se había entrado en la tumba, quizá fue en el momento de las Cruzadas, quizá fue gente que no solo descubrió el secreto de la tumba, sino que lo comprendió.

Habían entrado en la tumba mucho tiempo atrás. Una capa de *terra rossa* fue acumulándose gradualmente hasta alcanzar una profundidad de un metro. Quienes retiraran la piedra de cierre no destrozaron el interior del sepulcro, y si se llevaron algo, su saqueo se limitó a lámparas de aceite, botellas de perfume, cálices y otros utensilios típicamente hallados en las antecámaras de tumbas de características similares.

Si los objetos que faltaban de verdad los habían arrebatado los intrusos, la pregunta es ¿por qué? En otras tumbas, tales objetos estaban hechos de barro cocido ordinario y piedra. Carecían de valor. A no ser que alguien creyera que estos estaban relacionados con Jesús.

Lo cierto es que los intrusos, quienesquiera que fuesen, parecían más interesados en dejar su propia huella que en llevarse nada. Metieron tres calaveras en la cámara central y las situaron cuidadosamente en el suelo.

Según Lucas (23, 33), tres hombres fueron crucificados en el Gólgota, que es identificado en Mateo (27, 33) como el «lugar de la calavera». Una guardia de honor de tres calaveras en el suelo podría simbolizar el Gólgota real.

—Es una especulación —opinó Jim.

—Sí, pero las calaveras del suelo forman parte de los hechos del caso —dije.

—Bueno, revisemos los hechos —concedió Cameron—. Es un

hecho que los caballeros templarios estuvieron en Jerusalén durante todo el siglo que duró la Primera Cruzada. Asimismo, es uno de los misterios de la historia que acumularan tanto poder y riqueza en tan poco tiempo. Muchos especularon que tenían poder sobre la Iglesia. Finalmente tuvieron demasiado éxito: había demasiados reyes y obispos que les debían dinero. Durante la casi total exterminación de los templarios, la Iglesia presentó tantas acusaciones contra los caballeros que separar hecho de rumor e invención se convierte en un problema inabordable.

No obstante, entre las acusaciones más interesantes había afirmaciones de que los caballeros veneraban una calavera humana. También que esa calavera estaba supuestamente relacionada con la familia de Jesús (normalmente se aseguraba que pertenecía a Juan el Bautista). Asimismo, se decía que los templarios llevaron a cabo una ceremonia secreta en la que un iniciado era obligado a caminar en triángulo y en círculo en torno a una calavera y tibias cruzadas y que habían ganado su riqueza por medio del hallazgo de reliquias sagradas de Jerusalén, que los unían entre sí, y durante un tiempo les dieron cierta forma de poder secreto sobre el Vaticano.

¿Y si los acusadores tenían parte de razón? ¿Y si los templarios, que estuvieron implicados en la matanza generalizada de judíos y musulmanes durante las Cruzadas, se encontraron con un pequeño grupo de ebionitas, una rama superviviente del primer movimiento de Jesús?

Ya se habían registrado extraños sucesos. En Irak, un grupo que se hace llamar «mandeísta» ha sobrevivido hasta el siglo XXI. Aparentemente son miembros de una antigua secta que seguía las enseñanzas de Juan el Bautista y rechazaba a Jesús. Si los mandeístas lograron sobrevivir en Irak hasta el presente, ¿por qué los judeocristianos no pudieron sobrevivir en Jerusalén hasta el siglo XI?

Considerando la matanza registrada por sus propios cronistas —una «victoria» en la cual las calles entre las sinagogas y las mezquitas fluían en rojo como venas abiertas— era posible imaginar a los caballeros preparándose para pasar a cuchillo a una secta de judíos cautivos. También es posible imaginar que, como «Judas» ante Elena en el siglo IV, en lo que creían que eran los últimos segundos de sus vidas, empezaran a gritar el nombre de Jesús. De este modo, los templarios podrían haber redescubierto a los nazarenos o ebionitas, siglos después de que hubieran sido aplastados oficialmente. Movidos por la curiosidad, quizá los conquistadores perdonaron la vida a algunos de esos judeocristianos, que entonces (o bien por cooperación o bajo tortura) compartieron sus antiguos secretos con los templarios.

¿Es posible, pues, que esto condujera a la extraña intrusión en la tumba de la que daba fe la arqueología? Un encuentro entre templarios y nazarenos explicaría mucho. ¿Es posible que la tumba se convirtiera, durante un breve período de tiempo, en un templo de rituales templarios? Las tres calaveras así parecen apuntarlo. ¿Es posible que los judeocristianos compartieran con los templarios escrituras secretas y los convencieran de unirse a la herejía judeocristiana? La Iglesia ciertamente pensaba en los templarios como herejes que negaban la divinidad de Jesús. ¿Es posible que líderes templarios fueran enterrados en la tumba, lo cual daría cuenta de las calaveras allí descubiertas? ¿Qué mayor honor para uno de sus líderes que ser enterrado en la auténtica «tumba de Cristo»? ¿Y es posible que los templarios retiraran ellos mismos una o más calaveras de los osarios? Esto ciertamente explicaría las extrañas acusaciones de que fueron objeto.

Quizá los templarios también llevaron a Europa el símbolo de la entrada, explicando la introducción de la pirámide y el ojo de la Providencia; ¿sabían que Jesús no había ascendido corporalmente al cielo? ¿Creía la Iglesia que los templarios estaban en posesión de la calavera de Jesús de Nazaret?

Han perdurado pocos documentos para describir lo que realmente sucedió a los caballeros del Temple. Pero uno de los pocos escritos de la época documentados sobre el tema guarda relación con la absolución por parte de la Iglesia de cuatro caballeros acusados por la Inquisición. Se conoce como *Pergamino de Chinon* (así llamado por el castillo de Francia en el que se desarrollaron los interrogatorios). Está fechado entre el 17 y el 20 de agosto de 1308 y hasta 2002 no salió de los archivos secretos del Vaticano.

Hasta la «desclasificación» del documento de Chinon, historias de los templarios difundidas por acusaciones que iban desde la adoración de calaveras a las misas negras pasando por la brujería fueron en gran medida el contenido de leyendas no documentadas. Nadie sabía realmente cuáles habían sido las acusaciones. En este documento, en cambio, queda claro que los acusados fueron inculpados de adorar ídolos, escupir en la cruz y asistir a ceremonias secretas en las que estaba presente una cabeza, o una calavera o un ídolo hecho con una cabeza humana.

El viernes 13 de octubre de 1307, el rey Felipe IV de Francia, con la cooperación del papa Clemente V, actuó de manera rápida y eficaz para destruir a los templarios. Esa mañana se iniciaron los arrestos e interrogatorios, y al caer la noche dos mil caballeros templarios estaban muertos o encarcelados.

Se dijo que algunos caballeros templarios huyeron a territorios que escapaban al control de Francia y el Vaticano. De hecho, una pequeña flota de barcos templarios del Mediterráneo desapareció en la leyenda. En los barcos proscritos ondeaba una bandera con un símbolo que se había visto por primera vez en las tumbas de los templarios: la calavera y los huesos cruzados. Incluso el nombre de la bandera tenía origen templario: «Jolly Roger» derivaba de *jolie rouge*, el nombre dado por los templarios franceses a las banderas rojas que ondeaban en sus navíos de guerra en el siglo XIII.

Durante el siglo XX, arqueólogos que excavaron tumbas de templarios repararon en que faltaban las tibias de los caballeros y en que los fémures estaban cruzados en el interior del ataúd, bajo los cráneos, en imitación de las figuras de calaveras y huesos cruzados grabadas en lápidas de templarios. ¿De dónde procede este símbolo? ¿Apoya la relación entre la tumba de Talpiot y los templarios?

Los osarios de Jerusalén varían en longitud según el tamaño del hueso más largo del cuerpo humano, el fémur. Incluso hoy en día, cuando los arqueólogos abren un osario, lo que normalmente encuentran es una calavera —que es lo último que se colocaba— y debajo los fémures cruzados. Los huesos más pequeños —normalmente reducidos a polvo— están en el fondo. Que los templarios dispusieran los huesos en sus tumbas de esta manera significaba que los cuerpos habían sido exhumados tras un enterramiento primario. Obviamente, corrían un grave peligro al colocar los restos de sus muertos de este modo. Parece que la tumba de Talpiot finalmente podría explicar los secretos largo tiempo guardados de los templarios.

Además, si Simcha tiene razón y el símbolo de la entrada está relacionado con la promesa de Jesús —como Mesías judío— de construir un Tercer Templo al final de los tiempos, incluso el nombre «templario» podría estar relacionado con la tumba de Talpiot. Durante años se sospechó que los caballeros templarios derivaban su nombre de algún hallazgo arqueológico que realizaron en el monte del Templo de Jerusalén, pero es posible que derive de su conversión —por así decirlo— a la herejía judeocristiana que había sobrevivido y estaba centrada en la tumba de Talpiot y relacionada con la expectativa de que Jesús reconstruiría el Templo sagrado de Dios.

—Hermosamente delirante —manifestó Jim.

—No tanto como lo que vamos a hacer a continuación —anticipó riéndose Simcha.

11

Simcha. El redescubrimiento

Mahane Yehuda, en Jerusalén, es un microcosmos del conjunto de Israel: un mercado en el que se mezclan judíos y árabes, rabinos y sacerdotes, religiosos y seglares. El aire está cargado de olor a *shawarma* de cordero asándose y de *falafel* frito con mucho aceite. Verduras, frutas, aceites y pollos piando de forma estridente en sus jaulas... puedes encontrar de todo en Mahane Yehuda. Mi puesto favorito pertenece a un sanador yemení que diagnostica a sus pacientes mientras estos se encuentran bajo una tienda de macramé y él les insufla humo por la nariz. En función de lo que él crea que sufren, prescribe uno de sus asombrosos zumos naturales. Allí se ingiere zumo de guayaba, de granada, de limón y toda clase de bebidas exóticas para curar la indigestión, reducir el colesterol o retrasar la eyaculación.

En esta marea de humanidad me cité con Yossi, el hijo mayor de David, propietario del apartamento construido sobre la tumba de Talpiot. David se puso nervioso al tratar con un equipo de televisión extranjero. No podía entender nuestro interés por la tumba. Aun así, como cree que esta siempre le ha reportado beneficios, estaba dispuesto a negociar con nosotros. En 1980 consiguió su apartamento a precio de ganga porque la gente no quería vivir encima un enterramiento.

—A mí no me importa —me dijo.

—Siempre obtuvimos energía positiva de la tumba —intervino la que era su mujer desde hacía treinta años.

Sin embargo, David se sentía incómodo con la televisión y con historias relacionadas con Jesús. La suya es una familia ortodoxa turca, y la última cosa que quería en el mundo era mirar por la ventana y ver una cola de cristianos evangelistas estadounidenses esperando para arrodillarse en veneración en su patio.

—Hablen con Yossi —me indicó—. Lo que Yossi diga.

Yossi regenta el puesto de verduras familiar en Mahane Yehuda. Aunque se educó en un hogar judío ortodoxo, se hizo incluso más observante después de concluir su servicio militar. No fue a la universidad, pero goza de una amplia cultura. Siente una intensa curiosidad sobre todo tipo de cosas, especialmente la religión y la historia. También fue soldado de comando en el ejército israelí.

—¿Qué hay debajo del patio? —me preguntó cuando nos encontramos.

—No estoy seguro al ciento por ciento —confesé—, pero creo que está relacionado con Jesús.

La conversación podría haber concluido allí, pero Yossi estaba intrigado por mí: nacido en Israel, me eduqué en Canadá; hablo hebreo con fluidez, pero me faltan palabras cotidianas, y soy un judío ortodoxo que creció en un hogar seglar y que está más versado en el marxismo que en lo rabínico.

—¿Cuál es su interés en Jesús? —inquirió.

—¿No está usted interesado? —respondí.

Sopesó mi respuesta y se echó a reír.

—¿Cree que está enterrado debajo del patio del apartamento de mis padres? —preguntó con incredulidad.

—Quizá lo estuvo —dije—, pero se llevaron todos los osarios en mil novecientos ochenta.

—Entonces, ¿por qué molestarse? —concluyó Yossi.

—Creo que la tumba todavía puede albergar algunos secretos. Nunca fue excavada adecuadamente —repliqué—. Además, si era la tumba de Jesús tiene un valor histórico enorme.

—¿Cómo se lo tomarán los cristianos? —quiso saber.

—No lo sé —respondí—. Si alguien piensa en Jesús como completamente no humano (lo cual no es un dogma de la fe cristiana), se sentirá desconcertado por el hecho de que se encuentre su tumba. Por otra parte, los Evangelios dicen que el enterramiento primario de Jesús se realizó en una tumba temporal y que desapareció de ella. Al menos uno de los Evangelios cuenta otra historia. En el Evangelio de Mateo (28, 13-15) se recoge un rumor que circulaba en Jerusalén, que Mateo califica de mentira, según el cual los discípulos de Jesús se llevaron el cuerpo de su maestro, aparentemente para volver a enterrarlo en una tumba permanente. Para los cristianos, lo que «prueba» la Resurrección no es que la primera tumba estuviera vacía, sino que hubo gente que encontró a Jesús después de la Crucifixión. Así que quien crea en una Resurrección de la primera tumba no debería tener problema en creer en una Resurrección de la segunda tumba.

—¿Cómo sabe esto? —inquirió.

—Bueno, he hablado con sacerdotes y pastores —expliqué—. He preguntado cómo reaccionarían si se encontrara el cuerpo de Jesús. Uno dijo que eso sacudiría su fe. Los demás me confesaron que no importaría. Entonces formulé la hipótesis de una Resurrección de una segunda tumba y se sintieron intrigados y aliviados en cierto modo. Nunca habían pensado en ello. La idea completa de una tumba familiar de Jesús no está en el radar teológico cristiano.

»Pero puede haber alguna implicación teológica —añadí mirando el rostro serio de Yossi—. Para los cristianos, por lo que entendemos, el siguiente paso después de la Resurrección fue la Ascensión. Eso es cuando Jesús sube al cielo para reunirse con el Padre celestial.

—¿Y? —me incitó Yossi.

—Y... si un cristiano cree en una Ascensión física, que significa que Jesús se llevó consigo su cuerpo al cielo, la idea de una tumba de Jesús sería inquietante. Por otro lado, no existe consenso teológico al respecto entre cristianos. Muchos no creen en una Ascensión física sino espiritual, y una tumba familiar de Jesús ni contradiría ni confirmaría esa creencia en particular.

—Y a los judíos, ¿nos inquietaría? —preguntó.

—No veo por qué —respondí—. Los judíos obviamente no creemos en la divinidad de Jesús ni en que fuera un Mesías, pero creemos en que existió como figura histórica. El Talmud lo confirma y Josefo, al menos en un pasaje en el que se refiere al hermano de Jesucristo, también lo confirma. Así que existió. Si existió, desde un punto de vista judío no hay razón por la que no pueda haber una tumba familiar suya en alguna parte. Y de hecho tiene sentido que la familia de Jesús eligiera la zona del moderno Talpiot para cavar una. Al fin y al cabo, geográficamente, Talpiot está a medio camino entre Belén y Jerusalén, que era la sede de poder para cualquier familia que reclamara descender del rey David. Recuerde que Jesús reivindicaba un linaje real tanto por parte de padre como por parte de madre.

—Pero ¿la comunidad judía se inquietará con este descubrimiento? —insistió Yossi.

—Cuando la cristiandad gentil empezó a adorar a Jesús como un dios, los judíos prácticamente lo barrimos de nuestra memoria histórica —respondí—. Quizá fuera necesario entonces, pero no lo es ahora. No hay razón de que sepultemos parte de nuestra historia de esta manera. El rabí Akiva creía que Simón bar Kojba, el revolucionario judío del siglo II, era un mesías. Al final, se equivocó. No obstante, ¿eso significa que borremos al rabí Akiva, nuestro más grande rabino, de nuestra memoria?

—El cielo lo impida —rogó Yossi.

—¿Eso significa que borremos a Simón bar Kojba de nuestra conciencia colectiva? —pregunté.

—Pero lo habríamos hecho, me está diciendo, si alguien hubiera empezado a venerarlo —replicó Yossi.

—Es cierto —convine—. Si esta tumba familiar resulta ser lo que creo que es, tanto judíos como cristianos pueden redescubrir al Jesús histórico, cada uno desde su propia perspectiva. Pero en respuesta a su pregunta, no creo que este hallazgo arqueológico deba inquietar a los judíos. En cualquier caso, la tumba existe. No nos la estamos inventando y la gente debería ser capaz de enfrentarse a la verdad. No es posible hacer arqueología ni reportajes de arqueología preocupándose por quién puede inquietarse por los hechos. Uno solo ha de presentar los hechos, y la gente interesada en la verdad tendrá que tratar con ellos. Y siempre lo hacen —concluí.

Después de un prolongado silencio, Yossi preguntó:

—¿Y cómo pretende acceder a la tumba?

—Introduciendo cámaras robotizadas en los respiraderos *nefesh*, confirmando que estamos en el lugar correcto, abriendo un boquete en la pared de la habitación de sus padres y entrando en la cueva —respondí.

Yossi se rió tan fuerte que tuve que reírme con él. Aunque no sabía qué era lo que tenía tanta gracia, porque eso era exactamente lo que pretendíamos hacer.

Después de que, en principio, Yossi accediera a cooperar, le expliqué que quería varias cosas. En primer lugar, quería firmar un contrato de exclusividad con la familia. No importaba lo famosa que pudiera llegar a ser esa tumba, quería que quedara claro que yo dispondría de acceso de televisión exclusivo a ella. En segundo lugar, le pedí que realojara a su familia en un hotel mientras investigábamos la tumba. Acordamos un precio por la inconveniencia. Yossi fue sincero y justo.

—Para mi padre será duro irse de casa aunque solo sea unos días —me advirtió—. Su casa es su castillo. No es de esas personas a las que les gusta viajar y trasladarse. Pero lo arreglaré.

Él me presentó entonces sus condiciones:

—En primer lugar —dijo—, nuestra familia no se menciona en

la película. En segundo lugar, me mantiene al corriente de lo que hay debajo de nuestra casa. Y en tercer lugar, obtenemos autorización rabínica previa para esta empresa.

La última condición me asustó. En Israel la religión es también política. Como he mencionado previamente, las autoridades rabínicas no se llevan bien con la comunidad arqueológica. Los arqueólogos son con frecuencia apedreados en yacimientos de tumbas porque algunos religiosos los consideran saqueadores de tumbas, gente que no muestra respeto por los muertos. Por su parte, los arqueólogos ven a los rabinos como personas primitivas cuyas nociones medievales entorpecen el progreso y la erudición. Yossi quería que lo acompañara a B'nai Brak, un bastión del conservadurismo religioso en Israel. Quería que me reuniera con el legendario (o infame, según el punto de vista) rabino Schmidl, la principal espina rabínica clavada en el costado de la comunidad arqueológica.

—Comprometámonos —propuse—. Déjeme mirar por los respiraderos sin permiso rabínico y entonces, si realmente hay una tumba, me reuniré con el rabino Schmidl antes de entrar en ella.

Teníamos un pacto y lo sellamos con un «memorándum de acuerdo» escrito en la parte de atrás de un mantel individual que sacamos de un restaurante de *hummus* vecino. Lo único que tenía que hacer era encontrar la tumba y convencer al rabino Schmidl para que me permitiera hacer lo que ningún arqueólogo de Israel estaba autorizado a hacer: entrar de manera oficial en una cueva de enterramiento.

Unas semanas después de cerrar mi trato con Yossi, volví a Israel con mi equipo. Mi coproductor, Felix Golubev, es natural de San Petersburgo, el antiguo Leningrado de la Unión Soviética. Felix es de complexión media y tiene cuarenta y tantos años. Habla con un marcado acento ruso y sufre de lo que he diagnosticado como «repetición compulsiva», la necesidad de decirte lo mismo veinte veces y rematarlo con un «¿Estás seguro?». Felix es asimismo uno de los mejores y más meticulosos productores de documentales del planeta. Llevamos años trabajando juntos.

En 1996 él y yo fuimos a buscar las llamadas Tribus Perdidas de Israel. El resultado de nuestra labor fue el documental *En busca de las tribus perdidas*, que se emitió en todo el mundo. En un punto de nuestro viaje estábamos en el lado paquistaní del paso de Khyber y para cubrir más terreno decidí dividir al equipo en dos. Yo me llevé mi parte del grupo al norte y Felix se llevó a un cámara y un ayudante de cámara al sur, a Queta, que tras el 11-S cobraría nefasta fama como cuartel general de al-Qaeda. En ese momento, éramos conscientes de que había algunos desalmados por allí, pero no sabíamos hasta qué punto lo eran, ni dónde se reunían exactamente. Al fin y al cabo, estábamos buscando las tribus, así que los terroristas no estaban en primer plano en nuestras mentes.

Felix no estaba pensando en al-Qaeda, pero le preocupaba encontrarse con los talibanes, la milicia islamista radical que había sido creada por la inteligencia paquistaní y que a la sazón gobernaba Afganistán.

—¿Qué hago si me encuentro con los talibanes en Queta? —me preguntó.

Sin perder compás, rompí con mi particular versión del clásico de Harry Belafonte *Banana Boat Song (Day-O)*.

—Cántales esto —dije—. *«Come, Mister Taliban, Taliban banana, daylight coming and me got to go home.»*

Al cabo de unos días, en la frontera afgana, justo al otro lado de Queta, un camión lleno de talibanes armados obligó a parar al coche de Felix. No hablaban inglés y mi amigo no hablaba pashtu, el idioma de Afganistán. Así que empezó a cantar: *«Day-o... me say day, me say day-o... daylight come and me wan' go home... come, Mister Taliban, Taliban banana... daylight come and me wan' go home»*.

Los combatientes talibanes se quedaron enganchados con este nuevo himno y, mientras conducía por el territorio más peligroso del planeta, Felix contó una escolta armada durante el resto de su viaje. De cuando en cuando todos rompían a cantar *Banana Boat Song*.

Para la filmación en la tumba, Felix reclutó a Itay Heled, un israelí que vivía con su mujer e hijos en Toronto. Itay es una persona muy seria. Es tan serio que parece duro. Y aun así, este antiguo paracaidista es un tierno hombre al que le gusta escribir libros infantiles y que, a diferencia de muchos israelíes, siempre pide permiso. Itay trabajó durante décadas en la industria cinematográfica de su país, de manera que conoce a todo el mundo. Siempre que necesitábamos algo, como un constructor que podía haber derrumbado una tumba, uno de los familiares o amigos de Itay aparecía y hacía el trabajo.

Bill Tarrant es experto en cámaras robotizadas. En condiciones normales, no podríamos habernos costeado a Bill o su equipo de filmación, pero es judío y llevaba años sin ir a Israel. Le encantó la idea de volver a participar en una aventura y utilizar sus cámaras para seguir la pista de la tumba de Jesús.

Ese era el núcleo de mi equipo. Por supuesto, siempre nos acompañaba un cámara, un técnico de sonido y un ayudante. Pero Felix, Itay y yo trabajábamos largo rato después de que todos se fueran a dormir y nos levantábamos los primeros. Siempre había un millón de cosas que hacer: encontrar planos municipales para asegurarnos de que si entrábamos en la tumba no se derrumbaría el edificio; contactar con la asociación de propietarios del complejo y comprar su cooperación; reunirnos con la Autoridad de Antigüedades de Israel y obtener acceso a los osarios de Talpiot… era un no parar. Siempre había una crisis: el padre de Yossi echaba de menos su casa, los residentes se enfadaban, la IAA sospechaba, etcétera, etcétera.

Muchas cosas podrían haber fallado. En primer lugar, resultó que la asociación de propietarios creía que técnicamente el patio de Yossi pertenecía al edificio, de manera que cualquier beneficio que esta familia pudiera obtener debía dividirse a partes iguales. Yossi sentía que la asociación de propietarios era una panda de entrometidos que deberían ocuparse de sus propios asuntos y no meter las narices en lo que no les incumbía. Al final, conseguimos satisfacer tanto a la familia de Yossi como a los vecinos. En cuanto al respiradero *nefesh*, que supuestamente conducía a la tumba, no podía estar seguro de que realmente condujera a ninguna parte. Los constructores con frecuencia siguen la corriente a los rabinos instalando tuberías que no llevan a ninguna parte. De esta manera, los rabinos están contentos porque no lo saben y los constructores también, porque pueden continuar con su trabajo. Al empezar el rodaje, no sabía realmente si los respiraderos *nefesh* del apartamento de Yossi eran falsos o auténticos. Después, un arqueólogo insinuó que los constructores podían haber rellenado toda la tumba con hormigón para desembarazarse de la cavidad. En ese caso, no había nada que hacer.

Examinando diversos informes de la IAA, supimos por primera vez de la existencia de la segunda tumba, que había sido desenterrada veinte metros al norte de la de Jesús. La «segunda tumba» como la llamamos, nunca había sido excavada. Como en el caso de la primera, llamaron a la IAA. Y también como con la primera, el doctor Amos Kloner se presentó en el escenario. Pero como se ha mencionado, fue entonces cuando cometió su gran error. Según los constructores, cuando Kloner llegó allí entró en la tumba como si tal cosa, cogió el osario de un niño y, sin ninguna ceremonia, vació el contenido para reducir el peso. Cuando estaba sacando el pequeño osario del sepulcro, centenares de estudiantes rabínicos que estaban observando a Kloner desde una *yeshivá* (academia rabínica) cercana bajaron al yacimiento.

Kloner huyó corriendo y los estudiantes formaron una cadena de protección en torno a la tumba, impidiendo que nadie molestara a sus ocupantes. El pulso se quebró finalmente cuando la IAA, los constructores y los estudiantes alcanzaron un compromiso. La tumba volvería a cerrarse y se dejaría sin excavar. Los ingenieros construirían a su alrededor.

Lo que me inquietaba al ir al patio para filmar era que no logré localizar la segunda tumba que teóricamente estaba a veinte metros al norte de la de Jesucristo. Y no fue por no intentarlo. Nos desplegamos en abanico por toda la zona, llamamos a diversas puertas y reptamos por arbustos espinosos. Pero no encontramos respiraderos ni vimos pista de tumba alguna por ninguna parte al norte del apartamento de Yossi.

Con todas estas cuestiones en mente, estábamos allí el 25 de junio de 2005, sentados en el patio, esperando que Bill hiciera bajar sus cámaras por los respiraderos de quince centímetros. El primero no llevaba a ninguna parte. Había dos razones posibles: o bien, como temíamos, eran respiraderos falsos instalados por los constructores para engañar a los rabinos o el respiradero número uno conducía a un «espacio de purificación», concebido para crear una separación con propósitos rituales entre el edificio y la cámara mortuoria. Probamos con el segundo respiradero. No era uno falso. A unos cuatro metros nos topamos con un impedimento. Una vez más, había dos posibles razones: o bien toda la cavidad de la tumba estaba llena de tierra y cemento o habían caído desechos en la abertura y la habían bloqueado.

Lo probamos todo. Incluso intentamos utilizar una cámara de 100.000 dólares como ariete para desplazar el tapón. Nada funcionó. Hasta que Bill tuvo una gran idea.

—Llamemos a un fontanero. Ellos saben desatascar cosas.

Al principio, se nos antojó extraño acceder a lo que posiblemente fuera el hallazgo arqueológico más importante de todos los tiempos con la ayuda de un fontanero, pero al ver que no se me ocurría ningún plan mejor, llamamos a uno.

Los fontaneros estaban ocupados y tuvimos que esperar más de veinticuatro horas. Entretanto, llamé al doctor Uri Basson, un experto en imágenes sónicas. Resultó que los tipos de las imágenes sónicas están menos ocupados que los fontaneros. Y también son más baratos. Basson llegó al cabo de dos horas, sacó un artefacto que parecía una aspiradora con un ordenador en el extremo del tubo y se puso a trabajar. Su labor consistía en confirmar que había una tumba debajo del patio y que no había sido rellenada ni destruida. Basson pasó metódicamente su aspiradora por el patio. Al cabo de unas dos horas declaró que efectivamente había una gran cavidad debajo.

Jueves, 15 de septiembre de 2005
De: Simcha Jacobovici
Para: James Cameron
Informe desde el primer día en Jerusalén

Hola, Jim:

Hemos sacado a la familia del apartamento y la hemos metido en un hotel, y hemos tomado posesión del local.

Como el patio queda a la vista de otros muchos apartamentos, hemos instalado (usando el pretexto de una boda inminente) un toldo; así tenemos total libertad de movimientos y nadie puede ver lo que estamos haciendo. Parece el plan para robar un banco.

Por una combinación de errores humanos y transformadores defectuosos hemos conseguido quemar los controles de la cámara robotizada en nuestro segundo intento fallido. Han mandado otra cámara robotizada desde Alemania.

Conseguimos poner sondas por las «tuberías de almas» del patio. La segunda sonda bajó unos seis metros por el respiradero. Las imágenes son muy impresionantes, pero está bloqueada por escombros. Mañana, con suerte, conseguiremos abrirnos paso. Nuestras sondas no pueden bajar por sí solas a la tumba. Vamos a traer a un fontanero para que desbloquee el camino a los robots.

El arqueólogo Shimon Gibson sabe que estamos en la ciudad. Su actitud es de absoluta colaboración. Pero, por el momento, no quiere saber nada más, salvo que estamos llevando a cabo un reconocimiento.

Buenas noches,

SIMCHA

A la mañana siguiente, Itay consiguió asegurarse los servicios del mejor fontanero del oeste de Jerusalén. Teddy lo tenía todo: conocimiento, pantalones caídos y una pistola en la cintura. También sabía cómo desatascar cañerías. Al cabo de media hora de hurgar con un alambre metálico especial rompió los escombros y desbloqueó el respiradero *nefesh*. Volvíamos a estar en juego.

Mientras observábamos en un monitor, Bill bajó la cámara robotizada por la abertura. Habíamos instalado una especie de toldo sobre el patio para mantener alejados a los vecinos chismosos. La sombra contribuía a dar nitidez a la imagen. La cámara descendió un metro y medio, tres, cinco. Nada. Pero la tumba era profunda, muy profunda. Después de seis metros, de repente, vimos el extremo del respiradero. No puedo describir lo que sentí. El conducto que supuestamente tenía que servir a las almas de los difuntos nos estaba proporcionando acceso a otro mundo. No salía de mi asombro. La tumba de debajo del patio, como todas las tumbas de Jerusalén en las que se llevaban a cabo enterramientos secundarios, no databa de hace centenares de años, sino de hace miles de años. Como Alicia atravesando el espejo, estábamos accediendo a otro tiempo. Supongo que los exploradores del espacio exterior o de las profundidades de los océanos habrán sentido algo similar al salir de repente de una realidad para acceder a otra. En el monitor, vi el borde de la tubería y la cavidad inferior. A duras penas logré contenerme. Estábamos dentro.

Ajustamos el foco de la cámara y la luminosidad, y el robot permanecía suspendido en la cavidad de debajo del patio. Estaba buscando el galón, la V o Y invertida con el círculo en medio. Parecía tener sentido. Si estaban tratando de dar acceso libre a las almas, la tubería solo podía haberse situado fuera de la tumba, junto a la entrada. No podía haber estado ubicada en los laterales ni en la parte posterior de la tumba. Mientras mirábamos las imágenes, estaba estupefacto. Vi un hastial y busqué un galón. Pero entonces vi *kojim* (nichos funerarios). «¿Qué hace esto fuera de la tumba?», me pregunté. Entonces vi osarios. No estábamos fuera de la tumba, nuestra cámara estaba en su interior. Estábamos filmando lo que nadie había filmado, una tumba del Jerusalén del siglo I, una tumba de la época de Jesús en estado impecable. Era increíble explorarla, manipulando el robot por control remoto. Todo el mundo estaba eufórico hasta que me volví hacia mis jubilosos amigos y dije:

—Tengo una noticia buena y otra mala.

—¿Qué mala noticia puede haber? —preguntó Felix—. O sea, la tenemos, ¡hemos localizado la tumba!

—La buena noticia —anuncié— es que estamos dentro de esta tumba y no fuera como esperaba. Además… tenemos las únicas secuencias filmadas jamás en una tumba sin excavar de Jerusalén del tiempo de Jesús.

—Entonces, ¿cuál es la mala noticia? —preguntó Itay.

—La mala noticia es que nuestra tumba (la tumba de la que salieron los osarios de Jesús, María y los demás) debería estar vacía. Los osarios, al fin y al cabo, están en la IAA. Estamos en la tumba equivocada.

El júbilo inicial fue seguido ahora por un silencio de estupefacción.

—Entonces, ¿qué diablos hay debajo de este patio? —inquirió Felix.

—No tengo ni idea —murmuré, dividido entre la profunda decepción y el entusiasmo de descubrir algo nuevo.

—¿No lo entiendes? —intervino Itay—. Estamos en la segunda tumba. Pensábamos que la segunda tumba estaba al norte de esta, pero en realidad la tumba que nos interesa está al sur.

—Itay tiene razón —convine—. La razón de que no encontráramos una tumba veinte metros más al norte es que esta es esa tumba. La nuestra debe de estar veinte metros al sur.

Felix buscó en su carpeta de investigación:

—El informe de la IAA afirma que la segunda tumba se halló cuando los constructores metieron una perforadora de tubos a través del techo. Nuestro respiradero *nefesh* debe de ir a través de ese pilar y emerger en el interior del enterramiento. Mira esto —continuó con excitación—. Según Kloner, no excavaron la segunda tumba porque el techo era inestable y temían que se derrumbara.

—Puede que en ese momento Kloner quisiera marear la perdiz —aventuré—. No quería mencionar el osario del niño ni los estudiantes de la *yeshivá*.

—Según el informe interno de la IAA —continuó Felix—, hay al menos tres inscripciones griegas en los osarios de debajo de nuestro patio, pero Kloner no pudo descifrarlas de manera apresurada.

Mi cabeza daba vueltas. Estábamos en la tumba equivocada. Pero nos hallábamos en el interior de la tumba que habíamos localizado. Había inscripciones, pero ninguna de ellas se descifró. ¿Y si de algún modo estaban relacionadas con nuestra historia? ¿Y si había apóstoles u otros miembros de la familia sepultados allí? Al fin y al cabo, las familias se enterraban por grupos. Algunos de los osarios estaban ornamentados y muy bien tallados. La gente enterrada en esa tumba era importante. Y allí estaba la «cara».

—¿Lo ves? —preguntó Felix.

Todos lo vimos, pero nadie quiso mencionarlo. En uno de los osarios, aquel en cuyo lateral se mostraba una elaborada roseta, la pátina parecía sugerir el rostro de un hombre con barba que nos miraba directamente.

—Es la pátina —sentencié—. Es como mirar nubes, siempre encuentras un modelo que parece algo.

—Sí, pero yo no estaba buscando, y tú tampoco. Pátina o no pátina, me pone los pelos de punta —dijo Felix—. Por supuesto que hay explicaciones racionales —continuó—, pero la cuestión es que todos lo vemos, y todos estamos viendo el mismo hombre barbudo.

—Es solo un borrón en la pátina —apunté, creyendo a medias mis propias palabras.

Pasamos casi media hora explorando la tumba con nuestra cámara robotizada. El plano que Kloner había realizado veintiséis años atrás se había trazado con premura y, como resultado, estaba fundamentalmente equivocado. Faltaban *kojim*, por ejemplo. Le telefoneamos y le dijimos lo que teníamos. Se entusiasmó y prometió no divulgar nada si accedíamos a mostrarle nuestra filmación. Después, proyectamos las cintas para él en la terraza del Begin Center, con vistas a la Ciudad Vieja de Jerusalén. Hay un gran restaurante llamado White Nights. Entre platos, Kloner miró las secuencias en un pequeño monitor. Su rostro se encendió de gozo al ver las primeras imágenes en movimiento de una tumba sin excavar del Jerusalén del siglo I.

Por supuesto, había montones de preguntas importantes que era necesario responder con respecto a la segunda tumba, pero por el momento las dejamos de lado. Cuatro edificios, un jardín y un aparcamiento rodeaban el enterramiento a la que habíamos accedido con nuestras cámaras. En algún lugar estaba la tumba que pretendíamos descubrir, la que llamábamos la tumba familiar de Jesús. Pasamos la mitad de la noche con Basson y su aspiradora sónica, tratando de localizar una cavidad bajo el suelo, desplegándonos en círculos cada vez más amplios desde el patio de la tumba. No encontramos nada. Accedimos a todas las alcantarillas y metimos cámaras robotizadas por todas las aberturas del jardín sur del patio. Esperaba que la tumba no estuviera debajo del aparcamiento. Si estaba allí, nunca conseguiríamos acceder a ella. Ahora solo sería una cavidad rellena de hormigón.

Los chicos querían volver al hotel, mientras que yo estaba decidido a dar con la tumba esa misma noche. El caso es que, saltando de jardín a jardín, debí de acercarme mucho a una ventana, porque de repente me vi enfrentado a un marido armado con un cuchillo de cocina y convencido de que yo era un mirón que espiaba a su mujer. Mientras el hombre blandía el arma, yo traté de convencerle de que los únicos huesos que me interesaban habían pasado miles de años bajo tierra. Supongo que debió de pensar que la historia era demasiado estrambótica para ser mentira, porque bajó el cuchillo, murmurando algo acerca de lo que me haría con él si volvía a acercarme a su ventana. Decidí que era hora de irme a dormir y nos encaminamos hacia el hotel. La búsqueda de la tumba familiar de Jesús tendría que esperar.

Viernes, 16 de septiembre de 2005
De: Simcha Jacobovici
Para: Jim C.
CC: Charlie P. y James T.

Hola a todos. Una rápida puesta al día desde la línea del frente de la caza de tumbas. Resulta que hay dos tumbas en la zona, a cincuenta metros una de otra. Podrían estar relacionadas.

Tenemos nuestras cámaras robotizadas dentro. No puedo exagerar lo importante que es. Por acuerdo con las autoridades religiosas, los arqueólogos israelíes no están autorizados a excavar tumbas. Solo pueden dedicarse a hacer arqueología de rescate después de que entren saqueadores en una tumba o si esta es descubierta por accidentes de la construcción. La consecuencia es que nadie —repito, nadie— ha filmado nunca una tumba del siglo I en Israel en estado casi impecable. Osarios in situ... en una tumba de

Jerusalén que data de los tiempos de Jesús. Pero no es nuestra tumba.

Ah, sí, ¿he mencionado que durante la filmación encajamos nuestro robot en la tumba y que todavía estamos intentando recuperarlo?

Hoy finalmente, colina abajo, hemos hecho algunas pruebas de penetración con radar en el suelo de los parques y senderos, y creo que hemos localizado la zona de la segunda tumba. La tumba. El domingo por la mañana lo investigaremos.

Os mantendremos al corriente. Que vaya bien,

SIMCHA

Al día siguiente volvimos otra vez a los apartamentos de Talpiot. Ya no estábamos bajo el toldo del patio, sino corriendo a la vista de los residentes, y Basson abría camino empujando el equipo del sónar. Enseguida nos convertimos en la comidilla de la manzana. En Israel, todo el mundo tiene sentido de la propiedad, así que tuve que dar explicaciones de nuestra presencia al menos a veinte personas distintas en el transcurso de unas horas. Más o menos esquivaba las preguntas bromeando con que estaba buscando la tumba de Jesús. Cuando tenía suerte, esta afirmación hacía que los cotillas se fueran; cuando no la tenía, se quedaban un rato tratando de averiguar qué estaba buscando realmente.

Entretanto, Itay había localizado a uno de los capataces del edificio, el ingeniero Efraim Shochat. Estaba ya jubilado. Dijo que era un judío religioso y que por eso, a diferencia de la mayoría de los constructores, siempre respetaba a los muertos y se aseguraba de que las cámaras mortuorias que descubrían sus excavadoras no fueran destruidas. También aseguraba que sus obreros nunca arrojaban huesos en los escombros sin más ceremonias.

Shochat recordaba ambas tumbas. Le dijimos que habíamos

197

localizado una de ellas debajo de un patio. Se rió, recordando que no podía evitar esa localización para el patio porque todos los pilares del edificio ya se habían levantado antes de que atravesaran el techo de la segunda tumba.

—La primera tumba no está debajo de los edificios —anunció—. Construimos lejos de ella.

—¿Puede estar debajo del aparcamiento? —pregunté.

—No —respondió—, el aparcamiento tiene una cisterna debajo… un lugar de almacenamiento de agua en tiempos antiguos. Es enorme —continuó—. La descubrí porque no parábamos de verter cemento allí y seguía desapareciendo, así que investigué. Resultó que nuestro cemento fluía a esa enorme cueva subterránea o cisterna, mucho más grande que una tumba. Finalmente la llenamos. —Se rió.

—¿Vertieron cemento en la primera tumba? —pregunté, conteniendo el aliento.

—Oh, no. La tumba que está buscando probablemente se halla debajo de una de las terrazas que construimos para salvar la pendiente —respondió Shochat, para mi alivio.

Shochat tuvo que bajar a la calle para orientarse.

—Tenga en cuenta que las cosas parecían diferentes entonces —advirtió—, y yo era mucho más joven.

Mientras íbamos hacia la calle, se detuvo junto a los edificios y señaló su trabajo.

—Muchos constructores escatiman la calidad, se embolsan el dinero y fastidian a los inquilinos finales. Yo no —confesó con orgullo—. Mire estas escaleras, mire esas juntas, mire el suelo de las entradas. Mármol de verdad.

Por mi parte, mientras reconocía respetuosamente el trabajo de Shochat, hacía lo posible para que bajara a la calle. Las horas iban pasando. Basson no había encontrado nada. La gente pronto volvería de trabajar y me toparía con un aluvión de preguntas.

Shochat se orientó entre dos edificios y señaló en línea recta.

—Allí —señaló, apuntando con el dedo al primer nivel de la colina—. Debería estar allí.

Yo subí corriendo por la escalera hacia donde Shochat estaba señalando, pero nada me llamó inmediatamente la atención. Había una losa de cemento bastante grande, de metro y medio por metro y medio en el jardín, pero el ingeniero no creía que significara nada. Por su parte, Basson no obtuvo lectura bajo la losa de cemento.

—Probablemente hay metal —concluyó.

En este punto, Shochat estaba especulando con que la tumba debería de estar al otro lado del pequeño jardín en el que se hallaba la losa de cemento, detrás de la tierra que se usó para formar terrazas en la colina.

—Si la tumba está allí —dijo Sarael, un constructor primo de Itay que estaba anticipándose a un posible gran avance—, entonces tienen problemas.

—¿Por qué? —pregunté.

—Bueno, no pueden abrirse camino en la terraza con la excavadora. Necesitará reforzarlo, o las cosas empezarán a caer. —Se rió—. Puede hacerse, pero es un trabajo complicado. No es lo mismo que romper la pared de un dormitorio para entrar en una tumba como en el plan original.

Basson ahora estaba moviendo su aspiradora sónica por la terraza, yo estaba trepando de una terraza a otra, y Shochat gesticulaba con los brazos como un conductor medio loco, haciéndonos mover de un sitio a otro. Sarael se lo estaba pasando en grande. Itay estaba abochornado y los vecinos empezaban a congregarse: niños que volvían de la escuela, gente mayor sin ningún lugar adonde ir, inmigrantes rusos, algunos sirios e incluso uno o dos rumanos. La escena de carnaval en la zona ajardinada entre los edificios culminó con la llegada de una mujer ciega, que puso la mano sobre la losa de cemento y anunció:

—La tumba está aquí. Aquí debajo. Lo que están buscando está aquí.

Bajé desde la terraza superior.

—¿Cómo puede estar tan segura? —pregunté.

—Vivo aquí desde el principio —me informó ella—. Los arqueólogos dejaron la tumba abierta. Y los niños entraban y salían cuando jugaban. Creo que la gente temía que algún niño pudiera hacerse daño, y pusieron esta losa encima. Pero está aquí. No hay ninguna duda.

—¿Qué hacemos? —preguntó Félix.

—Sarael —dije—, haz un agujero de medio centímetro en el cemento. Bill, mete una de tus cámaras dentro y veamos si la señora tiene razón.

Sarael ordenó a Anwar, uno de los dos obreros que le acompañaban, que empezara a hacer un agujero.

—Esto es un yacimiento arqueológico —observó Itay—. Puede que necesitemos permiso de la IAA para entrar. Además, estamos en una propiedad privada. Esto no es el patio de Yossi. No hemos firmado con nadie ningún contrato que nos autorice a entrar. No puedes empezar a machacar propiedad privada.

—Paso a paso —lo tranquilicé—. Según la ley de antigüedades de Israel, solo necesitas aprobación de la IAA si quieres entrar en un yacimiento activo o un lugar cerrado por la IAA. Hay muchas tumbas y cuevas vacías en varios parques nacionales. Los turistas entran y salen todos los días.

—Pero esto no es un yacimiento abierto —objetó Itay.

—Lo está por lo que respecta a la IAA —repliqué—. Ya has oído a la señora. Lo taparon los vecinos, no la IAA. Si acaso, los vecinos pueden tener problemas por haber cerrado lo que era un yacimiento abierto. Si lo abrimos podríamos estar ayudándolos —concluí.

—Deberías haber sido abogado. —Félix rió—. Pero ¿y si no quieren nuestra ayuda y lo consideran un propiedad privada? —preguntó.

Bill me llamó en ese momento.

—Ven aquí, Simcha.

Corrí hasta la losa de cemento. Bill estaba sentado en ella con una especie de lona por encima de la cabeza para taparse del sol. Yo me metí debajo del plástico y miré su minúsculo monitor. Tardé unos segundos en adaptar la vista, pero lo que finalmente vislumbré fueron unos escalones de hierro oxidado que llevaban a… algo. No podía asegurarlo, pero el aspecto era prometedor. Me saqué la lona de la cabeza. Bill retiró la cámara y Anwar procedió a cerrar el pequeño agujero.

—¿De quién es este jardín? —quise saber.

—No está claro —respondió—. Como verá, cae entre estos dos edificios. Yo estoy en la junta de la asociación de vecinos de ese edificio de allí. —Señaló al más lejano de los tres—. Tenemos que renovar esta zona —dijo—. Mire estos escalones.

—Han durado mucho tiempo —habló Shochat, volviendo de repente a la vida.

—Sí —dijo la mujer ciega—, pero hay que hacer cambios, y no está claro a quién pertenece este jardín. De hecho, el ayuntamiento dice que es municipal.

—¿A quién cree que pertenece? —pregunté.

—A nuestro edificio —contestó ella, sonriendo.

—Estoy de acuerdo con usted —aseveré—. Por favor, ¿puedo probar su teoría de que la tumba que estamos buscando está debajo de la losa de cemento?

—Claro —respondió.

—¿Me da su permiso? —insistí.

—Por supuesto —concedió, riendo.

—Muchachos —dije, volviéndome a mi equipo—, preparaos para rodar. Sarael, saca la losa de piedra.

Al tiempo que todo el mundo se ponía en acción, Amir, el técnico de sonido israelí, se inclinó sobre Itay y susurró:

—Vamos a ir todos a la cárcel.

—He oído eso —le advertí. Entonces añadí—: Para vuestra información, según la ley, si la IAA deja una tumba abierta, no se requiere su permiso para entrar en ella, y según esta señora aquí presente, el jardín pertenece a su edificio, y como miembro de pleno derecho de la asociación de propietarios, nos está dando su permiso para entrar. No estamos en situación de meternos en peleas de vecinos. Necesitamos permiso. Tenemos permiso. No estamos entrando sin autorización en propiedad ajena. Doctor Basson —murmuré—, quédese cerca.

Mientras Anwar empezó a hacer saltar el cemento con un martillo y un cincel, Felix se inclinó y me susurró.

—Buena idea. Si viene la poli, siempre va bien tener al menos a un tipo con título de «doctor» cerca.

No costó mucho romper el cemento del borde de lo que resultó ser una plancha de hierro cubierta con más cemento. Sin embargo, la plancha no se movía. Entonces nos fijamos en que la barandilla de hierro que rodeaba el pequeño jardín estaba soldada a la plancha en un par de puntos. Sacamos la sierra eléctrica y la plancha enseguida quedó separada de la barandilla. Sarael, Anwar y los otros obreros empezaron a empujar la enorme losa para crear una abertura para que pudiéramos mirar en el agujero que había abajo. Todos se unieron.

—Felix —anuncié—, estamos empujando una gran piedra, posiblemente de la boca de la tumba familiar de Jesús.

—Entendido —dijo, y seguimos empujando.

De repente, la plancha recubierta de cemento cedió y se deslizó unos pocos centímetros hacia el jardín. Miré en la cavidad e inmediatamente sentí un nudo en la garganta. Unos cuatro metros más abajo estaba la entrada de la tumba. Tallados justo encima estaban el galón y el círculo.

Cogí una linterna y bajé por los escalones de hierro que había visto con la cámara robotizada. De repente, me vi cara a cara con el objeto de mi búsqueda. Casi me abracé a la entrada: el enigmático símbolo que había custodiado el enterramiento durante dos mil años. Miré abajo. La entrada estaba prácticamente cubierta de escombros, de manera que tuve que deslizarme boca arriba hasta el interior de la tumba. Estaba completamente oscuro y el aire olía a humedad. No había entrado oxígeno en la cueva durante al menos treinta años. Me costaba respirar y empecé a toser. Desde arriba sopló una ráfaga de aire y traté de recuperar el aliento. A la luz de mi linterna vi partículas de polvo propulsadas en el aire. Pensé que estaba viendo visiones, pero me pareció que había letras hebreas girando en el haz de luz: una especie de danza de letras metafísica, cabalística.

Para entonces, Felix y John, el cámara, también habían descendido a la tumba. Paul, el ayudante, estaba operando las luces desde la entrada. Miramos a nuestro alrededor. No cabía duda de que estábamos en el lugar correcto. Seis *kojim*, dispuestos exactamente según el plano de Gibson. Había asimismo dos arcosolios que, si teníamos razón, habían acogido los cadáveres de la familia de Jesús mientras su carne se descomponía y los huesos se preparaban para la sepultura. Encima de uno de los arcosolios parecía haber una inscripción, aunque no podía asegurarlo. Todo estaba recubierto por una especie de tierra rojiza. Además, de repente, me di cuenta de que estábamos espantosamente cerca del techo, sentados en montañas de algo. «¿Qué hay aquí?», pensé. En una inspección más cercana, los *kojim* parecían llenos de cadáveres.

—¿Qué es eso? —susurró Felix.

—No lo sé —respondí en otro susurro.

Entonces vi un par de *tefilin* en el haz de luz de mi linterna.

Tefilin (filacterias) son las cajas de cuero que los judíos tradicionales llevan atadas al brazo izquierdo y a la frente cuando rezan por la mañana. Las cajas contienen fragmentos de escrituras. Lo hacemos en cumplimiento del mandamiento bíblico de atar la ley «a tu mente y a tu corazón». En el Libro del Éxodo, los *tefilin* son llamados *totafot*, probablemente una palabra de origen egipcio. Los ejemplos más antiguos se habían encontrado en Masada, cerca del mar Muerto, y databan de la caída del último bastión de resistencia judía a Roma, unos cuarenta años después de la Crucifixión.

—Felix, eso son *tefilin* —notifiqué.

—¿Antiguos? —preguntó.

—Modernos —respondí.

—¿Qué hacen aquí? —quiso saber.

Miré a mi alrededor y entonces lo entendí.

—Esto es una *guenizá* —proclamé.

Según la ley judía, una vez que están rotos no puedes tirar textos sagrados como libros de plegarias o Biblias. Han de ser enterrados como seres humanos. Una cámara sepulcral para textos sagrados se llama *guenizá* en hebreo. Las academias rabínicas tienen problemas para deshacerse de todos sus textos inservibles. En 1980, cuando se dieron cuenta de que la IAA había dejado una cámara de sepultura vacía, con la ayuda de residentes locales que temían que sus niños se hicieran daño en la tumba, los rabinos debieron de convertir la antigua cámara funeraria en una *guenizá*. Y la sellaron. Las letras hebreas que vi flotando en el aire eran los restos de textos sagrados, y los «cuerpos» en los *kojim* eran bolsas de lona llenas de textos sagrados en descomposición.

Fue entonces, reptando sobre pilas de textos modernos que se deshacían al contacto con mis dedos, cuando me di cuenta de que de algún modo me había agarrado a un deteriorado libro de Jonás. Era uno de los textos enterrados veintiséis años antes por la academia rabínica local en su recién formada *guenizá*. La ironía, que no se me escapó, era que Jesús, que hablaba en parábolas y códigos, les dijo a sus discípulos que la única «señal» que les pasaría a ellos en relación con su misión en la Tierra era «la señal del profeta Jonás». Los teólogos cristianos siempre han interpretado que esto significaba que, del mismo modo que Jonás pasó tres días en el vientre de la ballena, Jesús estaba profetizando que pasaría tres días en el vientre de la tumba antes de resucitar. Había estudiado el pasaje en Lucas porque creía que Jesucristo estaba siguiendo los pasos de Jonás cuando partió a la misteriosa «tierra de los gadarenos». Fue en ese aciago viaje a la tierra de los gadarenos cuando el Mesías, según los Evangelios, calmó la tempestad, y fue en la necrópolis de Gadara donde exorcizó los demonios de dos hombres y transfirió los demonios a un «hato de cerdos» (Mt 8, 24-27; Mc 4, 35-41; Lc 8, 22-25). Era un código. De manera harto extraña, había estado trabajando en ese código, en paralelo con la búsqueda de la tumba. Ahora me encontré gateando en la oscuridad por encima de media docena de Libros de Jonás en las entrañas de lo que posiblemente era la cámara mortuoria de Jesús.

Llamamos a Shimon Gibson y le pedimos que viniera inmediatamente a Talpiot.

—No está debajo del patio —fue todo cuanto dije.

Mientras estábamos filmando y esperando que Gibson volviera a la tumba que había ayudado a excavar tantos años atrás, se armó una buena trifulca encima de ella. Los vecinos de un edificio cercano habían llamado a la policía. Subí por los escalones oxidados y me encontré cara a cara con una turba airada que trataba de cortarnos el suministro eléctrico.

—¿Qué diablos están haciendo? —gritó uno.

—Filmando —respondí—. Y será mejor que no toque mi equipo —añadí.

—¿Me está amenazando? —preguntó el señor Desconecto el Cable (DC)—. He llamado a la policía. Voy a presentar cargos por allanamiento y daños en propiedad privada —me amenazó mientras tocaba torpemente los cables que proporcionaban la luz que teníamos en la tumba.

—A no ser que quiera añadir agresión a los cargos, le sugiero que deje nuestros cables —le advertí. Me estaba poniendo colorado y le quité los cables de las manos.

Se produjo una clásica confrontación de Oriente Próximo entre los vecinos y el equipo. Los vecinos, aunque retrocedieron y decidieron esperar a la policía, continuaron dirigiéndose a mí a gritos.

—¿Quién le ha dado permiso?

—Shoshana —respondí, señalando a la mujer ciega.

—Ella no tiene autoridad —exclamaron.

—No es mi problema —concluí cuando llegó la policía.

Al mismo tiempo, inquilinos del edificio de Shoshana llegaron para apoyarnos. Los policías incluso pidieron refuerzos. Se habían presentado para lo que parecía una disputa normal de vecinos que se había complicado y descubrieron una tumba antigua, un equipo de televisión y varias docenas de vecinos a punto de llegar a las manos para dirimir quién era el propietario de aquello.

—Empecemos por el principio —habló el agente al mando en jerga policial—. ¿Quién ha llamado a la policía?

—Yo —dijo el señor DC, el airado propietario a quien había amenazado de agresión si no dejaba mis cables.

DC procedió entonces a explicar que yo era el origen de todos los problemas, porque estaba entrando sin permiso y dañando su propiedad privada.

—¿Quién es usted? —El policía se volvió hacia mí.

—Represento a varias cadenas extranjeras —expuse— y trabajo con este científico —continué, empujando al pobre Basson al centro de la acción.

—No lo olvides, siempre es bueno tener a un doctor cerca —susurró Felix a Itay.

Hubo una hora de gritos por parte de todos los bandos. Finalmente, el policía dijo que si DC quería presentar cargos, estaba en su derecho, pero explicó que hacerlo conllevaría un largo proceso judicial. La resolución de DC se debilitó momentáneamente.

—Oiga —dije, aprovechando la ocasión—. Los terroristas suicidas merodean por Jerusalén, y aquí estamos gritándonos el uno al otro sin ninguna buena razón. ¿Y si hacemos esto? Les pido retroactivamente su permiso. Ustedes dicen que sí, pero ponen un precio; digamos que financiamos unos columpios infantiles aquí mismo, al lado de la tumba. Terminamos la filmación, dejamos la tumba cerrada como estaba y todos tan contentos.

DC estaba considerando la oferta cuando llegó su hijo. Este era amigo del de Basson y convenció a su padre de que aceptara. Enseguida éramos todos amigos. Se sirvieron refrescos, los policías miraron la película, nosotros habíamos firmado un contrato de exclusividad para acceder a la tumba y los niños estaban celebrando que tendrían un columpio.

Sin saber lo que había ocurrido, Gibson llegó al escenario de los hechos.

—Shimon —me dirigí a él—, mire. Hemos encontrado la tumba.

Miró hacia abajo y se mostró visiblemente conmovido. No solo se trataba de historia, sino que para él representaba un poco de historia personal, porque había hecho el plano de la tumba cuando estaba empezando en la arqueología.

—Quiero entrevistarle ahí —anuncié.

Gibson vaciló.

—Trabajo en el país —repuso—. Necesito permiso de la IAA.

—Era una tumba abierta —repliqué.

—Cierto. Y técnicamente tiene razón. Pero trabajo aquí y si me quiere ahí he de llamar y pedir permiso —exigió Gibson.

La IAA dijo que no había problema, y descendimos a la tumba. Gibson revivió sus experiencias en ese escenario y se fue.

Después de que Gibson se marchara, continuamos filmando y explorando. No sabíamos cuándo tendríamos otra oportunidad. El sol se puso y los vecinos se metieron en sus casas. Estaba tratando de obtener una buena toma de lo que me parecía una inscripción cuando de nuevo se produjo un alboroto arriba. Cuando volvimos a la superficie, me encontré cara a cara con una supervisora de distrito de la IAA.

—No tiene permiso para entrar en esta tumba —me notificó—. Haga el favor de cerrarla de inmediato.

Resultó que una empleada de la IAA vivía justo enfrente de la tumba. Veía a diario la losa de cemento desde la ventana de la cocina, aunque nunca supo que ocultaba un yacimiento arqueológico. Al vernos, decidió llamar a sus jefes. A la persona con quien ella habló, no le importó la policía, los propietarios o la representante de la IAA que dio permiso a Gibson para entrar en la tumba. Decidieron cerrarnos el grifo.

Por un lado, era triste. Por otro, habíamos terminado todo lo que habíamos ido a hacer. No encontramos una sino dos tumbas posiblemente relacionadas. Filmamos ambas. Las exploramos y dibujamos los planos, e incluso hicimos volver al arqueólogo que dibujó los primeros planos al lugar del hallazgo. Pero era demasiado tarde. Estábamos cansados. Y ya no teníamos ganas de presentar resistencia. Así que sacamos nuestro equipo de la tumba. Con chispas de soldadura volando en el aire nocturno, observamos que la losa volvía a colocarse en su lugar. Otra vez parecía un pequeño cuadrado de cemento en medio de un jardín de flores.

Después de que nuestros camiones estuvieron cargados, miré al patio desde el aparcamiento. El barrio se iba a dormir. A mis espaldas, en la distancia, estaba la Ciudad Vieja de Jerusalén, hacia delante, Belén, y debajo, bajo la losa de cemento, se hallaba lo que posiblemente era uno de los descubrimientos más importantes que se habían hecho nunca.

Domingo, 18 de septiembre de 2005
De: Simcha J.
Para: Charlie P.
CC: James Cameron y James Tabor

¡La encontramos! Aprovechamos una rara oportunidad, rompimos la cubierta y entramos. Se lo dijimos a Shimon. Vino. Pedimos permiso a la IAA. Nos lo dieron. Entonces aparecieron los vecinos. Se presentó la policía. Apareció todo el mundo. Al final llegó la IAA y cerramos la tumba. Pero fílmicamente tenemos todo lo que necesitábamos y más. Lástima que no estuvierais aquí, pero había que aprovechar la oportunidad. Os contaré más después. [...] Hicimos las paces con los residentes y firmaron una autorización para que accediéramos a la tumba. En cuanto a la IAA: han hecho una paz *de facto* con nosotros. Estoy exhausto. La tumba está cerrada otra vez.

Suerte,

SIMCHA

Domingo, 18 de septiembre de 2005
De: Charlie P.
Para: Simcha J.

Quiero hacerte infinidad de preguntas. A falta de una muestra de cieno, la secuencia de crecimiento de la pátina, preservada durante casi dos mil años, debería contarnos mucho acerca de la historia química (y bacteriana) de la tumba. Además, esta secuencia podría ser única en cada tumba. ¿Pudiste sacar una muestra de pátina de la piedra caliza de las paredes de la tumba, con pátina in situ en la roca? Una muestra del tamaño de una uña (o tres) es cuanto necesitaríamos. Por favor di que sí. Espero que puedas volver a entrar. A veces tengo la sensación de que sería más fácil acceder a la tumba si estuviera a cuatro mil metros de profundidad bajo el mar. Allí, por supuesto, estaríamos tratando principalmente con las leyes de la naturaleza. Prefiero las leyes de la naturaleza a la ley del hombre, y al comportamiento imprevisible del ser humano. Es mucho más fácil saber qué terreno pisas con la naturaleza. Espero que podamos volver a entrar. Solo necesitaré diez minutos. Hasta luego,

CHARLIE P.

Lunes, 24 de octubre de 2005
De: Simcha J.
Para: Charlie P.

Charlie:

No pudimos recoger muestras de cieno. Me temo que no ha sobrevivido nada de la capa de cieno original. Como mencioné, hay un metro de libros y rollos de plegarias modernos en toda la tumba. La han usado de *guenizá*: según la ley judía, un lugar de sepultura de libros sagrados dañados. Es poético. Pero perturba los análisis de cieno. [...] Arranqué un capa de pátina de la pared, una muestra de un centímetro de diámetro. La puse en un envase de plástico, y me lo guardé en mi bolsillo con cremallera de mis pantalones militares, para conservarlo a salvo. [...] Como probablemente sabes, la ropa no huele muy bien al salir de una tumba húmeda. Estaba exhausto y dejé todo en la cremallera de mis pantalones cuando volví a casa; y mi mujer los echó directamente a la lavadora mientras yo dormía. Fin de las muestras de pátina. Lo siento, pero volveremos a entrar en la tumba dentro de unas semanas. Ahora tengo una excelente relación con la comunidad de propietarios que casi me estrangularon el mes pasado. Entraremos juntos y harás los análisis que quieras.

Suerte,

SIMCHA

12

Charlie. Las voces del tiempo

En 1535, Carlos I de España, emperador del Sacro Imperio Romano, dirigió una flota combinada de buques españoles e italianos con destacamentos de artillería y caballería alemanes e italianos y destruyó la mayor parte de la flota árabe en el puerto de Túnez, antes de continuar para asaltar la fortaleza de la ciudad. En Jerusalén, el sultán Suleimán, al oír que Carlos I hablaba abiertamente de renovar las Cruzadas, encargó al arquitecto otomano Shinan bajá que rediseñara y fortificara las murallas de la ciudad, desde un punto de vista tanto defensivo como ofensivo, de acuerdo con los dictados de una guerra basada en la artillería y las pistolas. En el transcurso de los seis años que Carlos I necesitó para reforzar su control en el puerto de Túnez y ampliar su flota mediante una coalición internacional, la nueva muralla y sus torres defensivas rodearon completamente Jerusalén, con un aspecto muy similar al que tendrían las verjas y los muros para los visitantes del siglo XXI. La muralla que se construyó no se necesitó nunca en la guerra. En 1541, un rápida sucesión de borrascas invernales casi aniquiló la flota de Carlos V.

Registros de tributos del período de construcción de la muralla documentaban 557 cristianos ortodoxos griegos que vivían permanentemente intramuros de Jerusalén, junto con 216 miembros de la Iglesia armenia, 176 cristianos egipcios coptos, 92 miembros de la Iglesia siríaca y varios monjes franciscanos. El peregrino suizo Ludwig Tschudi anotó en sus diarios que los cristianos ortodoxos griegos hablaban árabe y vivían como musulmanes, y que los sacerdotes de la Iglesia, como los clérigos musulmanes, estaban autorizados a casarse y tener hijos.

Los ortodoxos griegos de Jerusalén se distinguían de las otras Iglesias cristianas en un detalle más: reverenciaban a María Magdalena casi tanto como a María, la madre de Jesús, y celebraban a santa Magdalena como «igual a los apóstoles».

Hoy hemos visitado el almacén de la IAA. Una tarde de silencio sobrecogedor, mezclado con catástrofe.

Este consistía en fila tras fila de osarios fechados y numerados: más de un millar de osarios apilados de suelo a techo. Los osarios de la IAA 80/500-509 estaban juntos en un rincón (salvo el de Judas, hijo de Jesús y el de María, que habían sido separados del resto y llevados al Museo de Israel). Estaban apilados en tres estantes. El de Mateo tenía roto uno de los bordes laterales. Recogí una muestra de pátina desprendida, que había preservado un corte transversal limpio de la matriz de piedra caliza, con la pátina de la tumba sobrepuesta a dicha matriz.

Al parecer, alguien había fregado y limpiado con una aspiradora el interior del osario de Mateo; porque en el fondo había únicamente unos pocos cientos de miligramos de materia orgánica suelta, o restos de algún tipo, para un futuro análisis de laboratorio.

El osario de Mariamne era diferente. El polvo de *terra rossa* se había convertido en parte de una capa de sedimentación mineral, de aproximadamente un milímetro de grosor (más grueso que una hoja de cartulina), que se había asentado en el interior del recipiente. La IAA había dejado la capa mineral más o menos intacta. Las bacterias, al acumularse junto con los minerales y fijarlos en su sitio, habían formado concreciones concéntricas y aplanadas, algunas de ellas semejantes a perlas en forma de crêpe. A través de una lupa manual, vi que las concreciones habían preservado fragmentos de fibra (¿sudario?), minúsculos fragmentos de lo que podría ser hueso y lo que en apariencia eran restos prácticamente microscópicos y parcialmente fosilizados de madera casi desintegrada.

El siguiente era el osario marcado con una cruz en forma de X junto a las palabras «Jesús, hijo de José». La capa de acreción en el fondo de la caja parecía contener mucho menos residuo orgánico que el lecho de acreción de Mariamne, y menos que los de los osarios vecinos. Sin embargo, había prueba de concreciones de «crep chafada», cada una de las cuales contendría, en su centro, una pequeña nuez de restos orgánicos fosilizados, y quizá una partícula de hueso o un fragmento de sudario manchado de sangre. Tomé una muestra.

Había tenido la esperanza de conseguir una muestra de la pátina de «Jesús» con piedra matriz, pero, a diferencia de los osarios de Mateo y Mariamne, no había fracturas limpias en el calavernario de Jesús con sus correspondientes astillas en el fondo de la caja. No podía simplemente arrancar una pizca. El guarda de la IAA dijo que si realmente necesitaba tomar una muestra para reconstruir con precisión la historia química de dos mil años de una tumba, debería hacerlo.

Pero no pude. Ningún miembro del personal de la IAA sabía lo que nosotros sabíamos. Ninguno de ellos sospechaba lo increíblemente importante que podía ser ese osario. No podía autorizarme a sacar de mi bolsa las herramientas para efectuar un pequeño corte en sección de la piedra. Incluso una muestra de dos milímetros era demasiado para que la cortara, por más que no hacerlo significara dejar atrás una importante pieza del puzle científico.

El mero hecho de pensar en partir el osario de Jesús se me antojaba un acto de vandalismo.

Al cabo de un par de horas, el osario proporcionó por sí mismo una muestra, durante un momento que fue lo más parecido a sostener el Santo Grial (y en cierto sentido el 80/503 era lo más próximo a eso) y verlo hecho añicos a continuación.

Esa misma tarde, un guarda y su ayudante estaban cargando el osario de Jesús en una caja de madera con el interior recubierto de espuma protectora. Todo el proceso estaba grabándose en alta definición cuando este —posiblemente la reliquia de valor más incalculable de toda la cristiandad— se partió en dos por su centro y, una fracción de segundo después, pareció implosionar.

En otras expediciones, he visto aplastarse y romperse equipos de filmación y sistemas de iluminación y robots submarinos valorados en cientos de miles de dólares; he visto grúas de barco ceder y levantar cubiertas enteras de plancha de acero, y estos sucesos siempre provocan una instantánea y aparentemente interminable cadena de maldiciones.

Eso era exactamente lo que cualquiera habría esperado esta vez, pero nadie dijo una sola palabra. Las cámaras grabaron largos segundos de sobrecogedor silencio durante los que todos parecían estar pensando: «¿Estamos viendo lo mismo? ¿De verdad puede ocurrir esto?». Se habían librado guerras enteras en Jerusalén y durante casi dos mil años ese objeto —«esa reliquia de valor incalculable»— había sobrevivido en perfecto estado.

Después de asumirlo por fin, no quedó nada más que una instintiva forma de humor negro.

Cuando finalmente me acerqué a los restos y me atreví a mirar, vi una astilla de piedra caliza, de unos dos centímetros de longitud —con un perfecto corte transversal a través de matriz y pátina— justo encima de la pila. Supe de inmediato que encajaría de manera precisa en las dimensiones de mi vial de muestras. Esta vez me guardé la muestra.

Más o menos en el mismo momento, el guarda había decidido que metería los fragmentos en una caja de madera, que cerraría esta con clavos y que se la llevaría con una carretilla elevadora para una posterior reparación. Simcha y yo insistimos en envolver con sumo cuidado cada fragmento, individualmente, en papel suave antes de que los metieran en la caja; y para entonces, por supuesto, estaba tratando de contener las lágrimas. La sala quedó de nuevo en silencio cuando Simcha descubrió que toda la inscripción «Jesús, hijo de José» había sobrevivido casi intacta, sin apenas un rasguño. Sentí un escalofrío cuando me señaló que el único daño que se había producido en la sección de piedra que exhibía la inscripción implicaba la separación del nombre de Jesús de la cruz.

Un poco extraño, sí. Pero no inexplicable. He revisado las secuencias anteriores a la rotura del osario de Jesús que yo mismo había filmado y que se remontaban a al menos dos horas antes de la implosión. La filmación revela una pequeña fisura en la piedra, que sigue un sendero por el borde del osario, entre la cruz y la palabra «Jesús». Me caben pocas dudas de que esa fisura era la falla por donde el osario empezó a partirse en dos. No hay misterio aquí.[1]

Otra cosa que no se ve todos los días. El miércoles, 14 de diciembre de 2005, entramos en la tumba.

La tapa de hierro y cemento fue desplazada de nuevo, y el aire, por supuesto, era muy enrarecido. Todas esas toneladas de libros en descomposición han sustituido el barro de *terra rossa*, prácticamente hasta la misma altura registrada en los dibujos originales de Shimon Gibson. El aire está cargado de productos de su descomposición, y en cuanto la cubierta fue retirada para permitirnos acceder, las partículas de polvo de papel parecieron salir expulsadas de la antecámara en ráfagas de aire recién expelido. Unas pocas motas anchas y planas destellaban como copos de nieve en los primeros rayos de

---

1. En el momento de escribir esto, el osario ha sido completamente restaurado por los expertos de la IAA.

luz solar y algo más se movía al fondo: arañas grandes como nueces. No muchas, pero las suficientes.

El gran símbolo de la antecámara era fácil de ver, pero pensé que había apreciado un símbolo más pequeño, debajo del amplio círculo. Originariamente podría haber sido un triángulo con un círculo del tamaño de un *donuts* en el centro. No estoy seguro.

Lluvias recientes se habían filtrado en el suelo y todo lo que había en el interior de la tumba estaba recubierto por una lámina de gotas de humedad; aun así flotaban por doquier minúsculos copos de papel, húmedos pero ultraligeros. Para mí, era una impresión de primera mano que me permitió formarme una idea de cómo tuvo que haber sido la tumba durante las estaciones húmedas de los pasados dos milenios, salvo que aquellos períodos estuvieron marcados por niveles bajos de oxígeno, como cuando Simcha rompió el cierre por primera vez en septiembre y sintió que se asfixiaba.

Entonces como ahora, flotaban los copos de papel, y por un momento Simcha había pensado que los bajos niveles de oxígeno le estaban causando alucinaciones y que tendrían que sacarlo de la antecámara con una soga. ¿Qué otra cosa iba a pensar al ver letras del alfabeto hebreo flotando súbitamente ante sus ojos? Para su repentino alivio, entendió que las letras eran reales.

En cuanto a mí, no había tiempo para un silencio de asombro, ni para que pensara que estaba tocando la historia. Antes de entrar, me habían dicho que los vecinos se estaban poniendo inquietos por la «intrusión» y que no debería extrañarnos que llegaran autoridades religiosas para dejarnos encerrados en cualquier momento.

Mi principal preocupación era simplemente permanecer dentro diez minutos, el tiempo suficiente para recoger mis muestras de pátina del muro de la tumba. Había memorizado, con los ojos cerrados, la localización de cada herramienta y contenedor dentro de mi bolsa y el uso de mis dos cámaras de vídeo (una de repuesto por si la primera no funcionaba) para grabar imágenes de contexto de cada muestra. Sin pruebas que verificaran si la pátina de las paredes relataba la misma historia química que la de los osarios de la tumba, no había forma de determinar si tumbas y osarios tenían huellas tan inequívocas como las dactilares. Mi corazonada era que las tenían, pero había que probarlo.

En un momento dado, estaba en el fondo del hueco que encerraba la antecámara —a solo instantes de deslizarme boca arriba a la tumba en sí— cuando una preocupación u otra me reclamaba en la superficie. Simcha estaba en la cámara central con el equipo de filmación y el fotógrafo Steve Quayle. El aire llegaba de manera intermitente a la zona roja y se necesitaba tiempo para que recirculara. Esto causó un retraso de casi una hora y una mala sensación de «fiebre de las prisas» apoderándose de mis pensamientos. La gente ya no tardaría en volver de trabajar y se congregarían más vecinos. Todo lo que hacía falta para que la operación fracasara antes de que pudiera recoger mis muestras era que dos o tres mirones empezaran a ponerse nerviosos. Diez minutos dentro: era lo único que necesitaba, lo único que quería.

A las cuatro de la tarde, el aire volvía a ser seguro; la filmación subterránea ya estaba casi terminada y yo estaba dentro.

A los dos minutos de mi llegada a la cámara central, oímos gritos ahogados en la superficie. Resultó que no tenían nada que ver con nosotros, pero, temiendo que nos hicieran salir en cualquier momento, enseguida me puse a recoger y documentar muestras.

Al cabo de diez minutos tenía todas mis muestras principales «en la mochila».

En ese momento, Simcha y Steve, que estaban preparando ángulos de iluminación detrás de mí, miraron a través de la cámara de la tumba hacia mí y preguntaron.

—Charlie, ¿qué diablos estás haciendo?

217

—Terminando con mis muestras —dije rápidamente, y continué con mi trabajo.

—Pero quería filmarte haciendo eso —replicó Simcha.

Sonaba tan desolado como lo habría estado yo si no hubiera tenido la oportunidad de entrar.

—Lo siento —me disculpé—. Pero no importa. No voy a quedarme sin muestras que tomar. No te preocupes. Hay más toma de muestras para filmar.

Pero yo ya estaba preocupado porque la pátina marrón oscuro de encima de las paredes y el techo —y el olor de bacterias y moho trabajando en el papel— había penetrado en todo y quizá la había reelaborado hasta su misma cepa. Shimon Gibson le había dicho a Simcha que cuando entró en la tumba en 1980 las paredes eran blancas como la tiza, y en algunos lugares, de color habano rojizo. Resultó que los microbios del aire simplemente se asentaban en la superficie exterior de la pátina y cuando esta se secaba su tono era habano rojizo.

Todavía estaba cavilando sobre la posibilidad de una pátina destruida que ya no coincidiría con los osarios de la tumba, y Simcha aún estaba preocupándose por perderse filmaciones de mi reacción sobre la primera y real recolección de muestras, cuando surgió un nuevo problema.

La propia piedra caliza estaba tan saturada de humedad que era apenas más sólida que la arcilla o el queso suizo. No fue necesario ningún martillo de roca, de hecho no fue necesario martillo de ningún tipo. Ni tampoco cinceles. La mayoría de mis muestras las corté de la pared y el arco del arcosolio del lado norte de la tumba. Solo hacía falta un cuchillo de plástico de untar mantequilla. Y ese era el problema.

Cuando la cámara de Simcha estuvo preparada, yo ya había advertido que el techo, en medio de la cámara central, no tenía el aspecto que debería tener. Las marcas de cincel en la roca eran tan viejas como Jesús, y aun así pese a todas las apariencias externas parecían completamente nuevas... hasta que apreté el cuchillo en el techo. La cuchilla se hundió sin apenas resistencia.

—Chicos, creo que hemos de movernos con más cuidado por aquí.

—¿Qué quieres decir? —preguntó Simcha.

Sondeé de nuevo con la hoja, más suavemente esta vez.

Steve dejó escapar un silbido grave.

—Entonces, ¿cuál es su diagnóstico, doctor?

—No lo sé —respondí con una pizca de ansiedad.

Como cabría prever en una tumba que llevaba los nombres de tantos santos y profetas, no todo era como aparentaba ser. Había algo inquietante acerca del techo, que simultáneamente estaba recién cincelado y tenía dos mil años, acerca de un lugar que parecía sólido como la roca pero era más blando que la mantequilla.

—Para ser sincero. No sé qué es lo que sostiene el techo —revelé—. Calculo que hay más de dos metros cúbicos de queso fundido encima de nuestras cabezas. ¿A cuántas toneladas crees que equivale?

—¿Es seguro movernos aquí abajo?

—No lo sé —confesé—. Calculo que el queso tiene un palmo de profundidad en el techo. Probablemente sobrevivirás (con unos pocos moretones) si se desprende un trozo de material blando y te cae en el hombro. No es tan malo como que se hunda todo o que te caiga encima un pedazo de roca sólido, pero creo que hemos de considerar este sitio como zona de «uso de casco obligatorio».

Divagando, supuse que la tumba se habría puesto igualmente húmeda y «quesosa» una o dos veces al año... un total de 3.900 veces en el curso de los últimos 1.935 años. Y aun así, el techo había sobrevivido sin que cayera ni un solo fragmento grande en una de las zonas con más actividad sísmica del planeta, con dinamita y martinetes trabajando en la colina desde 1980 hasta la fecha, y con una amplia carretera con tráfico de camiones a apenas cincuenta metros. Si se añade el habitual estruendo terrestre, el desprendimiento y movimiento de una losa de hierro y cemento, a corta distancia y...

—¿Y? —insistió Steve.

—Y está claro que no sabemos todo lo que hay que saber sobre esta caliza de Jerusalén. No puedo decirte qué es lo que ha mantenido este techo intacto en estas condiciones durante dos mil años, pero creo que si un par de toneladas de queso suizo realmente están esperando a darnos una paliza, más vale que tengamos nuestras pólizas de seguro en regla.

13

GATTACA. La historia del ADN

El siglo XVII ha llegado y pasado. El siglo XVIII ha llegado y pasado. La marcha de los ejércitos de conquista se reanudó y parecía destinada a no terminar jamás, mientras, bajo tierra, un proceso geológico silencioso estaba tendiendo un puente entre pasado y futuro. Si alguien hubiera observado el osario de Jesús con un microscopio suficientemente avanzado habría visto un pequeño bosque de cristales de apatita y cristal mineral, tan hermoso como cualquier paisaje microscópico de copos de nieve. Debajo del lecho de cristal —envuelto por él— yacían tiras de ropa, o sudario, «tejido» a partir de una especie de pulpa de papel sencilla. Impregnadas de ADN y mezcladas con fluidos corporales internos y astillas de hueso humano, la mayoría de las fibras habían soportado colonias de moho negro antes de que los cristales se desarrollaran e impidieran la disolución.

Los fragmentos de hueso de «Mariamne» y «Jesús» habían quedado envueltos en los núcleos de concreciones minerales, en el fondo de sus osarios. Los fragmentos más grandes no eran más anchos que las coronas de los dientes humanos.

IAA 80/503: «Jesús, hijo de José».
IAA 80/500: «[El osario] de Mariamne, también conocida como "Maestro"».

Si esos dos osarios realmente pertenecían a Jesús de Nazaret y María Magdalena, las pruebas de ADN revelarían que las dos personas enterradas allí no eran parientes. Todos los registros de las Escrituras —canónicas o apócrifas— eran claros en cuanto a una cuestión genealógica: Jesús de Nazaret y María Magdalena, si su ADN podía leerse, serían dos individuos sin vínculos familiares de sangre. Pero ¿cuáles eran las alternativas? La gente enterrada en la misma tumba familiar estaba relacionada por sangre o por matrimonio.

Thunder Bay, en la provincia canadiense de Ontario, no es un destino turístico.

En invierno la temperatura se desploma hasta los 35 grados bajo cero. Y aun así los estudiantes van a la Universidad de Lakehead, porque, aunque carece de las ventajas de climas más soleados, cuenta con uno de los mejores laboratorios de paleogenética del mundo.

Los laboratorios de paleogenética están especializados en obtener ADN de «restos humanos», que pasarían desapercibidos en cualquier otro centro de estudio de ADN. James Tabor es amigo del doctor Carney Matheson, que es uno de los directores del laboratorio de Lakehead. Carney es un australiano que cambió las playas de Sidney por los ventisqueros de Thunder Bay para disfrutar de la oportunidad de trabajar en el laboratorio de ADN de Lakehead.

Las muestras no estaban identificadas por nombre, sino por dos números: «80-500» y «80-503». Simcha y Tabor querían un resultado ciego de los expertos. Por esta razón, solo le dijeron al doctor Matheson que el lecho de acreción y los fragmentos de hueso procedían de una tumba antigua de Jerusalén. Por supuesto, esa no era la historia completa, pero era absolutamente cierto.

—Estamos intentando reconstruir las relaciones familiares de un linaje real —explicó Tabor.

Por su parte, Matheson estaba preparado para la tarea de tratar de extraer ADN de fragmentos de residuo antiguo sacados del fondo de los osarios. La idea era crear un perfil de ADN de ambos individuos, a fin de establecer cualquier posible relación familiar entre ellos. Las muestras fueron enviadas por *courier*, y todo el mundo aguardaba con ansia los resultados.

Los días se convirtieron en semanas y las semanas en meses antes de que Matheson, que no tiene teléfono móvil y rara vez comprueba el buzón de su correo electrónico, devolviera la llamada a Tabor. Habían extraído con éxito ADN. Simcha y Tabor le dieron una respuesta sin precedentes:

—No nos dé los resultados por teléfono. Iremos lo antes posible. Iremos con un equipo de filmación. Díganoslo entonces.

—¿De quién son estos huesos? —preguntó el doctor Matheson.

—Lo sabrá enseguida —anunció Simcha—. De hecho, si resulta que son de quienes creemos que son, lo sabrá en cuanto lo sepamos nosotros.

Paleogenética.

Así es como la historia empezó a acercarse a una conclusión.

—Las muestras que nos envió —empezó Matheson— eran coherentes con material óseo que tiene siglos. Esta gente era de la rama semítica.

En un intento de limitar la contaminación por parte de cualquiera que hubiera manejado o estornudado en las concreciones en tiempos modernos, las muestras tenían que quebrarse en un laboratorio, con la esperanza de hallar material relativamente impoluto debajo de la superficie de cada fragmento.

—Pero cuando examinamos por primera vez nuestros ejemplos —continuó el director del laboratorio—, no tenían muy buen aspecto: muy secos. Muy desecados. Muy pequeños y muy fragmentados.

»Y por esa razón sabíamos que iba a resultarnos muy difícil llevar a cabo los análisis —prosiguió.

Explicó que abrieron los huesos en una «sala esterilizada», donde los técnicos trabajaban con «trajes espaciales». Extrajeron muestras «frescas» y empezaron a procesarlas, tratando —en cada fase— de valorar y entender la calidad del ADN. En este caso en particular, explicó Matheson, y de manera que evidenciaba su auténtica antigüedad, las muestras de ADN resultaron estar muy degradadas (lo cual, por supuesto, es la antítesis de lo que nos encontraríamos en una contaminación moderna por estornudo).

Degradado y fragmentado. Tabor miró a Matheson con expresión que inquiría «¿Cómo de malo es esto?».

—Bueno —dijo el científico—, el daño causado al ADN, a lo largo del tiempo, limita el tipo de trabajo que podemos hacer.

—Estaba la cuestión de si las muestras contenían o no suficiente material para crear un perfil significativo —intervino Simcha.

—Bueno, creo que ahora podemos responder a eso —informó Matheson—. Verá, como estamos especializados en ADN antiguo, tenemos equipo y métodos que son realmente sensibles, muy específicos para ADN dañado, como el material de su tumba.

Explicó entonces que tras su extracción, el ADN nucleico de los huesos —el más amplio borrador genético copiado en el núcleo de cada célula— se había revelado extremadamente difícil de recuperar. Imposible, de hecho, con la tecnología de 2006.

—No obstante —hizo saber Matheson—, no nos rendimos. Lo que hicimos fue concentrarnos en el ADN mitocondrial; que es, por supuesto, el ADN heredado maternalmente, de madre a hijo. Esto significa que podemos identificar relaciones maternales. Es decir, solo podemos responder a preguntas como: «Estos dos individuos (un varón y una hembra) ¿eran madre e hijo? ¿Eran hermano y hermana? ¿O eran dos individuos no relacionados?». —Carney se quedó callado.

Al cabo de un momento, Tabor rompió el silencio.

—¿Y bien?

—Extrajimos ADN mitocondrial con éxito –anunció el doctor con una sonrisa.

En el curso de los siglos, la entrada periódica de agua iba a ser hostil con los cromosomas. Aun así, en las muestras de los dos osarios, orgánelos semejantes a bacterias llamadas mitocondrias habían sobrevivido relativamente intactos. Protegidos por sus propias membranas similares a las de las bacterias, las mitocondrias de hecho viven en el interior de todos los animales, igual que las bacterias, que evidentemente se habían infiltrado en los más remotos antepasados de todos nosotros y habían logrado permanecer a bordo. Reconstruir el genoma completo de Jesús parecía estar más allá del alcance humano. En las mitocondrias, en cambio, la naturaleza había preservado la información suficiente. La justa...

El ADN mitocondrial de cada raza de la Tierra ha sido transmitido solo por las mujeres, empezando hace unos cien mil años con una pequeña tribu de África, pasando después a través de una rama afroasiática de linajes en torno a 76.000 a. C y luego a través de una rama euroasiática unos veinte mil años más tarde. Ciertas zonas rápidamente cambiantes en el genoma mitocondrial han registrado todos los ramales de linajes a través de todas las generaciones y todas las razas, tribus y familias, empezando con la tribu de una mujer de África (conocida por la ciencia como la Eva mitocondrial).

Mediante tales cambios ha sido posible establecer una especie de «reloj mitocondrial» y observar cómo, por ejemplo, los miembros de las tribus griega y semítica engendraron un linaje que se ramificó para convertirse en germanos y britanos.

En 1980, un joven Shimon Gibson ni siquiera imaginaba o soñaba con que oiría palabras como «extrajimos ADN mitocondrial con éxito», y mucho menos con que se pronunciarían en relación con el «Jesús» y la «Mariamne» de su tumba. Desde una perspectiva de 1980, solo un escritor de ciencia ficción habría podido imaginar lo que gente como Carney Matheson podría lograr como parte de su rutina laboral cotidiana.

—Así que obtuvimos el ADN mitocondrial —continuó el científico australiano—. Ahora bien, como estaba muy fragmentado, las cantidades de que estoy hablando eran muy pequeñas. Pero conseguimos amplificarlas y logramos secuenciarlo. Entonces procedimos a clonar esos fragmentos secuenciados de ADN. Y al hacerlo logramos comparar muchas, muchas copias, lo cual incrementaba la validez del trabajo cuando tratamos de comparar secuencias de un individuo con secuencias de otro. Eso es fundamentalmente lo que hemos hecho, y puedo mostrarles los resultados aquí y ahora.

Simcha y Tabor contuvieron la respiración. Un resultado positivo significaría que esta Mariamne y este Jesús eran, pongamos, hermano y hermana, y que esta Mariamne no podría ser María Magdalena, la hermana del apóstol Felipe. En tal caso, el Jesús de la IAA 80/503 y la Mariamne de la IAA 80/500 no podían ser lo que aparentaban ser. La «ecuación de Jesús» quedaría invalidada de manera instantánea, y todo el conjunto de inscripciones de la tumba se derrumbaría.

—Estoy preparado para oír los resultados —anunció Tabor, inspirando hondo.

—Muy bien —dijo Matheson—. Aquí está.

Puso dos gráficos en un monitor de ordenador, uno encima de otro.

80-503; marcador 140: CTACCC...
80-500; marcador 140: ACCTAG...

Cada uno de ellos parecía un electrocardiograma, salvo que en lugar de representar un latido, cada pico del gráfico simbolizaba la señal de una base determinada de ácido nucleico: adenina (A), citosina (C), guanina (G) y tiamina (T). La información genética se almacena en la molécula de ADN como un código lineal hecho de A, C, G y T, en cierto modo análogo al código binario utilizado en el *software* informático del siglo XXI, pero solo «en cierto modo», porque el código cuaternario del genoma ofrece una variación infinitamente mayor (y más elegante) que la que puede proporcionar el código binario.

Matheson señaló de manera alternativa los marcadores 120, mostrados en los dos gráficos paralelos.

—Lo que tenemos aquí —expuso— son algunas de las variaciones entre los dos individuos. Veamos, el de encima es el que conozco como 80-503 y el de abajo el que conozco como 80-500.

80-503; marcador 120: CCAGTAGGAT: «Jesús, hijo de José».

80-500; marcador 120: ACCCACTAGG: «Mariamne, también conocida como Maestro».

—Dicho sencillamente —prosiguió el paleogenetista—, aquí tenemos un «polimorfismo» aquí, es decir, una variación genética, empezando con esta C y esta A, en las cuales vemos una clara desigualdad. Estamos viendo una variación entre dos individuos, en el mismo marcador y en la misma secuencia del gen. Y este polimorfismo muestra solo una diferencia entre estas dos personas. Hay otras, incluido este ejemplo en el marcador 130.

80-503; marcador 130: ATCAACAAAC: Jesús
80-500; marcador 130: ATACCAACAA: Mariamne

—Así pues —continuó— cuando vemos diversos polimorfismos entre dos secuencias, podemos concluir que estos dos individuos no estaban relacionados, o, al menos, no estaban relacionados por vía materna.

Simcha y Tabor estaban sonriendo ampliamente, aunque el doctor Matheson todavía no sabía por qué.

—Y —intervino Simcha— ¿esto significa…?

—Que este hombre y esta mujer no compartían la misma madre —anunció Matheson de manera rápida y concluyente—. No pueden ser madre e hijo. No pueden ser, por vía materna, hermano y hermana. Y por tanto, en cuanto a estas muestras en particular, como proceden de la misma tumba (y sospechamos que se trata de una tumba familiar), estos dos individuos, si no estaban emparentados, probablemente eran marido y mujer.

La mujer conocida por todos los lectores de la Biblia como María Magdalena era, según los Evangelios gnósticos, «la compañera de Jesús». En estos textos, como en los Evangelios sancionados por la Iglesia, es a Magdalena a quien Jesús se presenta por primera vez después de la Resurrección. De hecho, en el Evangelio gnóstico de María Magdalena, es a ella a quien Jesús se aparece un año y medio después de la Crucifixión, y a quien confía su revelación final del mundo venidero. María Magdalena se identifica asimismo en el Evangelio de María como la mujer a la que «el Salvador amaba más que al resto de las mujeres. […] Seguramente el Salvador la conocía muy bien».

En el mundo bíblico *conocer* tenía un significado especial y muy íntimo: «Conoció Adán a su mujer Eva, la cual concibió y dio a luz a Caín» o «Y conoció Caín a su mujer, la cual concibió y dio a luz a Enoc» (Gén 4, 1,17).

¿Jesús de Nazaret y María Magdalena?

A Carney Matheson el resto de la historia le parecía imposible cuando se la contaron.

228

Imposible. Sin embargo, los detalles extraídos de la tumba hasta el momento se habían resistido tercamente a negar la conclusión, y de hecho estábamos añadiendo un factor positivo tras otro en apoyo de esta. Habían empezado a leer el ADN de Jesús y María Magdalena. Inimaginable. Pero allí estaba.

El ADN mitocondrial de Jesús parecía típico de las tribus semíticas que habían habitado la región del valle del Jordán en tiempos de Pilato y Herodes. Había trazas de genoma de lugares tan remotos como Grecia y la India, pero las mitocondrias reflejaban sobre todo lo que hoy podría llamarse un antepasado semítico, con todos los caminos de la herencia orientados al sur, hacia África.

Nadie podía decir todavía de manera exacta qué aspecto tendrían Jesús y María Magdalena, pero Matheson estaba bastante seguro de que tenían pelo y ojos oscuros. De hecho, el cabello de Jesús probablemente era rizado, incluso lo que podría calificarse de «ensortijado». En cualquier caso, Jesús probablemente no se parecía al hombre de piel clara, pelo liso y ojos azules mostrado en casi todas las iglesias del mundo desde el tiempo de los pintores renacentistas.

En el mundo había pocas cosas que Simcha quisiera más que tener una muestra de ADN de «Judas, hijo de Jesús». Desgraciadamente, a pesar de repetidos esfuerzos, su camino a una muestra de la IAA 80/501 parecía irreversiblemente bloqueado. Nadie estaba siendo demasiado claro con él acerca de lo que había ocurrido con el material óseo. Según una versión, el lecho de acreción se había vaciado del osario de Judas durante el proceso de limpieza para la exposición en un museo de una colección de osarios con nombres típicos del Nuevo Testamento. Según otra versión, en un futuro podría resultar posible trabajar con ADN si se frotaban manchas de las paredes de los osarios.

No parecía importar. Como contaban las inscripciones en el osario, si Jesús era el hijo de José, y si el joven Judas era hijo de Jesús, entonces, por supuesto (si las mitocondrias de Jesús y Mariamne

229

son guías fidedignas adecuadas), la madre del joven Judas y la mujer de Jesús no podrían haber sido otra persona que Mariamne... «también conocida como Maestro»... también conocida como María Magdalena.

Si estas ideas eran correctas, solo eran el crepúsculo antes del amanecer, simplemente un camino a esa *terra rossa* que había dejado su firma geoquímica en las paredes de la tumba y dentro de cada osario, proporcionando pistas que todavía podían resolver un misterio más fantástico del que ningún escritor de ficción podía imaginar.

14

Charlie. Un Jesús de laboratorio criminalístico

1 de enero de 2006
De: Simcha J.
Para: Charlie P.
CC: Jim Cameron, James Tabor, Shimon Gibson

Hola, Charlie:

Tal como están las cosas, tenemos una tumba de procedencia; osarios hallados in situ; inscripciones que coinciden con la narrativa del Nuevo Testamento, a saber: «Jesús, hijo de José», «María», «Jos'e», «Mariamne, alias "el Maestro"», y ahora el ADN.

Pero también tenemos un «osario desaparecido» de la tumba de Talpiot. El misterioso osario «Jacobo, hijo de José, hermano de Jesús» aparece de repente en el mercado de antigüedades al mismo tiempo que desaparece el otro osario.

James Tabor comprobó las dimensiones del osario de Jacobo en el libro de Shanks y prácticamente coinciden con las del osario desaparecido, tal y como lo catalogó la IAA.

Si podemos demostrar que el osario de Jacobo es el «osario desaparecido» de Talpiot, el caso de que la tumba de Talpiot es la tumba familiar de Jesús estaría cerrado.

A tal efecto… ¿cómo van las pruebas de pátina? ¿Habéis «tomado las huellas» a los osarios de Talpiot? ¿Coinciden con el de

Jacobo? ¿Todos los osarios coinciden desde el punto de vista de la pátina? He de saberlo lo antes posible.

SIMCHA

Mi hipótesis acerca de las huellas de pátina se basa en el hecho de que la matriz de cada tipo de suelo y roca posee su propio espectro particular de magnesio, titanio y trazas de otros elementos.

En teoría, la pátina que se forma en el interior de una tumba o en las superficies de sus objetos debería desarrollar su propia firma químicamente distintiva, en función de una constelación de condiciones variables, entre ellas los minerales y poblaciones de bacterias presentes en una localización específica, así como las cantidades de agua que fluye a través de esa «constelación» específica.

Si existe semejante «huella dactilar», examinar las muestras de pátina a nivel cuántico con una microsonda electrónica revelaría un espectro químico que podría compararse con una tumba específica y con cualquier objeto salido de ella.

En Israel, los geoquímicos Amnon Rosenfeld y Shimon Ilani ya habían llevado a cabo un análisis de microsonda electrónica sobre una muestra de pátina del osario de Jacobo. A petición de Simcha, me enviaron sus resultados, junto con la muestra microscópica correspondiente. Vincent Vertolli, conservador del Museo Real de Ontario en Toronto, donde se había llevado a cabo otra prueba con microscopio electrónico, entregó una segunda muestra de Jacobo.

Si las muestras que tomé de las paredes de la tumba de Talpiot y de sus osarios mostraban todas ellas un espectro elemental coincidente, compararíamos esas imágenes con las obtenidas del osario de Jacobo y buscaríamos una coincidencia. Si se producía un resultado positivo tendríamos que asegurarnos —cotejándolo con muestras aleatorias— de que este era significativo. Si, en cambio, las mediciones de los espectros de las paredes y los osarios de la tumba de Talpiot variaban en gran medida entre sí, eso significaría que no era posible establecer una huella dactilar de pátina. Significaría que los distintos hábitats localizados en el interior de la misma tumba producían su propia pátina química individual, con niveles de variación tan grandes que la idea de distinguir una tumba completa de otra resultaría imposible.

De: Charlie P.
Para: Simcha J.
CC: Jim C.
27 de enero de 2006

Queridos, Simcha, Jim:

Estamos preparados para empezar con las muestras de pátina recogidas el mes pasado de las paredes de la tumba, una pátina que se debe en gran medida al característico suelo de *terra rossa* que se filtró en el interior de la cueva en algún momento después de 200 d. C.

Es posible que la pátina de la pared coincida con las pátinas de «Jesús», «Mariamne» y «Mateo», y que estas a su vez coincidan con la pátina del osario «Jacobo». Pero solo abriré el paquete del Servicio Geológico de Israel y miraré los datos de la pátina del osario «Jacobo» después de que obtenga los resultados de las paredes de la tumba y de nuestras muestras de los osarios IAA 80/500-509 (suponiendo que se obtengan resultados discernibles). No quiero arriesgarme a que los datos de «Jacobo» me influyan, ni aunque sea de manera inconsciente. Para mí debería ser un estudio ciego. Hasta pronto.

CHARLIE P.

En 2006, Bob Genna era director del Laboratorio de Criminalística del Condado de Suffolk, en Nueva York. Cuando empezó en este campo evitaba mencionar en qué se ganaba la vida, porque la respuesta habitual era un estremecimiento seguido por la pregunta: «¿Cómo soporta ver a gente muerta?». Todavía evita mencionar el trabajo, pero las razones han cambiado, sobre todo debido a la inmensa popularidad de la serie de televisión *CSI*. Ahora, la primera pregunta que le hacen cuando saben que trabaja en un CSI es: «¿Cuál es el caso más truculento en el que ha colaborado?».

Bob fue aproximadamente la decimotercera persona que «subimos a bordo». Él y yo nos habíamos conocido fugazmente mucho antes, en julio de 1996, durante la investigación de la explosión en el vuelo 800 de la TWA. En ese momento, George Skurla, ingeniero de Northrop-Grumman Aerospace, me había llamado para que examinara los restos metálicos y proporcionara lo que sería la tricentésima opinión acerca de cómo la aeronave se partió y cayó en el Atlántico. Sin embargo, no pude examinar los restos. Lo que Skurla no sabía era que una repentina crisis familiar me había salvado de ser una más entre las muchas vidas perdidas en el desastre. Yo tenía que haber viajado en ese vuelo. Si las cosas hubieran ido de ese modo, Bob Genna me habría visto, por primera y última vez, como una de las víctimas cuyo ADN identificó su equipo. En cambio, años después, estábamos buscando la huella química de la tumba familiar de Jesús.

Para Bob, el proyecto de la tumba había empezado simplemente como planificación de un nuevo desafío científico: ¿de verdad podía demostrarse que cada lugar de sepultura es químicamente distinto y que pueden «tomarse las huellas» a cualquier objeto excavado del suelo del yacimiento (sea un osario, una joya, un arma homicida o un trozo de cráneo) gracias a la química de su pátina? La teoría, si se verificaba adecuadamente, podría tener amplias aplicaciones en la investigación de la escena del crimen. Una pieza de metal deslustrado o un trocito de porcelana roto podían registrar diferentes estilos de cocina o los tipos de pintura utilizados a través de una generación en una sola casa, igual que la pátina en la estatua de la Libertad ha registrado la historia de la contaminación del aire en Nueva York. Esta técnica podría aplicarse para relacionar, pongamos, un arma homicida con la química de un patio trasero en particular.

Más cerca del laboratorio —y del proyecto de la tumba—, el desafío científico ya estaba imbricándose con el caso penal de Oded Golan en el extranjero. El coleccionista había sido acusado de adquirir un osario con la inscripción «Jacobo, hijo de José» en el mercado de antigüedades y añadirle las palabras «hermano de Jesús». Presuntamente, lo hizo para aumentar el valor del objeto. Golan negó los cargos. Una coincidencia de pátina entre el osario de Jacobo, hijo de José y el de Jesús, hijo de José, sería un convincente indicio que probaría que, de hecho, no se había cometido ningún delito.

—¿Alguna de estas tumbas pertenece a gente a la que conozco por la historia? —me había preguntado Bob.

—Sí —le contesté—. Sí. —Y nada más.

En la tarde del 30 de enero de 2006, en el momento en que se abrió el primer vial de muestras, Bob conocía el resto de la historia. A lo largo de los últimos treinta años, había examinado miles de objetos bajo el microscopio. Tenía que admitir, no obstante, que examinar lechos de acreción del fondo de los osarios de Mariamne y Jesús —y examinar un micropaisaje con capas de pátina acumuladas como el nácar en las perlas, en ocasiones relacionadas con fragmentos de fibra— le provocaba una sensación extraña y sin precedentes. Antes de que pasara mucho tiempo, el analista forense que había en él se sobrepuso y su interés se centró, no en quién podía haber sido aquella gente, sino en las muestras de pátina en sí y en el intento de relacionarlas científicamente.

Los primeros *pings* del microscopio electrónico eran de la matriz de caliza «aislada» y de la pátina recogida en el interior de un arcosolio de la pared nordeste de la tumba. *Pinguear* las muestras era un término naval que tomaba prestado de la larga tradición navegante de mi familia. La microsonda electrónica —que cargaba átomos y los estimulaba hasta que su coraza de electrones emitía señales específicas— siempre me recordaba el *ping* del sónar, el impulso ultrasónico que se emite hacia un objetivo hundido en la profundidad del océano hasta que este irradia una señal discernible de retorno.

La matriz de «caliza» de que estaban formadas las paredes de la tumba y los osarios se hallaba compuesta principalmente de cáscaras de carbonato cálcico de animales antiguos microscópicos: los mismos fósiles que eran un componente principal de los acantilados blancos de Dover y de la mayoría de las marcas de dentífrico. Los resultados (como, por ejemplo, el *ping* número 8) coincidían con lo que cabría esperar de una matriz de carbonato cálcico cuya fórmula es $CaCO_3$: dominaban las señales de calcio, carbono y oxígeno seguidas por trazas apenas detectables de aluminio, silicio, fósforo y hierro.

Como se esperaba, la pátina de las paredes reflejaba las altas señales de calcio (Ca), carbono (C) y oxígeno (O) observadas en la matriz de la piedra, pero (como se sospechaba) diferían de la matriz subyacente.

En la pantalla del monitor, el espectro elemental recordaba la descomposición de colores de un haz de luz solar al atravesar un prisma y convertirse en un arco iris. Los haces de electrones disparados a través de lentes magnéticas tenían casi el mismo efecto sobre componentes químicos, expandiendo cada uno de los elementos en bandas verticales diferenciadas. En el espectro elemental de la pátina de la tumba, la señal de silicio era muy notoria, a diferencia de las propiedades generales de la piedra caliza que Bob y yo ya habíamos observado en la matriz que se hallaba inmediatamente debajo de la pátina. Él había esperado que los dos materiales fueran más similares. Asimismo, el espectro mostraba, en lo que empezaba a parecer una huella dactilar elemental, las marcas de magnesio, aluminio, fósforo, potasio y —lo más extraño de todo— prominentes picos de titanio y hierro.

—Hierro —anuncié—. Al menos ahora sabemos qué es lo que da su nombre a la *terra rossa*. Está llena de óxido.

Doce *pings* más de distintas muestras de pátina de pared y techo demostraron que el resultado era reproducible; es decir, que futuras muestras de la IAA 80/500-509 producirían el mismo espectro en cualquier laboratorio del mundo.

A continuación nos centramos en la pátina del osario de Jesús y obtuvimos el mismo resultado. La pátina de «Mateo» también era concordante con la de «Jesús» y la de los muros de la tumba de Talpiot. Esto se me antojó particularmente importante, porque había temido que la descomposición de libros sagrados enterrados en la tumba durante un cuarto de siglo pudiera haber creado un nuevo entorno de bacterias y virus que diferenciara el resultado de la tumba del de los osarios que se habían extraído de allí años antes. La pátina de la tumba podría haberse reformulado químicamente, quizá incluso hasta sus raíces, mientras que el osario de Jesús y sus acompañantes habían sido almacenados en el entorno seco y bacterianamente inactivo del almacén de la IAA. Si había ocurrido eso, la pátina del osario de Jesús (del entorno del almacén) habría presentado una firma muy diferente de la pátina del muro y el techo de la tumba. Y la prueba, en esencia, habría tenido que interrumpirse. Sin embargo, las bacterias no habían provocado un cambio significativo. En términos de espectro elemental, las huellas de pátina encajaban.

Empecé a sentirme optimista: al sacar los osarios de la tumba, Shimon Gibson y sus colegas habían llevado a cabo un gran servicio. En esencia, lo que ahora se había demostrado era que incluso después de haber estado sometidos a entornos sumamente diferentes durante casi tres décadas, la integridad de la historia química de la tumba, como se registraba en la pátina de dos mil años de antigüedad, se había preservado.

Antes de que acabara la jornada, Bob y yo *pingueamos* la pátina del osario de Mariamne. Y una vez más, obtuvimos un resultado coincidente. En ningún momento miramos los resultados obtenidos cuatro años antes en los exámenes de microscopio electrónico del osario de Jacobo.

Cuando al final abrí el sobre del doctor Amnon Rosenfeld y leí el informe del espectro de la microsonda electrónica de la pátina de «Jacobo», el resultado era una vez más... coincidente, hasta en los picos de titanio y hierro, que parecía ser la firma distintiva del suelo de *terra rossa*. Una diferencia habría significado que el osario de Jacobo probablemente había salido de otra tumba y que no podía ser el «décimo osario» que faltaba.

La coincidencia aparentemente indicaba lo contrario.

Los indicios todavía distaban de ser concluyentes. Todo lo que en realidad se sabía era que «todas» las tumbas y «todos» los osarios de Jerusalén exhibían una perfecta coincidencia del espectro elemental. El método de huella de pátina todavía podía resultar inútil si cualquier tumba en kilómetros a la redonda de Jerusalén estaba forrada con la misma firma química y la razón real de que «Jacobo» coincidiera con Jesús era que solo había una huella dactilar de pátina local y que dos osarios cualesquiera habrían coincidido.

Y aun así, parecía que estábamos a punto de demostrar que el osario de Jacobo era un objeto arqueológico significativo, exonerar al coleccionista Golan de las acusaciones en su contra y anunciar una nueva era de huellas de pátina como método científico válido.

De: Charlie P.
Para: Simcha J.
CC: Jim C.
30 de enero de 2006

Queridos, Simcha, Jim:

Ha sido un buen día. Hemos podido *pinguear* veinte puntos de matriz y pátina distintos... arrojando un único espectro de pátina distintivo para la pared, el techo y la superficie de los osarios. De manera interesante (pero no inesperada), el lecho de restos orgánicos semifosilizados del interior de los osarios de «Jesús» y «Mariamne» produjeron el mismo espectro elemental.

Había esperado una variación mucho mayor de diferentes partes de la tumba e incluso de diferentes capas de la misma muestra de pátina... Resulta que las variaciones entre diferentes capas de pátina son, químicamente, muy leves (aproximadamente en el rango del 5 por ciento); las capas individuales difieren más por rasgos como la morfología del cristal que por el espectro elemental. Una analogía válida serían los anillos de un árbol, vistos en corte transversal: las capas tienen un aspecto diferente, en cambio, bajo una microsonda electrónica, veríamos esencialmente las mismas ratios de carbono, oxígeno y hierro; igual que hallamos cantidades similares de carbonato cálcico en las capas de una perla.

SIGUIENTES PASOS: Hemos de ampliar la base de datos de pátinas. La siguiente fase será ver si podemos descartar que la coincidencia entre la pátina de nuestra tumba y la de Jacobo sea un caso común (es decir, ¿es posible que la pátina de una tumba coincida con la pátina de cualquier otra tumba?). Si la pátina de nuestra tumba de Talpiot resiste al intento de esa explicación, entonces tenemos algo... Hemos de empezar por comparar osarios de otras tumbas. Ninguna muestra de pátina ha de tener más de un milímetro de diámetro. De hecho, las muestras pueden ser literalmente microscópicas, o sea, no hay que causar ningún daño significativo a los objetos.

Hasta luego,

CHARLIE P.

Bob Genna estaba pasando un mes muy extraño. Primero, una cajita con muestras minerales que le habían llevado al laboratorio para que «examinara cómo se forman las pátinas» en las tumbas y en otros lugares resultó ser parte de una investigación en curso de lo que podría ser la tumba familiar de Jesús. Y ahora colegas de James Cameron estaban planeando filmar la siguiente prueba de pátina. El experimento estaba resultando tener implicaciones más amplias que lo que había empezado como un estudio de la huella de pátina en el tiempo libre.

La siguiente sesión se desarrolló el 7 de febrero de 2006, con cámaras filmando: ciencia en una pecera.

Esta vez se nos unió Amnon Rosenfeld. Cuatro años antes, con el doctor Ilani, había llevado a cabo análisis de microsonda electrónica en la pátina del osario de Jacobo en Jerusalén. Estaba intrigado al saber por Simcha que los resultados preliminares del laboratorio de criminalística del condado de Suffolk apuntaban hacia la posibilidad de relacionar el osario de Jacobo con una tumba concreta. Según Rosenfeld, los picos de titanio y hierro no podían ser un resultado común. En 2002 había concluido de manera independiente que la pátina del osario de Jacobo se había formado, en algún momento de su larga historia, sumergido parcialmente en uno de dos tipos de suelo rojizo —*rendzina* o *terra rossa*— conocidos en las colinas del sur y este de Jerusalén. La *terra rossa* era el más raro y más rojizo de los dos suelos y se sabía que tenía un más alto contenido en hierro (casi el 2 por ciento). Todo esto era coherente con las pátinas de los osarios de Jacobo y los de la tumba de Talpiot.

Hoy era sobre todo cuestión de demostrar que resultados previos eran reproducibles en distintas muestras de pátina de los osarios de Jesús y Mariamne. Si el tiempo lo permitía, también buscaríamos fragmentos óseos y otros restos biológicos en las muestras de lechos de acreción obtenidos de los fondos de estos dos osarios.

El primer *ping* de la pátina de «Jesús» coincidía con las muestras anteriores de pared y osario. El *ping* 22 también coincidía. El *ping* 23 coincidía. El *ping* 24 coincidía.

—Lo que es interesante (y clave) son las pequeñas trazas de materiales que localizamos aquí —expuso Bob Genna a la cámara, señalando el *ping* 24 en el monitor—. Estamos apreciando hierro, titanio, potasio, fósforo y magnesio. Hasta ahora, la composición elemental que hemos analizado en esta sección particular de pátina es coherente con las trazas de materiales que Amnon Rosenfeld encontró en el osario de Jacobo.

—La firma es la misma —aseguré—. Coincide.

El *ping* 25 sondeaba una muestra del lecho de acreción que se había formado dentro del osario de Mariamne, en el mismo fondo. El lecho había quedado enganchado con sílice acarreado por el agua, aparentemente originado en *terra rossa*, en el curso de varios siglos. El espectro elemental del lecho mineral coincidía de manera casi exacta con muestras de pátina de las superficies exteriores de los osarios y de las paredes de la tumba. Había, no obstante, una pequeña desviación: los niveles de sodio, azufre y cloro parecían ligeramente más elevados.

Bajo el microscopio se halló la explicación: rastros de minúsculos gusanos nematodos revelaron que el campo de residuos del fondo del osario había quedado, al menos ocasionalmente, tan suave y húmedo como el cieno. Los nematodos del barro son muy buenos desmantelando campos de residuos de huesos muy deteriorados, y sus rastros fosilizados indicaban que, de vez en cuando, los gusanos de la *terra rossa* se habían dado un festín.

La proliferación de poblaciones de nematodos explicaría con facilidad los rastros de fósforo y azufre en los huesos y también el cloruro de sodio: NaCl es simplemente sal. Sal común. La médula ósea y la sangre siempre la contienen. De hecho, el plasma sanguíneo, salvo sus células, es químicamente indistinguible del agua de mar.

Había otras sustancias en el lecho de acreción y encima de este. Algunas eran más o menos mundanas; otras eran lo contrario a mundanas.

Una fibra que se adhería a la superficie del lecho de acreción resultó ser menos interesante que la sal: contaminación moderna aerotransportada; la cual probablemente se produjo en el almacén de la IAA, donde el osario de Mariamne, a diferencia del de Jesús, se había conservado sin la tapa. Un fragmento de ala de insecto aparentaba ser más antiguo. Procedía del ala delantera de una cucaracha y se había convertido en una pátina rica en sílice. Probablemente esto y unos pocos restos de insectos similarmente preservados (incluidas las partes de la boca de una mosca) se remontaban al tiempo del enterramiento primario, antes de 70 a. C.

La mayoría de la gente cree que los gusanos son los motores de la descomposición y la disolución, pero en realidad no se trata de «gusanos» sino de estados larvales de insectos. En el curso de los últimos ocho millones de años, los átomos de carbono que circulan por las venas de todo ser humano han pasado al menos veinte veces por el tracto digestivo de insectos. Al morir son las cucarachas y moscas las que van tras todo el mundo. Los nematodos solo se llevan lo que estas dejan. Curiosamente, el osario de Jesús, cuando a continuación lo examinamos, parecía un desierto de nematodos comparado con el de «Mariamne», quizá confirmando nuestra sospecha de que los huesos más largos o el cráneo, o ambos, habían sido retirados tiempo atrás por los cruzados templarios.

Los *pings* 26 y 27 resultaron más interesantes que el resto. En el fondo del osario de Mariamne se había formado una concreción mineral en torno a un microfragmento de madera de menos de un milímetro de grosor. Al microscopio, los bordes mostraban signos de descomposición, indicando que podían haber formado parte de un trozo mayor (del tamaño de una uña en diámetro o más grande), que simplemente desapareció en la tumba.

Había muchas fuentes de contaminación con fragmentos de madera en los antiguos talleres de osarios. No tenía por qué ser un recordatorio familiar relacionado con «esa» madera. Pero debo confesar que la idea pasó por la mente de todos.

En este punto, Bob y yo estábamos preparados para una muestra de pátina del osario de Jacobo proporcionada por el Servicio Geológico de Israel. Los resultados del SGI habían coincidido con la pátina de la tumba de Talpiot, pero el siguiente paso era probar que los resultados podían repetirse en Nueva York. Al microscopio electrónico, se apreciaban en la muestra centenares de minúsculos fragmentos de fibra. Se habían desprendido de un trapo y habían quedado atrapados en la superficie exterior. En tiempos modernos alguien había frotado el osario de Jacobo con un trapo empapado en un detergente con una base de cloro y fosfatos.

Los *pings* 33 y 34, apuntados directamente a las fibras, revelaron un gran pico de cloro, combinado con un pico de fósforo que literalmente quedaba fuera del gráfico. Esto era coherente con los detergentes ricos en fosfatos que se utilizaron en la década de 1970 y principios de la de 1980 (hasta que su producción se fue interrumpiendo en todo el mundo porque causaban una proliferación de algas que destruían los torrentes y ríos).

Bob y yo nos miramos el uno al otro. Estábamos seguros de que eso era una prueba de la que el coleccionista Oded Golan querría estar informado. Al fin y al cabo, el «test de isótopos» de la IAA había insinuado que la inscripción de «Jacobo» era falsa o que la habían limpiado. La policía decía falsificada. Golan decía limpiada. Y allí había pruebas científicas que corroboraban esto último.

La historia que contaban las fibras sugería que el osario de Jacobo había sido limpiado después de que apareciera en el mercado de antigüedades con un detergente que dejó de usarse en Israel en 1980, el momento en que el osario IAA 80/509 se convirtió en el «décimo desaparecido» de la excavación de Talpiot.

Los *pings* 31, 32, 35 y 42 continuaron sondeando la pátina del osario de Jacobo. Los detergentes contaminantes se apreciaban claramente en el espectro elemental. Cuando estos se quitaron —por ser contaminantes modernos—, la pátina de «Jacobo» era idéntica a todas las muestras de pátinas de las paredes de la tumba de Talpiot y de los osarios de Jesús, Mariamne y Mateo.

El *ping* 36 sondeaba la matriz de roca que había debajo de la pátina de Jacobo: era igual a las otras muestras de roca, salvo por signos de penetración de detergente.

Los *pings* 37 al 41 produjeron el espectro elemental de una segunda pátina de Jacobo proporcionada por el Museo Real de Ontario. La pátina resultó ser idéntica a la de la muestra de la SGI, incluso en la contaminación por fibras de trapo y detergente con base de fosfatos.

De: Charlie Pellegrino
Para: Simcha Jacobovici

El siguiente paso es probar si la pátina de cada tumba es realmente única. Sin una base de muestras más amplia, una coincidencia entre la pátina de Jacobo y la pátina de nuestra tumba no es significativa. Y para que la prueba sea más difícil, te pido que tus contactos en Israel den prioridad a las muestras de pátina de tumbas que sean lo más parecidas posible a nuestra tumba, es decir, osarios con una pátina roja que indique un suelo local similar a la *terra rossa*. Si apreciamos diferencias sutiles incluso con otras tumbas en las que haya entrado *terra rossa*, entonces sabremos que la «huella dactilar de pátina» realmente funciona.

CHARLIE

De nuevo en Israel, Shimon Gibson ayudó a Felix Golubev, socio de Simcha, en la recolección de una base de muestras más amplia para el estudio de huellas de pátina. Como se solicitó, un porcentaje desproporcionadamente alto no eran aleatorias. Quería que las pruebas fueran particularmente extenuantes, concentrándonos en pátinas que mostraban un tinte rojizo o amarillo rojizo similar a las pátinas de los osarios de la tumba de Talpiot y consistentes con cuevas de osarios que habían estado situadas bajo o cerca de suelos relativamente raros de *terra rossa*. Una muestra completamente aleatoria podía no incluir pátina químicamente similar a la de la tumba de Talpiot, pero quería saber hasta qué punto las excepciones inusuales a la regla realmente «sondaban» la regla. Las pátinas blancas, amarillas y grises eran la regla. Las pátinas rojizas probablemente tendrían una fuerte presencia de hierro y otras similitudes con la *terra rossa*. Esas serían los verdaderos test para determinar si la química de una tumba individual era única.

El 31 de julio de 2006 la primera serie de pruebas se llevó a cabo sobre muestras de osarios recogidos de manera aleatoria (aunque no tan aleatoria) en Israel. Las muestras fueron examinadas mediante la microsonda electrónica del laboratorio criminalístico del condado de Suffolk.

Los *pings* 43 al 46 se dirigieron a las pátinas amarillenta y ligeramente roja de la muestra 14 recogidas por Shimon y Felix. Las diferencias entre esta y las «firmas» de Jacobo y Talpiot fueron inmediatamente identificables. La coloración rojiza estaba confinada a una ligera presencia de hierro (combinada con un elevado pico de azufre y un nivel de silicio significativamente aumentado) en la capa de pátina más fina, la más externa (y por tanto la más nueva). Evidentemente, se había condensado en el osario vapor de agua rico en azufre, probablemente en el último siglo o dos. Debajo de esta capa, la fuerte firma del hierro, como en la tumba de Talpiot, era una traza apenas detectable o estaba completamente ausente. No había titanio. Los fuertes picos de aluminio y potasio vistos en las muestras de Jacobo y Talpiot también estaban ausentes. Sin duda, esta pátina se había formado en un entorno químicamente distinto del correspondiente al osario de Jacobo y la tumba de Talpiot. Resultado negativo.

Los *pings* 47 al 50 se dirigieron a las muestras 19 y 20, ambas recogidas en la misma tumba. Este era un tipo de pátina más desafiante: marrón rojizo de arriba abajo a través de cada capa de su pátina, la cual, en corte transversal y bajo la luz del microscopio, era visualmente indistinguible de la pátina de la tumba de Talpiot. En términos de composición elemental, ambas eran muy similares a la pátina de la tumba de Talpiot, incluidos los altos picos de aluminio, silicio, potasio y hierro, con una ligera traza de titanio. Igual que en el caso de la tumba de Talpiot, alguien evidentemente había instalado una granja sobre esta tumba, porque el agua que pasaba a través del suelo de *terra rossa* parecía implicado en la formación de su pátina.

La contribución más importante de esta muestra radicaba en las diferencias que podían apreciarse. La más prominente de estas era una señal de azufre que, en la mayoría de las capas, se alzaba sobre los picos más altos de hierro en las muestras de «Jacobo» y Talpiot. Esta pátina también parecía ser más variable de capa a capa, incluidos episodios ricos en sodio combinados con niveles relativamente reducidos de carbono. Como podría esperarse de dos muestras de la misma tumba, la número 19 y la número 20 eran más similares entre sí de lo que ninguno de las dos lo era con las pátinas de los osarios de Jacobo, Mariamne, Jesús o Mateo, o con la pátina de las paredes de la tumba de Talpiot. Resultado negativo.

La muestra 30 ostentaba una firma similar a la de «Jacobo», con altos niveles de fósforo y cloro; indicativos una vez más de que se habían utilizado detergentes con fosfatos en la limpieza en algún momento del pasado del osario. Ahí —como revelaron los *pings* 51 al 53— terminaban las similitudes. La ausencia de aluminio, hierro y trazas de otros metales dejaba claro que la pátina se había formado en un entorno muy distinto del de la tumba de Talpiot. Resultado negativo.

La muestra 28 (*pings* 54 y 55) era asimismo diferente de las muestras de «Jacobo» y Talpiot, y de todas las demás. El titanio brillaba por su ausencia, salvo por una micronuez de titanio prácticamente puro localizada por el *ping* 54. El resto de la firma elemental era completamente ajeno al espectro de la tumba de Talpiot. Era tan diferente de nuestra tumba que lo mismo podría haberse formado en Marte. Resultado negativo.

La pátina de la muestra 15 (*pings* 56 y 57) a simple vista parecía muy similar a la correspondiente a las muestras de Talpiot y «Jacobo», pero mostraba niveles relativamente bajos en silicio, aluminio, titanio y hierro, y tenía un alto contenido en azufre que rivalizaba con el pico de carbono del osario. Era una pátina muy distinta, que definitivamente se había formado fuera de Talpiot. Resultado negativo.

La muestra 23 (*pings* 58 y 59) también se había elegido por su aspecto desafiante, en este caso por ser perfectamente indistinguible visualmente de las pátinas de «Jacobo» y Talpiot. Aquí la firma era similar: los picos de aluminio, titanio y hierro se producían en los sitios adecuados…, pero no a las alturas precisas. Junto con un pico de hierro que era relativamente reducido, en la muestra 23 destacaban niveles inferiores de oxígeno y silicio. Una vez más, un osario cuya pátina se había formado en contacto con agua subterránea que se había filtrado a través del suelo de *terra rossa* había producido una firma elemental fácilmente distinguible de la de la tumba de Talpiot. De hecho, la muestra 23 era más similar a las muestras 19 y 20 que a la pátina de la tumba de Talpiot. Resultado negativo.

La pátina gris blancuzca de la muestra 26 (*pings* 60 y 61) produjo una firma que, entre otras diferencias, presentaba niveles reducidos de aluminio, silicio, titanio y hierro, y niveles aumentados de azufre. Resultado negativo.

Los *pings* 62 y 63 sondaron la pátina blanca de la muestra 29, que, como las otras, era distinta de las pátinas de «Jacobo» y Talpiot, empezando por sus niveles anémicos de carbono y oxígeno en el lado izquierdo del espectro. La pátina estaba compuesta casi por completo de calcio y silicio; un glaseado de vidrio blanco. Resultado negativo.

En conclusión, comparados con otras muestras de pátina de osarios hallados en el entorno de Jerusalén, los osarios de la tumba de Talpiot exhibían un perfil de pátina, una «huella dactilar», que coincidía con la del osario de Jacobo y con ningún otro.

En el momento de nuestras pruebas, el coleccionista de antigüedades israelí Oded Golan permanecía bajo arresto domiciliario desde hacía más de un año y se enfrentaba a un juicio en un tribunal penal por supuesta falsificación de la segunda parte de la inscripción del osario de Jacobo.

La policía, sobre la base de una investigación de la IAA, apreció que había distintos modelos de capas en la «pátina de Jacobo» e interpretó (de manera correcta) que ello significaba que esta se había formado en condiciones geoquímicas y de temperatura variables. No obstante, los investigadores combinaron esta interpretación con pruebas de suelo rico en hierro y flujo de agua para declarar que la pátina había sido creada de manera artificial para enmascarar la porción falsificada de la inscripción. La distribución de capas y la química únicas se atribuyeron a condiciones tan improbables como para descartar la posibilidad de que la pátina de «Jacobo» se hubiera formado de manera natural en el entorno de una tumba. Según la investigación de la huella de pátina que Bob y yo llevamos a cabo en el laboratorio CSI del condado de Suffolk, la pátina de «Jacobo» —incluso su distribución de capas de tres anillos— se había formado de manera natural y coincidía perfectamente con los osarios hallados en la tumba de Talpiot.

Más o menos en este momento, Wolfgang Krumbein, uno de los más destacados expertos mundiales en geoquímica y geomicrobiología, había llevado a cabo su propia investigación con micromuestras de pátina del interior de las letras de la primera y la última sección de la inscripción de «Jacobo, hijo de José, hermano de Jesús». Fueran cuales fuesen las condiciones en las que la pátina de Jacobo se había formado (ya fuera en el exterior, parcialmente en el exterior o en una tumba cuyo cierre se había abierto), el laboratorio de Krumbein concluyó que «podemos afirmar con seguridad que al menos fue necesario un período de 50 a 100 años (y probablemente un período de siglos) para la formación de la composición específica de pátina cuyas trazas se identificaron en el interior de la inscripción del osario».

El análisis del profesor Krumbein de incrustaciones de pátina que habían residido en el interior de letras clave de la inscripción de Jacobo, combinado con los datos de la huella dactilar de pátina de Nueva York, reforzaba «más allá de la duda razonable» la tesis de que los osarios inscritos «Jacobo, hijo de José, hermano de Jesús» y «Jesús, hijo de José» habían residido juntos en el interior del mismo sepulcro, durante milenios.

Estadísticamente hablando, añadir «Jacobo, hijo de José» al grupo de Talpiot probaría que la tumba de Talpiot era la tumba de Jesús de Nazaret. «El factor de probabilidad adicional que la inscripción del osario de Jacobo ofrecería —había apuntado Feuerverger—, llevaría las probabilidades a números extraordinariamente pequeños, en la zona de 1 entre 30.000. Y eso sería muy, muy remarcable.»

La tarde del 15 de mayo terminó siendo otro gran día en el laboratorio criminalístico del condado de Suffolk. El científico forense Clyde Wells se había unido al equipo (aunque hasta el mes de noviembre no sabría qué lechos de acreción había examinado ese día). Como la tapa de «Mariamne» había sido retirada durante muchos años, el osario contenía una gran contaminación, incluido polvo de fibra sintética de ropa moderna. Clyde era experto en fibras, así que lo sintético se aisló rápidamente. Las fibras de algodón modernas también destacaban; como constituyentes de polvo aerotransportado del almacén se distinguían de fibras antiguas por ser residuos de superficie que no han sido expuestos a oxidación, mineralización o agresión por microbios.

Después de cribarse lo «abiertamente moderno», salieron a relucir partículas interesantes. Eran demasiado pequeñas y demasiado preciosas para destruirlas con un proceso de pruebas de carbono-14, pero parecían ser antiguas. Había fibras vegetales tan profundamente penetradas por el moho que parecían negras, aunque originalmente deberían haber sido blancas. Las fibras mismas, demasiado anchas para ser algodón, parecían ser una forma de lino, diluido o abaratado con lo que al parecer era una fibra basada en pulpa de papel.

De: Charlie Pellegrino
Para: Simcha Jacobovici
CC: Jim Cameron

Es probable que hoy hayamos visto material de un sudario procedente del osario de «Mariamne». También hemos hallado trazas de fibra de algodón profundamente penetrada por el moho, posiblemente de una segunda sábana o sudario hecho de un material diferente. Las fibras de algodón (y también el moho en reproducción) estaban cubiertas por un fino precipitado de pátina mineral, lo cual significa que estaba semifosilizada y probablemente era antigua. En la sepultura se usaron al parecer dos tipos de ropa, uno de ellos un lino que parece haberse fabricado de manera incluso más barata, más sencilla, con este extraño entretejido de hilo de «papel». En algunas de estas fibras, realmente creo que hemos sido testigos del sudario de María Magdalena.

CHARLIE P.

Después encontramos fibras también en el osario de Jesús. Al principio, el significado de fibras inusuales en él no se hizo inmediatamente aparente. Se observaron la tarde del lunes 15 de mayo de 2006. Mi tiempo de reacción parecía curiosamente lento ese día. Necesité unas horas para asimilar lo que había visto, hasta que finalmente el significado subió como una burbuja desde las profundidades de mi inconsciente.

Las fibras del lecho de acreción de «Jesús» estaban mucho menos degradadas que las extraídas de las muestras de «Mariamne», lo cual parecía coherente con los niveles inferiores de actividad biológica post-*terra rossa*, en comparación con la de otros osarios. Al principio, Clyde Wells no sabía lo que podía significar aquella extraña fibra vegetal. No era algodón ni era lino. Ni era coherente con nada que se utilizara en la actualidad en ninguna fábrica del mundo. Parecía ser una fibra machacada y tejida (o presionada) a partir de una base de paja, probablemente el tejido más barato y sencillo de todos en su tiempo. Como Clyde aún no sabía qué nombre estaba inscrito en este osario del siglo I, para él fue fácil suponer que podría haber sido parte de un sudario.

Durante varias horas, no dediqué a la fibra más que algún pen-

251

samiento de pasada y escéptico. Y por tanto lo que parecían ser restos de un sudario podrían haberse explicado para siempre como contaminación antigua de una tira ordinaria de fibra vegetal que solo parecía tela y no tenía relación alguna con la sepultura de Jesús.

Durante varias horas conseguí mantenerme a cierta distancia de las palabras «¿Y si?».

Hacia las siete de la tarde llegué a Nueva York y me dirigía a casa para cenar, a tiempo de ver el último episodio de una serie de televisión llamada 24. De camino a la parada de autobús, pasé junto a un conocido predicador callejero que se dirigía a los sin techo y que siempre me gritaba el mismo saludo:

—¿Has encontrado a Jesús, hermano?

Asentí con la cabeza y le di la respuesta habitual.

—Estoy trabajando en ello.

Varias veces antes, había paseado bajo las luces cerca de Broadway y Times Square con muestras de la tumba de Talpiot que llevo en mi maletín. Esa noche, por primera vez, se me ocurrió que nadie de los que caminaban junto a mí en las aceras de Manhattan habría creído que los objetos más secretos (y quizá los más sagrados) del mundo estaban a solo unos metros de ellos. El secreto más profundamente guardado de los asesores militares era más ampliamente conocido que el hecho de que ADN y lo que probablemente eran restos del sudario de Jesús habían llegado a Nueva York.

Una hora después, la magnitud de lo que había parecido ser un trozo insignificante de fibra con base de paja de repente caló en mí. Simcha me había dicho en muchas ocasiones que el osario de Jesús era el más sencillo que había visto nunca. Yo había comentado en una ocasión que el osario más sencillo se parecía tanto a una moneda en blanco, sin la estampación final del detalle, que quizá la IAA 80/503 no se había completado. Sin embargo, Simcha había sido rápido en apuntar que el osario de Jesús sí se había completado. Señaló que la tapa encajaba perfectamente en sus muescas, formando un cierre muy ajustado, lo cual también explicaba por qué parecía contener relativamente poca contaminación aerotransportada después de un cuarto de siglo en las instalaciones de la IAA.

El osario más sencillo. Un sudario de fibra de paja.

El osario más sencillo y el sudario más sencillo.

No me considero un hombre que llora con facilidad, pero de repente estaba llorando. Sin explicación aparente, la tela más sencilla había conectado con todo lo que Simcha me había dicho acerca del osario más sencillo, sin más decoración que «Jesús, hijo de José» y una cruz. Este hecho conectaba con todo lo que había leído, tanto canónico como no canónico, acerca de la filosofía de Jesús y acerca de su lección de viajar por la vida ligero de equipaje.

Si de verdad el 80/503 era el osario de Jesús de Nazaret, entonces él, y aquellos que lo enterraron, habían practicado lo que predicaba.

Por primera vez, los indicios acumulativos no eran solo estadísticos, o químicos, o biológicos. Por primera vez, vi que las Escrituras estiraban su largo brazo en el tiempo y embestían de cabeza en la arqueología. Hasta ese momento, me había resultado sencillo imaginar que lo que Jesús había dicho era o bien inventado o bien exagerado por sus cronistas más allá de lo que él realmente predicó; que los sermones y parábolas de Jesús también se habían exagerado tras su muerte más allá de lo que dijo en vida. Ahora me pregunté: ¿Y si...me había equivocado con él... desde el principio?

Simcha. Una conclusión

La tumba ha quedado vacía. Los osarios que habían descansado en sus entrañas durante casi dos milenios ya no se hallan allí. La guardia de calaveras ya no estaba y la terra rossa *que se había filtrado, de manera casi imperceptible, durante mil años, dejando su peculiar pátina en la tumba y en su contenido, había sido sacada a paladas a la luz del día. Edificios de apartamentos desde cuyos tejados se veía Jerusalén y Belén se alineaban en calles completamente nuevas que aún no tenían nombre.*

Una joven autoridad municipal se detuvo para secarse la frente justo delante de la entrada de la tumba, y en ese momento decidió un nombre para la calle que discurría por encima de ella. Ésta rendiría homenaje a un judío de 35 años que luchó contra un Imperio y fue colgado justo después de la Pascua judía en 1947. En su tiempo, algunos compañeros judíos lo llamaron bandolero. Por fin, su hora había llegado. La calle se llamaría Dov Gruvner por el combatiente clandestino que se había opuesto al Reino Unido en la lucha por la independencia del Israel moderno.

En la primera semana de diciembre de 2006, proyecté mi película *El sepulcro olvidado de Jesús* a un primer grupo de ejecutivos que representaban al Discovery Channel de Estados Unidos y a Vision Television de Canadá, dos de las tres cadenas que habían financia-

255

do nuestro filme (la tercera era C4 del Reino Unido). Terminada la proyección se produjo un silencio de asombro en la suite de edición. Para romper el hielo, alguien dijo:

—A ver… ¿cuál es el reclamo de la película? «¡Encontrados los huesos de Jesús!». O qué tal «¡El ADN prueba que Jesús y María estaban casados!» o «¡Hallada toda la Sagrada Familia!» O deberíamos afirmar simplemente: «¡Tenían un niño!».

Hubo risas nerviosas en la sala, y cuando los ejecutivos volvieron a hablar de negocios: «¿Deberíamos emitirlo muy cerca de la Pascua?», «¿Cuánto debería durar?», y mi favorita: «Deberíamos adoptar un tono escéptico». Cuando la discusión pasó a cosas como el número de cortes publicitarios y los anuncios de transición y la velocidad a la que tenían que pasar nuestros créditos, mi mente volvió a la historia.

Después de que todo esté dicho y hecho, ¿qué resultará de nuestro trabajo detectivesco?

El caso es que en 1980 las excavadoras descubrieron una tumba en Talpiot, a medio camino entre la Ciudad Vieja de Jerusalén y Belén. En su entrada había un símbolo único. Dentro, diez osarios. Seis de ellos tenían inscripciones.

El hecho es que nadie cuestiona la procedencia de los osarios. No existe, ni existirá nunca, una disputa acerca de la autenticidad o la legitimidad de las inscripciones. Fueron halladas in situ por arqueólogos. Se trazó un plano de la tumba, los osarios se catalogaron y las inscripciones se verificaron.

La más impactante de las seis inscripciones afirma con audacia: «Jesús, hijo de José». De los miles de osarios que se han encontrado y catalogado, este es uno de los únicamente dos que presentan esta particular combinación de nombres. Curiosamente, la caja es sencilla en extremo. No tiene ornamentación alguna, ninguna de las «rosetas», los círculos o diseños que por lo común se encuentran en osarios. Esto, sin ser «prueba» de nada, es coherente con lo que sabemos de «Jesús, hijo de José» del Nuevo Testamento y otros escritos no canónicos. Quizá la sencillez del osario habla de la personalidad del hombre que fue enterrado en él, o quizá habla del hecho de que sus seguidores no querían llamar la atención hacia la «caja que no se atreve a decir su nombre». El hecho irrefutable es que uno de los osarios más sencillos jamás descubiertos lleva también el nombre más famoso de la historia: «Jesús, hijo de José».

De todas las inscripciones halladas en la tumba de Talpiot, la de «Jesús, hijo de José» es la más difícil de leer. Eso también es un hecho. No es que descifrarlo sea controvertido; todos, desde el destacado epígrafo L. Y. Rahmani al legendario Frank Moore Cross de Harvard, coinciden en que la inscripción en el osario debe leerse «Jesús, hijo de José» y de ninguna otra forma. Pero sigue siendo un hecho que la inscripción está tallada con una caligrafía tan rápida que, en cierto sentido, está oculta a plena vista.

Además, hay una clara marca de X delante del nombre, incisa en el mismo momento en que la inscripción fue grabada en la caja. En este punto, he de admitir que he «cruzado», por así decirlo, una línea controvertida. En Israel, nadie está autorizado a mencionar marcas de cruces en osarios en compañía arqueológica educada. La mayoría de los arqueólogos, especialmente israelíes, suponen —erróneamente— que la cruz como símbolo cristiano empieza con el emperador romano Constantino en el siglo IV d. C. En ese tiempo, este legalizó la cristiandad, posicionándola como la siguiente religión oficial del Imperio romano. Antes de eso, dicen los históricamente no informados, los únicos símbolos usados por los cristianos eran peces, no cruces. Ahora bien, como puede atestiguar cualquier experto en el Nuevo Testamento, la cruz precede en décadas a Constantino, si no en siglos. En los escritos de Tertuliano, por ejemplo, la cruz ya se menciona explícitamente como símbolo cristiano cien años antes de la época de ese emperador romano.

Entonces, ¿de dónde procede realmente el símbolo de la cruz?

¿Puede ser que los primeros seguidores de Jesús adoptaran el instrumento de su muerte como símbolo religioso? Si los romanos hubieran colgado de un árbol a Jesús, ¿sus seguidores se habrían paseado con pequeñas sogas ornamentales de oro colgadas del cuello? El padre Jerome Murphy-O'Connor de la École Biblique de Jerusalén considera poco probable que alguien llevara una cruz como símbolo religioso en el inicio del movimiento de Jesús. Era un símbolo de tortura, no de redención.

Y sin embargo, en Herculano, ciudad hermana de Pompeya, se encontró una cruz en el contexto de un templo religioso. Data de la erupción del volcán Vesubio en 79 d. C., solo cuarenta y nueve años después de la Crucifixión de Jesús. En lugar de tratar de explicar qué hace allí, los eruditos han elegido descartarla. «No es una cruz, es un estante», dicen. Al fin y al cabo, las cruces no podían ser símbolos religiosos para los seguidores de Cristo antes de Constantino. ¿Y qué hay de los centenares de cruces en osarios que datan de la época de Jesús? «No son cruces, son marcas de mampostero», afirma la sabiduría popular.

«Marcas de mampostero» en osarios son marcas que hacen los mamposteros para que sus clientes sepan cómo alinear los osarios con sus tapas. Con este propósito, hacían cruces en los osarios y en las tapas. Por definición, osarios con cruces únicas en ellos no se califican como osarios con marcas de mampostero. Esto no equivale a decir que una cruz nunca es una señal de mampostero, equivale a decir que todas las cruces anteriores a Constantino no pueden ser descartadas de manera automática como marcas de mampostero. Y si no son marcas de mampostero, han de significar algo. Por ejemplo, en la tumba de Talpiot hay una clara marca de cruz en la parte de atrás de uno de los osarios sin inscripción. ¿Por qué está allí junto al osario de Jesús, hijo de José? Además, está la inexplicada X que, según L. Y. Rahmani y Frank Moore Cross, forma parte de la inscripción «Jesús». Como no hay una X correspondiente en la tapa no hay razón para concluir que se trata de una marca de mampostero. Entonces, ¿qué significa la X delante de la palabra Jesús?

Como hemos argumentado, la respuesta a esta pregunta no es tan difícil de rastrear. El hecho es que desde el tiempo de Ezequiel, más de quinientos años antes de Jesús, la X y su forma rotada, la cruz, era una marca que significaba rectitud. Por ejemplo, Ezequiel 9, 4 afirma: «Y le dijo Jehová: "Pasa por en medio de la ciudad, por en medio de Jerusalén, y ponles una señal en la frente a los hombres que gimen y que claman a causa de todas las abominaciones que se hacen en medio de ella"». Literalmente la señal es una *tav*, la última letra de los alfabetos hebreo y arameo. Se llama *tav* en hebreo, *tao* en arameo. El nombre literalmente significa «marca». Significa el final del camino, y quizá también un nuevo comienzo. En el sentido más sencillo del texto de Ezequiel, esta marca de los justos es un símbolo protector que diferencia a los marcados para la redención de los marcados para la destrucción. Entonces, ¿por qué los arqueólogos rechazan la tao en la inscripción de «Jesús, hijo de José» como nada más que una señal de mampostero?

Si todo esto parece esotérico o rocambolesco, recuérdese que Jesús se llama a sí mismo tao viviente. En el Apocalipsis, Jesús pronuncia sus ahora famosas palabras: «Yo soy el alfa y la omega, el principio y el fin» (alfa y omega son la primera y última letras del alfabeto griego). Ahora bien, como reconocerá cualquiera con un conocimiento básico del Nuevo Testamento, Jesús no habla en griego, sino en hebreo y en arameo. Si dijo lo que el Nuevo Testamento dice que dijo, habría usado la primera y última letras de los alfabetos hebreo y arameo y lo habría dicho así: «Soy el álef y la tao». Algunos eruditos pueden argumentar que en el tiempo de Jesús la *tav* hebrea ya había evolucionado más allá de las marcas de X y cruces. En el siglo I se escribía de manera diferente, dirán. Pero eso es volver la espalda al hecho de que durante casi seiscientos años, la última letra —la tao— ha servido como señal de los justos. En el siglo I, la señal de la tao tiene casi seis siglos de historia. Como símbolo religioso, debió dibujarse como siempre había sido, como una X o un signo más (+).

Soy consciente de que no todas las X en osarios han de identificarse como una tao, pero tampoco todas las X han de descartarse como nada más que una marca de mampostero. El hecho es que ya miremos a Tertuliano, Herculano, Ezequiel o la propia descripción que Jesús hace de sí mismo como tao, las taos y las cruces no pueden descartarse de antemano. La cuestión es que, decididamente, el osario con la inscripción «Jesús, hijo de José» no tiene una marca de mampostero en ella. Sino que tiene, deliberadamente inscrita, una *tao*.

La idea de que la cruz de los seguidores gentiles de Jesús evolucionó desde un símbolo anterior de los judíos y los judeocristianos no es nueva. Orígenes, uno de los Padres de la Iglesia, escribió:

Cuestionaban a los judíos para saber si tenían algo en las tradiciones de sus antepasados que ilustrara la letra *tav*. La respuesta fue la siguiente. Uno dijo que la letra *tav*, una de las veintidós utilizadas por los judíos, es la última en el orden de recepción. Aun así, a pesar de ser la última, ha sido elegida para simbolizar la perfección de aquellos que, a causa de su virtud, se lamentan y lloran los pecados de la gente y se compadecen de los pecadores. Una segunda persona dijo que la letra *tav* es el símbolo de aquellos que observan la Ley porque esta, llamada por los judíos Torá, empieza con la letra *tav*. Finalmente un tercero, perteneciente a los muchos de aquellos que se han hecho cristianos, dijo que los escritos del Antiguo Testamento muestran que la *tav* es un símbolo de la cruz y era un antecesor del signo que los cristianos están acostumbrados a hacer en sus frentes antes de empezar sus plegarias o llevar a cabo la lectura de plegarias y lecturas sagradas. (Orígenes, *Selecta in Ezechielem*, Patrología Griega, 13, 799-802.)

Claramente, ya en tiempos de Orígenes, los cristianos eran conscientes de que la tao precedía a la cruz como símbolo de perfección y observancia de la Ley. ¿Por qué debería sorprendernos entonces que se hallen taos en osarios judíos y judeocristianos? ¿Por qué deberíamos minimizar el hecho de que haya una tao inscrita en el osario «Jesús, hijo de José», justo delante de la inscripción misma?

En 2006 viajé al Commissariato di Terra Santa, en Nápoles, para reunirme con el padre Ignacio Mancini. El padre Mancini es anciano, y tiene problemas de movilidad. Camina con un andador y ayudado por una novicia. Durante treinta años vivió en Jerusalén, en la Iglesia de la Flagelación de los franciscanos. Trabajó con el legendario padre Bellarmino Bagatti, monje y arqueólogo. Asimismo, es autor de *Archaeological Discoveries Relative to the Judeo-Christians*, que se publicó por la Franciscan Printing Press, en Jerusalén, en 1968. En su libro, el padre Mancini cataloga cientos de taos, cruces y otras marcas que parecen relacionadas con los primeros seguidores de Jesús. Y aun así, todos estos signos de la primera cristiandad han sido desoídos por académicos seglares y por sus compañeros cristianos, ¿por qué?

Una vez más, la respuesta no es difícil. Al fin y al cabo, durante milenios, los judeocristianos, o ebionitas, fueron embarazosos tanto para los cristianos como para los judíos. Eran embarazosos para los judíos porque, en medio de su persecución a manos de cristianos, constituían un recordatorio de que Jesús tenía seguidores judíos cientos de años antes de que la cristiandad se convirtiera en un movimiento de gentiles. A la inversa, los ebionitas eran embarazosos para los cristianos porque eran testigos silenciosos del hecho de que la gente que conoció a Jesús, que partió el pan con él y que escuchó sus enseñanzas directamente de sus labios seguían las normas *kosher*, observaban el sabbat, practicaban la circuncisión a los varones y rechazaban la idea del nacimiento de virgen y la Trinidad.

Como resultado de todo ello, los judeocristianos han caído en un agujero negro del mundo editorial llamado Franciscan Press. En términos simples, al margen de un pequeño círculo de estudiosos, apenas nadie sabe que los judeocristianos existieron. Y aun así, como Mancini me dijo sentado entre flores hermosas y fragantes, muy por encima del puerto de Nápoles, «No se puede negar lo evidente siempre. Esta gente existió, y dejaron tras de sí pruebas arqueológicas de su existencia. La cristiandad no surgió de la nada social y teológica».

Mancini no está solo en sus creencias. Eruditos como Charles Simon Clermont-Ganneau, el padre Sylvester Saller, Eleazar L. Sukenik, el padre Bellarmino Bagatti, Claudine Dauphin, Jack Finean y otros han señalado pruebas arqueológicas de los judeocristianos desde 1873. Una vez más, uno puede rechazar algunas de las pruebas en ocasiones, pero no pueden rechazarse todas las pruebas, de manera permanente. Y aun así, con respecto al primer movimiento de Jesús, eso es exactamente lo que la comunidad académica ha estado haciendo durante casi ciento cincuenta años.

El resultado de esta negligencia es que cuando se produce un descubrimiento que verdaderamente desplaza el paradigma, como la tumba de Talpiot, parece imposible tomarlo en serio. Sin embargo, solo parece increíble si imaginamos el hallazgo surgido de un vacío arqueológico. En cambio, si entendemos que la tumba de Talpiot existe en un contexto arqueológico formado por cientos de objetos del siglo I que atestiguan el primer movimiento de Jesús, esta empieza a entrar en el foco arqueológico.

Esto nos lleva a otra cuestión, a saber, alguna gente podría llegar a la conclusión de que todo el ejercicio de intentar vincular osarios específicos con personajes específicos del Nuevo Testamento es absurdo desde el inicio. Pero una vez más, el hecho es que los eruditos vinculan objetos específicos con personas del Nuevo Testamento. Por ejemplo, como hemos visto, según los Evangelios, José, hijo de Caifás, era el sumo sacerdote que acusó a Jesús y lo entregó a las autoridades romanas como un alborotador peligroso (Mt 26, 57). En diciembre de 1990, fuera de la Ciudad Vieja de Jerusalén, trabajadores de la construcción descubrieron una cueva funeraria del siglo I. En su interior había once osarios. Uno de ellos, el más ornamentado, ahora en exposición permanente en el Museo de Israel, llevaba la inscripción «José, hijo de Caifás» grabado dos veces. Sin mucha fanfarria, expertos en el Nuevo Testamento consideran ahora que el osario del Museo de Israel contuvo los huesos de José, hijo de Caifás, el sumo sacerdote del Nuevo Testamento que envió a Jesús a la muerte. ¿Por qué es posible encontrar al acusador y no al acusado? Está claro que no se trata de una posición erudita sino política.

Pero hay más. Según los Evangelios, de camino a la Resurrección, Jesús tropezó y cayó. Le ayudó a cargar la cruz un judío de Cirene —un gran centro de la diáspora judía en la actual Libia— que visitaba Jerusalén. Simón de Cirene, como es conocido en los Evangelios (Mc 15:21), quedó profundamente afectado por su encuentro con Jesús, hasta tal punto que las Escrituras narran que tanto él como su hijo Alejandro se convirtieron en primeros seguidores. En 1941 se encontró un osario donde, escrito en tiza verde y grabado en piedra, se leía «Alejandro, hijo de Simón», «Simón» y «Cirene». Como hemos mostrado, los especialistas coinciden en que la combinación de nombres indica que uno o ambos individuos descansaban en este osario. Los eruditos coinciden asimismo en líneas generales en que el Simón y el Alejandro mencionados en el osario de Cirene eran las mismas personas descritas en el Nuevo Testamento.

Durante décadas, el osario de Simón de Cirene ha estado bajo un escritorio en un almacén de la Universidad Hebrea de Jerusalén. Irónicamente, cada año, decenas de miles de visitantes desfilan ante la capilla de «Simón de Cirene» en la quinta estación de la Vía Dolorosa, la ruta que llevó a Jesús a la Crucifixión. Ninguno de ellos es consciente de que el osario de Simón bien podría haberse identificado. ¿Por qué? Porque su osario se cuela entre las rendijas teológica y arqueológica. No apela ni a judíos ni a cristianos… ni, para el caso, a arqueólogos de ninguna corriente política o religiosa.

Ahora bien, el hallazgo menos anunciado, aparte de la tumba de Talpiot, se refiere e Shimon bar Yonah. Según la tradición cristiana, el primer papa no fue otro que Pedro, uno de los doce apóstoles originales de Jesús. Muchos historiadores de la Iglesia primitiva registran que, después de la Crucifixión, Pedro era uno de los líderes del movimiento de Jesús y, según algunos, un oponente de la versión de Pablo de cristiandad. La tradición dice que fue martirizado en Roma y enterrado en un cementerio que se halla debajo del Vaticano. El hecho, no obstante, es que nunca ha habido un solo atisbo de prueba arqueológica que asegure que el apóstol está enterrado debajo de la basílica de San Pedro en Roma, y no es por falta de intentarlo. Se han organizado excavaciones. Han aparecido y desaparecido huesos. Se han encontrado monumentos. Se han identificado cementerios paganos. Pero no a Pedro. Ni siquiera una sola tumba judía o cristiana en todos esos años de esfuerzo. Y desde luego ningún osario. En otras palabras, al margen de las tradiciones romanas, el hecho brutal es que no ha habido el menor indicio creíble de que Pedro, o alguno de los seguidores originales de Jesús, esté enterrado debajo del Vaticano.

En 1953 Bellarmino Bagatti excavó lo que llamó «necrópolis judeocristiana» o cementerio en el monte de los Olivos. Está situada en un lugar sagrado cristiano llamado Dominus Flevit. Según la tradición, es aquí donde Jesús miró al Templo sagrado y lloró por lo que previó como su inminente destrucción. En la necrópolis de Dominus Flevit, el franciscano desenterró decenas de osarios del siglo I d. C. Uno podría haber pertenecido a Pedro.

Como sabe cualquier niño cristiano, «Pedro» no es el nombre real del apóstol. Es un apodo que le puso Jesús a «Simón, hijo de Jonás». Según los Evangelios, Jesús llamó a Simón, Kefa, es decir, roca en arameo. Petrus es la traducción latina de Kefa. Es una antigua versión de Rocky. Entre los osarios de Dominus Flevit, escritos en tiza negra, Bagatti encontró el nombre Shimon bar Yonah, Simón, hijo de Jonás.

Simón era el nombre más popular entre los varones del siglo I en Judea. En cambio, el nombre bíblico de Jonás había pasado de moda completamente en el tiempo de Jesús. De centenares de osarios que han sido catalogados, el de Simón, hijo de Jonás es único. De hecho, si esta inscripción única hubiera sido hallada bajo el Vaticano, el osario se habría convertido inmediatamente en objeto de veneración y peregrinaje. Pero no se encontró en Roma. Se localizó en Jerusalén, en un contexto judeocristiano. Como resultado, hasta el día de hoy permanece abandonado en un minúsculo museo, en la parte de atrás de la Iglesia de la Flagelación.

La cuestión es que la tumba familiar de Jesús no surgió de la nada. Es solo el último ejemplo de hallazgos relacionados con Jesús que parecen haber sido olvidados porque implican objetos arqueológicos que la gente preferiría no encontrar.

En última instancia, si el osario de Jesús, hijo de José, hubiera aparecido en alguna colección privada, habría sido arqueológica y estadísticamente irrelevante. El nombre, la sencillez del osario, la naturaleza «cursiva» de la inscripción y la deliberada tao delante de ésta podrían haber servido para una interesante conversación durante una cena entre un grupo reducido de gente, pero nada más. No habría sido gran cosa. La cuestión es que el osario de Jesús, a diferencia de muchos otros, no emergió misteriosamente en el mercado de antigüedades. Los arqueólogos lo encontraron in situ. Como resultado, la cuestión de si este osario contuvo o no los restos mortales de Jesús puede investigarse científicamente. La primera cuestión obvia es ¿quién más estaba enterrado con él? Si ésta es verdaderamente la tumba familiar de Jesús, los osarios hallados junto con Jesús deberían corresponderse con los datos históricos que pueden recopilarse de su familia.

Como ahora sabemos, en la misma tumba que el osario de Ye-shua bar Yosef (Jesús, hijo de José), Yosef Gat, Amos Kloner y el jo-ven Shimon Gibson descubrieron un osario en cuyo costado estaba escrito, en letras grandes e inequívocas el nombre «Maria». «Maria» es una versión latinizada del nombre bíblico Miriam. En la Judea del siglo I, quizá una cuarta parte de todas las mujeres se llamaban Mi-riam, María, lo cual llevó a confusión entonces y ahora. Este es el motivo por el que los Evangelios frecuentemente tienen varios apo-dos o explicaciones que siguen a la mención de una María, como en «María, la mujer de tal y tal», «María, la madre de tal», «María, la hermana de tal», «María, de esta o aquella ciudad», etcétera. Dado que el 25 por ciento de las mujeres del antiguo Israel se llamaban María, siempre tenías que aclarar a qué María te estabas refiriendo.

Cualquiera que haya oído el Ave María —la inquietante oración católica en honor de la madre de Jesús— sabe que, en la tradición eclesial, a la madre del Señor se la llama de una forma y solo una: María. La veneración de María, madre de Jesús, es una de las cosas que diferencian a católicos de protestantes. Los primeros tienden a concentrarse en la madre, buscando su intercesión y congregándo-se en lugares donde se cuenta que ella llevó a cabo apariciones mi-lagrosas. Y es siempre María, nunca Miriam, ni María la Nazarena, o María, la esposa de José. Es siempre «María».

Olvidando la tumba de Talpiot, si en algún lugar existiera un osario inscrito con el nombre de la madre de Jesús, ¿qué deberíamos esperar en él? Puesto que no hay indicación de que fuera nada más que una mujer judía del siglo I, esperaríamos encontrar su nombre escrito en hebreo o arameo. Por consiguiente, no nos sorprendería que se escribiera Miriam. Y nos deleitaría si dijera algo como «mujer de José» o «madre del Señor». Pero sería igualmente impactante si encontráramos un osario que usara cuatro letras hebreas: *mem*, *resh*, *yod* y *he*, para registrar la versión latina del nombre, «María», como nos ha llegado durante más de dos mil años.

Una vez más, de todos los osarios catalogados por los eruditos, solo un puñado tenían la versión latina de Miriam escrita en letras hebreas. Una de ellas procedía de la tumba de Talpiot, donde durante dos milenios mantuvo una silenciosa vigilia junto al osario de Jesús, hijo de José.

¿La inscripción de María del osario de la tumba de Talpiot nos proporciona una prueba final e indisputable de que dicho osario contuvo los restos mortales de la mujer llamada Virgen María en el Nuevo Testamento? Por supuesto que no. Pueden darse diversas interpretaciones al mismo fenómeno, pero el hecho es que ahora tenemos tres nombres relacionados con Jesús en dos osarios: Jesús, José y María. En 1980, el hallazgo de estos tres nombres en una misma tumba debería haber propiciado una oleada de actividad científica: los estadísticos deberían haber trazado estudios de posibilidad, y debería haberse extraído ADN —como mínimo— de los osarios de María y Jesús para determinar si había algún tipo de relación familiar entre ambos. Pero no fue eso lo que ocurrió. Los arqueólogos, sin ninguna formación en estadística, decidieron que los nombres de Jesús, José y María eran tan comunes en la Judea del siglo I que no merecía la pena estudiar el conjunto de inscripciones.

Y eso no era todo. El hecho indiscutido es que al lado de los osarios de María y Jesús había todavía otro osario con cuatro —uno incluso diría curiosas— letras hebreas cinceladas en el lado: *vav*, *yod*, *sámej* y *he*, Yosa. De manera coincidente, según el Evangelio de Marcos, Yosa o Jos'e, es un apodo de José, hermano de Jesús.

Los Evangelios (Mc 6, 3 y Mt 13, 55) afirman que Jesús tenía cuatro hermanos: Shimon (Simón), Yehuda (Judas), Yosef (José) y Yaakov (Jacobo). El Evangelio de Marcos menciona al menos dos hermanas. Según la primera tradición cristiana (Epifanio de Salamis, *Panarion 78.8-9*), se llamaban Shlomit (Salomé) y Miriam (María). Usando inscripciones textuales y arqueológicas como base de datos, los eruditos coincidieron en que Simón era el nombre más popular del siglo I (21 %), José era el segundo más popular (14 %), Judas, el tercero (10 %) y Jacobo, el cuarto (2 %). Sin embargo, la fuente más temprana, el Evangelio de Marcos, nos da una información importante acerca de uno y uno solo de sus hermanos. José era conocido por su apodo, Joses (Jos'e) o Yosi, posiblemente una versión griega de Yose o Yosa en hebreo. Quizá este Jos'e se llamaba así por su difunto padre José, o quizá por un antepasado anterior. Fuera cual fuese la razón, a diferencia del padre de Jesús, era conocido por el diminutivo Yosef/José, una especie de Pepe hebreo.

Lo asombroso es que en Talpiot tenemos la única versión del nombre Yosa que jamás se haya encontrado en un osario. Así pues, aunque es cierto que si hubiéramos ido a un mercado atestado del Jerusalén del siglo I y gritado Yosef, 14 de cada 100 varones judíos probablemente habrían levantado la mano, si hubiéramos gritado Yosa, en cambio, solo uno habría respondido. Entonces habría sido necesario preguntarle: «¿Eres tú el hermano de Jesús de Nazaret?». Hay muchas posibilidades de que la respuesta hubiera sido afirmativa.

Una vez más, Yosa por sí solo no remacha la probabilidad de que la tumba de Talpiot sea de hecho la tumba de Jesús de Nazaret. Desafortunadamente, apenas tenemos mas información acerca de Jos'e, el hermano de Jesús. Pero si estamos en la tumba correcta, ahora sabemos que no se quedó atrás en Nazaret. Junto con Jesús y su madre María, terminó sus días en Jerusalén. Además, ahora tenemos cuatro nombres relacionados con Jesús en tres osarios: Jesús, José, María y Jos'e.

Pero aparte del osario de Jesús, hijo de José, para usar el término de Feuerverger, el más «sorprendente» de todos los osarios en la tumba de Talpiot es el inscrito «[el osario] de Mariamne, también conocida como Mara». Desde el principio, nos centramos en este osario concreto, porque parecía clave en toda la historia. Todo dependía de ese objeto único. No obstante, no descubrimos sus secretos enseguida. Fueron revelándose lentamente, a lo largo del tiempo.

James Tabor, usando otros osarios como precedentes, señaló que la inscripción de «Mariamne» debía leerse: «[los huesos] de Mariamne, también conocida como "Mara"». Por nuestra parte, aprendimos que, independientemente del descubrimiento de Talpiot, los mayores expertos en María Magdalena han concluido que la mujer conocida en los Evangelios como María Magdalena era realmente llamada por la versión griega de su nombre: «Mariamne» [Mariamene o Mariamne]. La información llega, en primera instancia, desde el Padre de la Iglesia Orígenes, que llama «Mariamne» a Magdalena, y luego a partir del autor Epifanio y textos no canónicos como el Evangelio de Valentino (Pistis Sophia). Pero la clave eran los Hechos de Felipe.

Los Hechos de Felipe narran la misión evangélica de Felipe, hermano de María Magdalena. Durante casi dos milenios han estado disponibles extractos de este texto no canónico. Sin embargo, no fue hasta 1976 que los profesores François Bovon y Bertrand Bouvier encontraron, buscando en la biblioteca del monasterio de Jenofonte en la península griega del monte Athos, un texto casi completo de los Hechos de Felipe. Era un texto del siglo V, probablemente copiado de un manuscrito anterior. Hasta la fecha, el manuscrito no ha sido traducido al inglés. Solo apareció en francés en 1996. Así que, entre los especialistas, pasó desapercibido.

Los Hechos de Felipe nos narran la misma historia que el osario de Mariamne de la tumba de Talpiot. Por ejemplo, los Hechos de Felipe llaman a María Magdalena «Mariamne» y a la madre de Jesús «María». Y en la tumba de Talpiot hay una «Mariamne» y una «María».

Según tradiciones cristianas posteriores, después de que los romanos aplastaran el movimiento de Jesús, María Magdalena escapó a Francia. Si esta tradición es cierta, su osario no podría encontrarse en Jerusalén. En cambio, la tradición anterior registrada en los Hechos de Felipe afirma que, después de acompañar a su hermano al Asia Menor, María Magdalena regresó a Jerusalén y terminó sus días allí. Claramente, la tumba de Talpiot es coherente con esta tradición.

Mientras que la tradición cristiana posterior identifica a María Magdalena con una adúltera a la que Jesús salva de ser apedreada y con una mujer sin nombre que le lava los pies y se los seca con el cabello, los Evangelios mismos no dan absolutamente ninguna indicación de que María Magdalena sea la adúltera o la pecadora que lava los pies a Jesús. De hecho, todo lo que sabemos de los Evangelios es que María Magdalena siempre parecía estar en el centro de la vida de Jesús, incluso en el momento de su muerte y posterior Resurrección. Según los Evangelios, ella está a los pies de la cruz, ella es la primera en descubrir la tumba vacía y ella es la primera en encontrar al Mesías resucitado. Es a los textos no canónicos como el Evangelio gnóstico de María Magdalena y a los Hechos de Felipe a los que hemos de volver para obtener un perfil más completo. Allí ella es un apóstol amado, una sanadora, una predicadora y un maestro por derecho propio. En el Nuevo Testamento (1 Cor 16) Jesús también es referido como Mara o Maestro. De manera especular, en la tumba de Talpiot la inscripción de Mariamne finaliza con las palabras «también conocida como Mara».

Según el Nuevo Testamento, Felipe era el apóstol enviado a los judíos que hablaban griego en el antiguo Israel. Como sabemos que Mariamne, su hermana, lo acompañó en su ministerio, probablemente también hablaba griego. De manera increíble, la inscripción de «Mariamne» de la tumba de Talpiot es la única inscripción griega de la tumba.

Supongo que es posible que un Jesús, hijo de José aparte de Jesús de Nazaret pudiera estar enterrado junto a una María y un Jos'e y otra María conocida como «Mariamne la Maestra». Pero ¿puede alguna persona razonable imaginar que había dos Jesús en el Jerusalén del siglo I con un padre llamado José, un pariente cercano varón llamado Jos'e, y dos Marías en su vida, una llamada María y la otra una mujer que hablaba en griego conocida como «Mara»?

Los Evangelios también son claros en que Jesús no está emparentado con María Magdalena, la llamada Mariamne en los Hechos de Felipe. En teoría, es posible que la segunda María de la tumba de Talpiot, incluso si esta es la tumba familiar de Jesús, sea Miriam, la hermana de Jesús, aunque no tenemos referencias a ella como «maestro» ni una versión griega de su nombre.

En 2005 el productor Felix Golubev, trabajando junto con el especialista Steve Pfann y el arqueólogo forense Steven Cox recogió restos humanos de los osarios de Jesús y Mariamne. Los minúsculos fragmentos fueron entonces enviados al doctor Carney Matheson del laboratorio de paleogenética de la Universidad de Lakehead, en Ontario. El doctor Matheson y su equipo no pudieron extraer ADN nucleico de las muestras degradadas. Sin embargo, consiguieron extraer ADN mitocondrial de las muestras de los osarios de Jesús y Mariamne. Esto permitió confirmar que realmente correspondían a individuos de la antigüedad del Oriente Próximo y que no estaban emparentados por lazos de sangre.

Olvidando por un momento que estamos hablando de Jesús de Nazaret, la única razón por la cual dos individuos sin vínculos de sangre, varón y mujer, aparecen juntos en una tumba familiar del Jerusalén del siglo I es que son marido y mujer.

En la era posterior a *El código Da Vinci*, la idea de que Jesús tuviera mujer e hijos forma parte de la imaginación popular. Tampoco se cuestiona que varias sociedades secretas han suscrito esta creencia durante siglos, si no milenios. Pero ¿puede esta creencia sustentarse en textos canónicos y no canónicos que se remontan al período inmediatamente posterior a la Crucifixión y anterior a que la cristiandad emergiera como religión dominante del Imperio romano?

Como hemos visto, parece que Tomás, el «gemelo» podría ser de hecho Tomás el hijo, pero las referencias a él son básicamente no canónicas. ¿Y el propio Nuevo Testamento?

Claramente, los Evangelios atesoran un profundo secreto. El Evangelio de Juan, por ejemplo, oscurece ex profeso la identidad de alguien al que Jesús amaba por encima de todos los demás: el Discípulo Amado. Nadie sabe por qué este individuo no se identifica por su nombre, sino por la referencia de los sentimientos de Jesús hacia él. En el significado llano del texto, *El código Da Vinci* al margen, es un varón. Pero ¿qué más sabemos de él?

En la Última Cena, en el Evangelio de Juan, el Discípulo Amado es mostrado como «apoyado contra el pecho de Jesús». Una vez más, fijándonos en el significado plano del texto, ¿qué nos cuenta acerca de ese varón «amado»? Puede que los hábitos del lector a la hora de comer sean muy diferentes que los míos, pero en mi mesa solo mis hijos se acurrucan contra mí y se apoyan en mi pecho. El Discípulo Amado, por consiguiente, es claramente muy joven. No es un bebé ni un niño pequeño, pero tampoco es un hombre adulto. Es un niño, un jovencito. Esta interpretación no es nueva. De hecho Alberto Durero, el famoso pintor alemán, en su magistral descripción de la *Última Cena* en un grabado, muestra a un niño sentado en el regazo de Jesús. Simplemente puso lo que el texto dice.

Pero el incidente del «abrazo» no es el único suceso enigmático que implica a un joven registrado en los Evangelios. Marcos 14, 51 afirma que cuando los oficiantes del sumo sacerdote llegan para arrestar a Jesús, un «joven» los siguió. No llevaba nada encima más que una sábana. Trataron de detenerlo, pero se escurrió de la sábana y «huyó desnudo». ¿Está hablando Marcos de un adulto? Obviamente, no. De hecho, en el texto queda explícito que todos los discípulos abandonaron a Jesús y huyeron. Solo este joven, envuelto en una sábana, siguió a la partida del arresto. En los círculos judíos del siglo I, los hombres adultos no caminaban prácticamente desnudos. Pero un chico de diez o trece años podría haberlo hecho.

Parece que Marcos nos está contando la triste historia de un chico sin nombre y casi desnudo que siguió a Jesús cuando este fue arrestado de noche. Cuando los soldados trataron de atrapar al chico tirando de la tela, el chico literalmente se escurrió y huyó desnudo. ¿Por qué nos ofrece Marcos este curioso detalle? Obviamente, implica a una figura importante. Entonces, ¿por qué no nos dice su nombre? Claramente, incrustada en el texto está la insinuación de que Jesús tenía un hijo.

El misterioso Discípulo Amado aparece otra vez a los pies de la cruz. Parece que, protegido por su juventud, es el único varón mencionado en cualquiera de los Evangelios que acompaña a María Magdalena y María, madre de Jesús, en la Crucifixión. Según los Evangelios, los romanos habían colocado una corona de espinas en la cabeza de Jesús y encima de ella habían escrito «rey de los judíos». Obviamente, el mensaje oficial de Roma era que eso era lo que ocurría a cualquiera que reclamara descendencia del rey David. Dicho claramente, si Jesús tenía un hijo, un heredero varón del trono davídico, este habría sido ocultado por miedo a que él también llevara pronto una corona de espinas y colgara ensangrentado de una cruz romana.

La cuestión es que los Evangelios nos invitan a especular acerca de la identidad secreta del Discípulo Amado y el joven que echó a correr desnudo por las calles de Jerusalén la noche en que Jesús fue arrestado... y el hecho es que la razón más convincente para ocultar la identidad de un chico en el entorno más íntimo de Jesús habría sido que se trataba del hijo de Jesús.

Además, Juan registra que Jesús vio a su madre con el Discípulo Amado a los pies de la cruz. Entonces le dijo: «Mujer, he ahí tu hijo». Dirigiéndose al Discípulo Amado afirma «he ahí tu madre» (Jn 19, 26-27). A partir de ahí, Juan nos cuenta que María compartía el mismo hogar que el Discípulo Amado. Claramente eran familia. Probablemente, abuela y nieto.

O bien, ¿no es también posible, como algunos eruditos han insinuado, que María Magdalena es sustituida a menudo en los Evangelios por María, madre de Jesús, para oscurecer su papel en la vida de Jesús? Si ese es el caso, el incidente en la cruz puede ser reinterpretado como las últimas palabras de un hombre moribundo a su esposa («mujer»), no a su madre, pidiéndole que se sobreponga al dolor y proteja a su hijo de un peligro inminente.

Sea cual sea nuestra interpretación de los Evangelios, el hecho es que en la tumba de Talpiot conocemos el nombre del joven por la inscripción en el osario: «Judas, hijo de Jesús». ¿Es Judas el Discípulo Amado? ¿Se ha resuelto el misterio que duraba milenios? ¿Siguió Judas a su padre en la noche de su arresto? ¿Corrió desnudo y desesperado a su madre para contarle la terrible noticia?

Tomados en conjunto, los Evangelios, los textos no canónicos, las tradiciones orales, las pruebas de ADN y la arqueología parecen todos ellos contar la misma historia. Había un hijo, y encontró su lugar de reposo final al lado de su padre, madre, tío y abuela, en una tumba familiar situada a medio camino del lugar de sus mayores en Belén y Jerusalén, donde habían tenido la esperanza de establecer su trono dinástico.

En la ley común británica existe el principio del «hombre razonable». Básicamente, cuando miras las pruebas, no estás obligado a que se te ocurra cualquier escenario de ciencia ficción que pudiera explicarlo. Simplemente has de ser razonable. Y cuando se integra Jacobo en la ecuación, parece que el caso está cerrado.

El osario de Jacobo fue lo que puso en marcha mi viaje. Al principio, la inscripción «Jacobo, hijo de José, hermano de Jesús» fue saludada como el mayor hallazgo arqueológico del milenio. Luego, varios expertos israelíes anunciaron que la parte «hermano de Jesús» fue cínicamente añadida a «Jacobo, hijo de José» por un falsificador brillante. El hecho es que este argumento nunca se ha demostrado a satisfacción de nadie. Al contrario, en 2006, el doctor Wolfgang Krumbein, doctor en geología por la Universidad de Oldenburg, publicó en internet un trabajo en el que defendía la autenticidad de toda la inscripción. Pero, supongamos por un momento que «hermano de Jesús» fuera añadido en tiempos modernos. ¿Dónde deja eso al osario de Jacobo? Al fin y al cabo, todo el mundo coincide en que el osario es auténtico. ¿Y qué hacemos de la inscripción «Jacobo, hijo de José», en cuya autenticidad todo el mundo coincide?

Aquí es donde la trama se espesa. La cuestión es que se hallaron y se catalogaron diez osarios en el yacimiento de Talpiot, pero solo nueve llegaron a la IAA. Uno se esfumó entre Talpiot y la sede central de la IAA. ¿Qué sabemos del faltante décimo osario? Lo que sabemos es que desapareció —fue extraviado o robado— antes de que pudiera ser adecuadamente fotografiado o inspeccionado. En primer lugar, a los excavadores les parecía sencillo, como el osario de Jacobo parece a primera vista. De los registros que tenemos de la IAA, no obstante, tenemos una medición preliminar del décimo osario faltante. Según el informe de Amos Kloner, el osario IAA 80/509 —el osario faltante— tiene 30 centímetros de altura. El osario de Jacobo tiene 30,2 centímetros de altura. El osario 80/509 mide 26 centímetros de ancho. El osario de Jacobo mide 26 centímetros de ancho. Finalmente, el osario desaparecido mide 60 centímetros de largo. El osario de Jacobo mide 56,5 centímetros de largo, una discrepancia de 3,5 centímetros. Es posible, como se ha sugerido, que, puesto que el osario de Jacobo se rompió de camino a Toronto y se volvió a pegar, su longitud original cambiara ligeramente. Pero ni siquiera hemos de seguir esa ruta. Dada la naturaleza preliminar de la inspección y el hecho de que las medidas del osario faltante están redondeadas, bien podría ser que la medida inicial se errara en 3,5 centímetros. Así pues, el osario desaparecido y el osario de Jacobo podrían ser el mismo.

Oded Golan, propietario del osario de Jacobo, tiene una fotografía en blanco y negro del mismo, que se remonta a la época en la que asegura que lo compró. La fotografía fue enviada a un laboratorio de Washington D. C., donde se determinó que no había sido manipulada y que estaba impresa en papel Kodak que dejó de fabricarse en 1980, el año exacto del hallazgo de Talpiot.

Pero hay más. Cuando Charlie estudió la pátina de los osarios de Talpiot al microscopio electrónico, encontró una firma química que coincide con el osario de Jacobo y —hasta el momento— con ningún otro.

Si el osario de Jacobo puede ser rastreado hasta la tumba de Talpiot, el caso estadístico está cerrado. En palabras de Andrey Feuerverger, sería una certeza estadística. La tumba de Talpiot tendría que ser reconocida como la tumba familiar de Jesús. Pero ¿y si no puede relacionarse con Talpiot de manera definitiva? Bueno, aun excluyendo el osario de Jacobo del conjunto de Talpiot; e incluso si se descuentan todos los números de Charlie; e incluso si descontamos por completo la inscripción de Mateo, que preserva el linaje de María, madre de Jesús; e incluso si descontamos el osario de Judas, hijo de Jesús porque la conexión con el Discípulo Amado es demasiado tenue; e incluso si no damos peso estadístico a los símbolos como el galón y la tao; e incluso si dividimos por cuatro todas nuestras cifras para admitir desvíos no intencionados; e incluso si luego lo dividimos todo por mil para tener en consideración todas las posibles tumbas del siglo I en la zona de Jerusalén —incluso tumbas que no se han encontrado y que podrían no existir—, todavía nos queda lo que los estadísticos llaman un factor p de 1 entre 600. Es decir, que las probabilidades son de 600 contra 1 de que la tumba de Talpiot sea el lugar de reposo de Jesús de Nazaret. En otras palabras, ahora parece claro que la tumba de Jesús, hijo de José y de otros miembros de su familia, incluidos su mujer y su hijo, ha sido descubierta.

Cuando salí de la sala de edición y emergí al frío canadiense, lejos de Jerusalén y de los secretos que hay bajo su suelo, mi mente vagó por muchas cuestiones no resueltas. ¿Podría recuperarse ADN de los otros osarios? ¿Cuál es el verdadero significado del galón y el círculo? ¿Por qué motivo exacto había calaveras situadas de modo ritual para guardar los *kojim* en las tumbas? ¿Quedan en el sepulcro inscripciones no estudiadas bajo la pátina acumulada en sus paredes? Pero entonces mis pensamientos por alguna razón se asentaron en la cubierta del osario de Jesús, hijo de José.

Números 24, 27 afirma que «saldrá estrella de Jacob, se levantará el cetro de Israel». Durante milenios, esto se ha visto como una referencia al mesías prometido. El guerrero judío del siglo II Simón bar Kojba, que combatió a los romanos entre 132 y 135 d. C. y fue saludado como Mesías por el rabino Akiva, el mayor sabio del período talmúdico, tenía monedas acuñadas con la estrella de Jacob en ellas. Era su forma de reclamar el trono de David y anunciar su calidad de Mesías. De hecho, el mismo sobrenombre por el que se le conoce significa Simón, el hijo de la estrella.

Jesús no organizó un ejército ni acuñó monedas. Sin embargo, sus seguidores creían claramente en sus alegatos davídicos y mesiánicos. Finamente grabado en la cubierta del osario de Jesús, hijo de José de Talpiot hay un símbolo. La marca probablemente fue hecha por aquel que pasó por el desgarrador proceso de colocar los huesos de Jesús en el osario y luego cubrirlos con la tapa. Probablemente fue un último acto de amor, lealtad y respeto llevado a cabo justo antes de colocar el osario en el nicho funerario, donde estaba destinado a permanecer durante miles de años. Allí, en la tapa, ese pariente desconocido de Jesús, hijo de José grabó una sencilla pero inequívoca… estrella.

Bibliografía seleccionada

ADKINS, L. y R. A. ADKINS, *Handbook of Life in Ancient Rome*, Oxford, Oxford University Press, 1994. [Versión en castellano: *Imperio romano*, Óptima, Barcelona, 1997.]

BELLARMINO BAGATTI y MILIK, *Gli scavi del Dominus Flevit: An account of the excavations, 1953–1955*, Studio Biblicum Fransicanum, 1968.

BERRY, P., *The Christian Inscription at Pompeii*, Edwin Mellen Press, Londres, 1995.

BOVON, F., «Mary Magdalene in the Acts of Philip», en F. STANLEY JONES (ed.): *Which Mary? The Marys of the Early Christian Tradition*, Society of Biblical Literature Symposium Series 20, Brill Academic Publishers, 2002.

EHRMAN, B. D., *Lost Scriptures: Books That Did Not Make It into the New Testament*, Oxford University Press, Nueva York, Londres, 2003. [Versión en castellano: *Cristianismos perdidos. Los credos proscritos del Nuevo Testamento*, Crítica, Barcelona, 2004.]

EUSEBIO DE CESAREA, *The Church History*, Kregel Press, Grand Rapids (Michigan), 1999. [Versión en castellano: *Historia eclesiástica*, Biblioteca de Autores Cristianos, Madrid, 1973.]

FIGUERAS, P., *Decorated Jewish Ossuaries*, E. J. Brill, Leiden, Holanda, 1983.

FINEGAN, J., *The Archaeology of the New Testament*, Princeton University Press, Princeton, 1992.

GIBBON, E., *The Decline and Fall of the Roman Empire*, Nueva York: Heritage Press, 1946. [Versión en castellano: *Historia y decadencia del Imperio romano*, Alba, Barcelona, 2003.]

GOODENOUGH, E. R., *Jewish Symbolism the Greco-Roman Period*, Pantheon, Nueva York, 1964.

GREENHUT, G. y R., Reich, «Tomb of Caiaphas», *Biblical Archaeology Review*, 18 (1992), pp. 28-57.

HACHLILI, R., «Names and Nicknames of Jews in Second Temple Times», *Eretz-Israel 17*, Israel Exploration Society, 1984.

ILAN, T., *Lexicon of Jewish Names in Late Antiquity, Part 1 Palestine 330 B.C.E.-200 C.E.*, Mohr Siebeck, Tubinga, 2002.

JONAS, H., *The Gnostic Religion: The Message of the Alien God and the Beginnings of Christianity*, segunda edición, Boston, Beacon Press, 1963.

JOSEFO, *The New Complete Works of Josephus*, Kregel Press, Grand Rapids (Michigan), 1999.

JONES, F. Stanley (ed.), *Which Mary? The Marys of the Early Christian Tradition*, Society of Biblical Literature Symposium Series 20, Brill Academic Publishers, 2002.

KASSER, R., M. Meyer, G. Wurst y B. Ehrman, *The Gospel of Judas*, National Geographic Press, Washington, D. C., 2006. [Versión en castellano: *El Evangelio de Judas*, Círculo de Lectores, Barcelona, 2006.]

KING, K. L., *The Gospel of Mary Magdala: Jesus and the First Woman Apostle*, Polebridge Press, Santa Rosa (California), 2003.

—, «Why all the Controversy? Mary in the Gospel of Mary», en *Which Mary? The Marys of the Early Christian Tradition*, op. cit.

KLONER, Amos, «A Tomb with Inscribed Ossuaries in the East Talpiot», *Atiqot* 29 (1996), pp. 15-22.

MANCINI, I., *Archaeological Discoveries Relative to the Judeo-Christians*, Franciscan Printing Press, Jerusalén, 1968 (reimpr. 1984).

MEYERS, E. M., *Jewish Ossuaries: Reburial and Rebirth,* Biblical Institute Press, Roma, 1971.

PAGELS, E. H., *Beyond Belief: The Secret Gospel of Thomas*, Random House, Nueva York, 2003. [Versión de traducción: *Más allá de la fe: el evangelio secreto de Tomás*, Crítica, Barcelona, 2004.]

PELLEGRINO, C. R., *Ghosts of Vesuvius,* HarperCollins, Nueva York, 2004.

PLINIO el Joven, *Letters and Panegyricus*, Harvard University Press, Cambridge (Massachusetts), 1969. [Versión en castellano: *Cartas de Plinio el Joven*, CSIC, Madrid, 1963.]

PRITZ, R. A., *Nazarene Jewish Christianity*, Magnes Press, Hebrew University, Jerusalén, 1988.

RAHMANI, L. Y., *A Catalogue of Jewish Ossuaries in the Collections of the State of Israel*, Israel Antiquities and Israel Academy of Sciences and Humanities, Jerusalén, 1994.

—, *Ossuaries and Ossilegium (Bone Gathering) in the Late Second Temple Period. Ancient Jerusalum Revealed* (edición revisada y ampliada), Israel Exploration Society, Jerusalén, 2000, pp. 191-205.

ROBINSON, J. M. (ed.), *The Nag Hammadi Library*, HarperCollins, Nueva York, 1990.

SCARRE, C., *Chronicle of the Roman Emperors*, Thames and Hudson, Londres, 1995.

SCHAFF, Philip (ed.), *Eusebius Pamphilius: Church History, Life of Constantine, Oration in Praise of Constantine*, Christian Literature Publishing Co., Nueva York, 1890.

SHANKS, H. y Ben Witherington III, *The Brother of Jesus*, Biblical Archaeology Society, HarperCollins, San Francisco, 2003.

SUETONIO, *The Twelve Caesars*, Penguin, Londres, 1957. [Versión en castellano: *Vida de los doce césares*, Gredos, Barcelona, 1992.]

SUKENIK, E. L., *The Earliest Records of Christianity*, Roma, 1952.

TABOR, J., *The Jesus Dynasty*, Simon & Schuster, Nueva York, 2006.